자연에 대한 존중

Respect for Nature

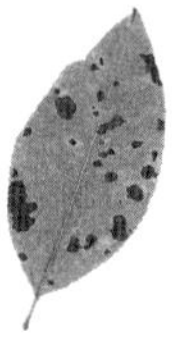

RESPECT FOR NATURE

폴 W.테일러
김영 옮김 박종무 감수·해제

자연에 대한 존중

생명 중심주의 환경 윤리론

Respect for Nature

Paul W. Taylor

리수

지구의 야생 생명체에게

25주년 기념판 서문

1986년 폴 테일러의 《자연에 대한 존중》 출판은 지적 해방감을 주는 사건이었다. 당시 환경 윤리는 정체성을 찾는 중인 새로운 분야였다. 동물은 피터 싱어와 톰 레건 덕분에 학계의 의제로 올라가 있었지만, 지각력 없는 자연과의 도덕적 관계를 어떻게 분별 있게 생각해야 할지 불명확했다. 환경 윤리는 학계와도 환경 운동과도 관계가 불확실했고, 때로는 전자의 몽매주의와 후자의 교조주의를 합친 것처럼 보였다. 의미심장하게도 초기의 가장 우수한 논문 두 편의 내용은 회의적이고 불확실했다. 한 논문은 새로운 환경 윤리가 필요하지 않다고 말한 반면에, 다른 논문은 환경 윤리가 노력해서 계발할 가치가 있다고 말하는 데 그치는 듯했다.[1] 폴 테일러는 그 틈새로 들어와 신중한 추론과 매우 정교한 설명으로 환경 윤리를 진지하게 학문 탐구의 주제로 올려놓았을 뿐만 아니라 환경 운동에서 떠오르던 가치와 생활 방식과도 연결시켰다.

1. 'Richard Routley, "Is There a Need for a New, an Environmental, Ethics?" Proceedings of the XVth World Congress of Philosophy 1 (1973) : 205-210 ; Tom Regan, "The Nature and Possibility of Environmental Ethics", Environmental Ethics, vol. 3 (1981) : 19-34.

테일러 책의 첫 충격은 보편적 호소인 척하지 않은 점이었다. 테일러는 '생명 중심 관점' 을 받아들이는 것이 합리적이고, 그 관점이 자연 존중 태도의 '바탕이고 그 태도를 지지하며' , 도덕 행위자가 생명 중심 관점을 받아들이고 자연 존중 태도를 가진다면 그들을 안내할 수 있는 기준과 규범 체계가 있다고 주장했다. 그는 이 기준과 규범 체계를 거부하는 사람들이 비합리적이거나 선의가 부족하거나 공평하지 못하기 때문에 유죄라고 주장하지 않았다. 테일러는 강요보다 초대로 철학을 실천하고 있었다. 그의 책은 생명 중심 관점에 끌리고 그 안내를 따라갈 준비가 되어 있는 사람들을 겨냥한 것이지 그 관점에 매력을 느끼지 않는 사람들을 위한 것이 아니었다. 생명 중심 관점에 끌린 사람들은 현대 윤리학만큼 엄밀하고 신중한 이 책으로 보상을 받았다.

물론, 어떤 사람이 생명 중심 관점을 받아들이는지 여부는 자의적이지 않다. 인간이 창조의 왕관을 썼다는 전통 종교에 대한 증명서를 찾지 못하는 사람들은 생명 중심 관점을 거부하기 힘들다. 알도 레오폴드가 수년 전에 알아차린 것처럼, 생명 중심 관점은 우리 자신과 자연계에 대한 최고의 과학적 이해와 자연스럽게 결합한다. 참으로 테일러의 생명 중심 관점은 '호모 사피엔스의 역할을 토지 공동체의 정복자에서 일반 구성원과 시민으로 바꿔놓는' 레오폴드의 '토지 윤리'를 체계적으로 표현한 것이다.[2]

2. Aldo Leopold, A Sand County Almanac (New York: Ballantine Books, 1986), p.240. 그런데, 레오폴드에 관한 토론 내용으로 볼 때, 테일러는 자신의 이론을 이런 식으로 보는 데 반대했을 것이다.

나는 지금까지 테일러와 함께 하고 있다. 그러나 철학자에게는 여기가 실제 행동이 시작되는 곳이다. 칸트의 시스템이 인간 존중에 대한 최종 발언이 아닌 것 이상으로 테일러의 시스템은 자연 존중에 대한 최종 발언이 아니다. 테일러의 성취는 모든 답을 제공하고 모든 문제를 해결했다기보다는 심원한 도덕적 도전을 통해 사고할 수 있게 우리에게 관점과 어휘를 제공했다. 인류가 전례 없는 규모로 다른 생명체를 멸종시키고 지구에 생명을 낳은 바탕 시스템을 근본적으로 변화시키는 시기에, 생명 중심 관점을 탐구하고 이 급변하는 세계에서 자연 존중의 의미를 발견하는 것보다 더 시급하고 설득력 있는 일은 없었을 것이다. 25년 전에 폴 테일러가 우리를 이 길로 인도하고 여기까지 이끌어주었으니 우리는 운이 좋았다.

2010년 8월

캘리포니아 주 토리 파인스에서

데일 제이미슨

감사의 글

1982년 봄 학기 동안 안식년 휴가를 허락해준 뉴욕시립대학교, 브루클린 대학의 교수진과 행정부서에 감사드린다. 그 시간은 1977년부터 진행한 이 책의 초판 작업을 마무리할 수 있는 기회였다.

톰 레건에게도 감사의 마음을 전한다. 그는 1982년 가을 학기에 특별객원교수로 브루클린대학에서 일하던 때, 친절하게도 이 책의 마지막 장을 읽고 광범위하게 논평을 해주었다. 이 책의 다른 부분과 관련된 다양한 문제를 놓고 그와 나눈 토론만이 아니라 그의 논평도 매우 유익했다.

마이클 루스 교수, 메리 앤 워런 교수, 그리고 C. G. 비어 교수는 원고 전체를 읽고 비판적으로 평가해주었다. 그들의 상세한 비판과 제안이 크게 도움이 되었고, 그 결과 이 책이 많이 개선되었다. 잘못되거나 혼동되는 점이 있다면 물론 그것은 전적으로 나의 책임이다.

다음의 내 논문 두 편에 수록된 내용을 사용하도록 허락해준 〈Environmental Ethics〉 편집장인 유진 C. 하그로브 교수에게 감사드린다. "The Ethics of Respect for Nature", vol. 3, no. 3, Fall 1981, pp. 197-218과 "Are Humans Superior to Animals and Plants?", vol. 6, no. 2, Summer 1984, pp. 149-160.

마지막으로, 원고를 집필하고 수정하는 모든 과정에서 끈기를 가지고 전문적으로 세심하게 이끌어준 프린스턴대학교 출판부의 샌포드 G. 대처 편집장에게 특별한 감사의 마음을 전한다.

1985 년 9월

뉴욕시립대학교 브루클린 칼리지에서

폴 W. 테일러

차례

1장

환경 윤리와 인간 윤리

1. 서론

환경 윤리는 인간과 자연계의 도덕적 관계를 다룬다. 그 관계를 지배하는 윤리 원칙에 따라 지구의 자연 환경과 그곳에 서식하는 모든 동식물에 관한 우리의 의무, 책무, 책임이 결정된다. 나는 우리 행성의 자연 생태계 전체와 그 생태계의 생물 군집을 구성하는 동식물 개체군을 함께 일컫고자 '자연계' 라는 용어를 쓸 것이다.

이 책에서 이해하는 것처럼 자연 생태계라는 개념은 생태학적으로 서로 관계를 맺고 있는 생명체의 집합을 의미하는데, 생명체들은 인간의 침입과 통제가 없다면 종-개체군으로 존재를 유지하며, 각 개체군은 생태적 지위가 있고 유전자 변이와 자연 선택이라는 진화 과정에 의해 형성되었다. 자연 생태계에는 두 종류가 있겠다. 첫째, 인간의 발길이 전혀 닿지 않았고 인간 문명과 기술의 영향으로 인한 어떤 주요 변화도 겪지 않은 자연 생태계가 있다. 예로는 북부 툰드라의 외딴 대지, 산맥의 숲, 사바나 초원, 선인장 사막, 큰 강 하구의 늪지대 등이 있다. 이런 생태계는 인간의 훼방을 받지 않는 한 원래 상태로 남아 있고, 그곳의 생물 군집은 순수하게 야생 상태다. 이 중 일부는 인간이 의도적으로 야생으로 밀쳐놓았기 때문에 자연 상태를 보존하고 있다.

첫 번째와 마찬가지로 두 번째 자연 생태계에도 인간의 방해를 받지 않고 지금 존재를 유지하고 있는 야생의 동식물 생물 군집이 있다. 그러나 첫번째 자연 생태계와 달리, 이들은 한때 (농업이나 광산업 같은) 인간의 노동이 있었거나, (양 방목이나 벌목 같은) 인간 관행의 결과로 과거에 변화를 겪었던 지역에서 발견된다. 이런 생태계는 단지 오랜 기간 내버려두었기 때문에 지금의 자연 상태로 되돌아간 것일 수 있다. 다른 한편으로는 인간에 의해 바뀌기 전의 상태와 유사하게나마 복원하려고 인간이 의도적으로 애쓴 결과일 수도 있다.

두 종류의 생태계 모두 그곳이 여기서 쓰는 의미로 '자연' 인 것은 그 생태계를 구성하는 종-개체군 사이의 관계를 결정하는 생물학적, 환경적 요인에 인간이 끼어들지 않았다는 사실 덕분이다. 나는 자연 생태계 생명체의 질서가 어떻게 진화 과정과 환경 조건의 결과로 설명되는지를 이 연구에서 분석할 것이다. 그 설명에서 인간의 목적이나 인간 행위의 결과가 언급되지 않을 때 문제의 생태계는 '자연' 생태계로 지정된다.

과연 지구에 순수하게 자연 상태인 생태계가 있는지 의문이 들지도 모른다. 현대에는 인간 문명의 영향을 피할 수 없는 듯하다. 확실히 멸종이 가속화되는 것은 말할 것도 없고 야생의 생물 군집이 빠르게 사라지고 있는 실정이다. 이런 현상은 자연 생태계의 수와 다양성이 급격히 감소하는 것과 직접 관련이 있다. 지구 생물권에 미치는 인간 문명과 기술의 영향은 널리 퍼지고 있다. 지난 세기의 대규모 산업화, 최근 인구 성장 속도의 증가, 그리고 고도의 소비를 자극하고 또 그에 의존하는 경제의 확장 때문에 이제 우리 인간의 존재는 지구 전체에서 감지된다. 식량 작물을 키우고 도시를 건설하기 위해 우리가 탈취하여 생태적 변화가 일어난 지역만이 아니다. 현대의 문명화에 수반되는 물리적, 화학적, 생물적 상황은 어디서든 발견된다. 이런 대세를 통제하지 않는다면, 지구의 자연 환경이 거대한 인공물로 바뀌는 것을 목격하게 될 것이다. 거대한 변형은 지표 전체뿐 아니라 대양과 대기에서도 이미 시작되었다.

그럼에도 불구하고 현재 생태적으로 자연 상태인 지역이 어느 정도 여전히 남아 있다. 인간이 의도적으로 통제하고 조작하는 환경이나 인간의 영향으로 광범위한 변화를 거친 지역과 비교하자면, 적어도 이 지역은 심각한 생태적 손상을 피했고, 그곳의 생물 군집은 여전히 비교적 야생 상태로 존재한다.

우리가 인식해야 할 것은 자연 생태계와 자연 상태가 아닌 생태계 사이에 분명한 경계가 없다는 사실이다. 가장 적절히 구분하는 방법은 아마도 중요한 모든 면에서 인간이 나타나기 전에 존재한 생태계와 유사한 생태계부터, 인간의 영향이 증가하는 단계적 차이를 거쳐, 인간이 완전히 통제하고 심지어 생산하는 생태계가 스펙트럼의 반대편 끝에 이르는 연속체의 한 끝에 자연 생태계가 있다고 보는 것이다. 후자의 예는 농장, 골프 코스, 조경 공원, 정원, 목재 회사가 조림한 산림 등이 있다. 이들은 인간의 목적을 위해 인간이 만들고 사용하는 것이므로 '인공 생태계' 라고 부를 수 있을 것이다.

어떤 인공 생태계에서는 유기체 자체가 인간의 산물이다. 육종으로 엄청나게 다양한 식물이 만들어졌고, 정교하게 조작된 교배 프로그램으로 새로운 변종 동물이 개발되었다. 최근에는 유전자 조작 기술이 출현하여 인간이 종을 만들어내고 인간의 이익을 위해 살아 있는 것을 이용하는 능력이 크게 발달하고 있다. 인공 생태계와 대조적으로, 자연 생태계는 그 생물상이 인간의 간섭 없이 자연 과정에서 진화한 유기체로 이루어져 있다.

연속체의 '자연적인' 극단에 속하는 생태계에 이르기까지 그 생태계의 종-개체군, 생태적 상호 의존 패턴, 그리고 그들이 차지하는 서식지의 범위는 모두—때로는 빠르게, 또 때로는 느리게—변하고 있다. 그 변화는 인간의 간섭 없이 일어난다. 현재 생물학자들이 생태유전학과 개체군유전학을 이해하는 바에 따르면, 자연 생태계에서는 각 개체군의 크기, 성장 속도, 연령 분포, 기타 특성뿐 아니라, 종-개체군 사이의 관계 구조가 개별 유기체 수준에서 자연 선택의 작용으로 결정된다. 우리 행성에서 생명의 역사 내내 자연 생태계의 진실이었던 이 과정은 환경 조건의 변화와 유전자 변이라는 두 요인으로 설명된다. 두 요인은 함께 개체의 번식에 영향을 미치며 그에 따라 전반적인 생태계 질서가 형성된다.

환경이 일정하다고 가정하고 유전자 변이에서 출발한다면, 변화 과정은 다음과 같이 요약해서 설명할 수 있다.

유전자 돌연변이 (유전형 변이)

↓

개체의 새로운 물리적 형질 (표현형 변이)

↓

일정한 환경에서 경쟁력이 증가하거나 감소함 (적응력이 향상되거나 감퇴함)

↓

후대 개체에서 유전자의 생존이 증가하거나 감소함 (번식이 늘어나거나 줄어듦)

↓

종-개체군의 변화 (일정 개체군에서 새로운 형질이 더 많거나 더 적은 수의 개체에서 발견됨)

생태계 전체에서 종-개체군의 분포와 크기가 변함

생태계 내 진화 과정을 생물학적으로 설명하는 또 다른 방식은 처음에 유전자 변이가 없다고 간주하고 환경 변화에서 시작하는 것으로 앞의 설명을 보완한다. 그 패턴은 다음과 같다.

환경 조건이 변함

↓

어떤 개체의 경쟁력은 증가하고 어떤 개체의 경쟁력은 감소함

↓

어떤 개체의 번식은 늘어나고 어떤 개체의 번식은 줄어듦

↓

어떤 개체군은 성장하고, 어떤 개체군은 쇠퇴하며,
시스템 내 생태적 지위가 새로운 패턴으로 자리잡음

각 설명 방식에서 결과를 결정하는 요인은 개별 유기체의 적합성인데, 여기서 '적합성'은 유기체가 후대에 자신의 유전자를 퍼뜨리는 능력으로 측정된다. 이는 어떤 생태계에서 특정한 때의 생물 군집의 구성뿐 아니라 생태계 내 개체군의 변화도 결국 개체 수준에서 자연 선택이 작용한 결과라는 뜻이다.[1]

생태계와 그 생물상을 바라보는 이런 방식의 철학적 중요성은 이른바 '자연의 균형'을 더 이상 자연계의 질서에 짜여 있는 일종의 기본 기준으로 간주할 수 없는 데 있다. 19세기 다윈 전후에 구상된 바와 같이 '자연의 균형'은 생물권의 전반적인 설계에 관한 증거로 여겨졌다. 이 개념에 따르면 각 생물 군집의 종-개체군과, 궁극적으로 지구 생물권에 포함되는 모든 종이 그들 사이의 조화로운 관계라는 통합된 질서를 형성한다고 이해할 수 있다. 이 시스템 전체의 안정적인 균형은 생명체의 상호 이익에 맞게 작동했다. 생물 군집 자체가 일종의 거대 유기체이며 생물 군집의 안녕은 구성체 간의 조화에 의해 보존될 수 있다고 보았다. 개별 생명체의 안녕은 그 생명체의 기관과 조직이 모두 적절한 방식으로 다양한 생물적 기능을 수행할 때 증진되는 것처럼 말이다.

그러나 현대 생물학이 생태계와 그것을 구성하는 생물상을 바라보는 방식을 보면, 지구의 생명 질서에 관한 유기체적이거나 전체론적 개념은 과학적 설명을 정립하는 데 필요하지 않다. 데이터를 해석하거나 연구의 방향을 잡는 데도 유용한 패러다임이 아니다. 특정한 때에 생태계의 종-개체군의 균형과 안정성이 어떻든 간에 그 상태는 생존하고 번식하기 위해 경쟁하는 개체들 사이에서 일어난 자연 선택의 결과로 보아야 한다. 현재 일어나고 있는 것처럼 우리 행성 자연 생태계의 안정성과

1. 지연 선택이 개체 수준에서 작용하며 생태계 내 개체군의 구조를 기본적으로 결정한다는 것은 조지 C. 윌리엄스의 다음 책에서 충분히 논의되었다. Adaptation and natural Selection: A Critique of some Current Evolutionary Thought (Princeton, N.J.: Princeton University Press, 1966). 진화생태학의 생물학적 설명에 관한 분석은 애리조나 주립대학 동물학과의 제임스 P. 콜린스 교수의 미출간 논문 두 편, "A Review of Some histological Aspects of the Development of Evolutionary Ecology"와 "Evolutionary Ecology and the Changing Role of Natural Selection in Ecological Theory"에 힘입은 것이다.

균형을 인간이 유지하거나 강화해야 하는지 여부가 환경 윤리 관심사의 핵심 질문이다. 하지만 이 질문에 답하려면 더 이상 '자연의 균형' 을 유지하고 본성에 설계된 대로 살라는 식으로 단순히 자연계가 우리에게 지침을 제공한다는 개념에 호소할 수 없다. 나중에 지적하겠지만, 자연계와 올바른 관계 속에서 살 방법을 모색할 때 우리 인간은 도덕 행위자로서 우리를 이끌 우리 자신의 원칙을 찾아야 한다. 따라서 우리는 윤리적 질문을 던져야 하며, 생명체의 질서에 관한 특정 방식의 도덕 규칙을 단순히 '받아 읽어' 서는 안 된다.

이 책에서 생각하는 바와 같이 환경 윤리 이론의 설계 목적을 분명히 하기 위해서는 앞서 말한 강조점을 논의할 필요가 있었다. 간략히 말하자면, 그것은 인간이 자연 생태계와 야생의 생물 군집을 어떻게 다루어야 하는지 도덕 원칙 체계의 합리적 바탕을 확립하는 것이다. 그런 최종 목표를 이루려면 광범위한 문제들을 체계적으로 검토해야 한다. 이 책을 계속 읽어나가면, 환경 윤리 이론을 온전히 적용하는 일을 깊이 있게 해냈을 때 우리의 관심 주제는 다름 아니라 바로 자연계에서 차지하는 인간 문명의 위치임을 알게 될 것이다.

뚜렷이 구분되는 기본 연구 영역이 네 가지 있는데, 각각을 다음과 같이 밀접하게 연관된 질문 묶음으로 제시한다.

1. 자연 생태계와 관련된 인간의 행위는 적절한 도덕적 제약을 받는가, 아니면 그런 제약이 인간끼리 서로를 대하는 방식에만 적용되는가? 우리가 자연 환경을 대할 때 따라야 할 도덕 원칙이 과연 있는가? 우리의 행동이 좋든 나쁘든 야생의 동식물에게 영향을 미친다는 사실이 과연 윤리적으로 중요한가? 확정적일 필요는 없겠지만, 그런 사실 때문에 문제의 행동을 실행에 옮기거나 자제할 이유가 있는가? 인간에 대한 의무나 책무와 무관하게 자연계에 대한 의무와 책무가 우리에게 있는가?

2. 앞서 말한 질문에 대해 하나라도 그렇다고 답한다면, 그와 관련된

도덕적 제약은 무엇이며, 그것은 다른 사람들과의 관계에서 우리의 행동을 지배하는 제약과 어떻게 다른가? 인간에 대한 우리의 의무와 무관하게 인간 이외 존재에 대한 우리의 의무가 있다면, 그 의무의 근거는 무엇인가? 그 윤리 영역에 적용되는 훌륭한 성품의 기준과 올바른 행동 규칙은 무엇인가?

3. 그 기준과 규칙을 어떻게 정당화할 것인가? 환경 윤리의 원칙을 따르겠다는 도덕적 약속에 합리적인 근거가 있음을 보여줄 수 있는가? 유효한 환경 윤리 원칙이 있어서 모든 사람들에게 차별 없이 구속력을 가진다고 입증할 수 있는가?

4. 마지막으로, 자연계에 대한 우리의 의무와 책임을 (있다고 가정했을 때) 인간의 가치와 이익과 비교해서 어떻게 그 경중을 판단할 것인가? 환경 윤리상의 의무 때문에 우리가 인간이 목적하는 바에 반하는 방식으로 행동하는 일이 있을까? 만약 그렇다면 그 의무가 인간의 목적 수행보다 우선하는 경우는 어떤 때일까?

이 질문에 답하려는 체계적이고 철저한 시도를 나는 환경 윤리 이론이라고 부르겠다. 이 책에서 제시하고 옹호하는 견해는 그런 시도 중 하나이다. 나는 우리의 어떤 행동이 자연계의 야생 생물에게 이롭거나 해롭다면, 인간에 대한 의무와는 무관하게 그 행동을 실행에 옮기거나 자제하도록 도덕적으로 요구받는다고 주장할 것이다. 나아가 이런 도덕적 요구 사항이 인간이 가치를 두는 어떤 것들보다 더 중요시되어야 한다고 주장할 것이다. 환경 윤리의 의무를 다하려면 때때로 적어도 인간 이익의 일부를 희생해야 한다.

이런 견해가 어떻게 합리적으로 정당화될 수 있는지를 이해하는 데는 인간(또는 인류) 중심 환경 윤리와 생명 중심 환경 윤리를 구별하는 것이 도움이 된다.

인간 중심의 환경 윤리 이론에서는 자연계에 대한 우리의 도덕적 의무가 모두 본질적으로 인간으로서 서로에게 갖는 의무에서 나온다고 본다. 우리가 지구의 자연 환경과 그곳에 서식하는 인간 이외 존재들을 대할 때 일정한 제약을 두어야 하는 것은 모든 인간의 권리를 존중해야 하기 때문이거나 인간의 안녕을 보호하고 증진해야 하기 때문이다.

인간 중심의 전형적인 주장은 다음과 같이 전개된다. 미래 세대도 현 세대와 마찬가지로 신체적으로 안전하고 건강한 삶을 살 권리가 있다. 그러므로 우리에게는 나중에 지구에서 살아갈 사람들의 생존과 안녕이 위험에 처할 정도로 자연 환경이 피폐해지게 내버려두지 말아야 할 의무가 있다. 우리는 또한 미래 세대가 천연 자원의 혜택을 공평하게 누릴 수 있도록 천연 자원을 보전할 의무를 지닌다. 위험에 처한 야생 생물 종을 보호해야 하는 현재의 책임조차 인간이 보는 유용성과 연결된다. 그에 따라 인간을 질병으로부터 보호하고, 해로운 세균을 제거하고, 특정 곤충과 '해충'을 조절할 방법을 배우고, 또 유전공학으로 새로운 식량 자원을 생산할 방법을 배우기 위해 새로운 방식을 개발해야 하고, 그 일에 동식물의 다양한 유전자 집합이 필요하다는 주장도 가끔 제기된다. 주장은 계속되어, 미래 세대가 우리와 마찬가지로 자연 그대로의 아름다움을 경험하고 누릴 수 있도록 자연을 보전할 의무가 있다고 본다. 세계 곳곳의 놀라운 자연 경관을 파괴하고 모두의 고민 거리가 될 흉한 쓰레기 더미만 남긴다면 불공평할 것이다. 이와 같이 현재 우리의 행동을 지배하는 기준과 규범 체계 전체의 근거는 인간의 필요와 이익뿐이다.[2]

반면에 생명 중심의 환경 윤리 이론 관점에서 보면, 자연에 대한 우리의 의무는 인간에 대한 의무에서 나오는 것이 아니다. 환경 윤리는 인간 윤리의 한 부분이 아니다. 인간 중심 견해를 따를 때 올바른 행동 중 많은 것들이 생명 중심 이론을 따를 때에도 마찬가지로 올바르다 하더라도, 각각의 경우는 완전히 서로 다른 사항들을 고려하여 그 행동을 올

2. 환경 윤리에 관한 완전하고 체계적인 두 가지 인간 중심 이론으로는 다음 책이 있다: Passmore, Man's Responsibility for nature: Ecological Problems and Western Traditions (New York: Charles Scribner's Sons, 1974)와 H. J. McCloskey, Ecological Ethics and Politics (Totowa, N. J.: Rowman and Littlefield, 1983). 우리가 미래 세대 인간에 대해 의무를 질 수 있는지 여부에 관한 환경 윤리의 인간 중심적 접근법은 상당한 논쟁 거리다. 미래 세대는 아직 존재하지 않는데 해를 입거나 이익을 볼 수 있는가? 그리고 그들의

바르다고 판단한다. 관련된 도덕 원칙은 근본적으로 동떨어져 있고 서로 다르다. 그리고 나중에 살펴볼 것이지만, 두 견해가 항상 같은 결론에 이르는 것도 아니다. 우리가 인간 중심과 생명 중심의 윤리 체계 중 어느 쪽을 받아들이는지에 따라 우리가 자연 환경을 대하는 방식에 실질적인 차이가 생긴다.

생명 중심 견해를 받아들인다면, 지구의 야생 동식물에 대한 우리의 의무와 책임은 우리 자신과 자연계 자체 사이의 도덕적 관계에서 나오는 것으로 여겨진다. 자연계는 단순히 우리가 탐험할 대상으로 거기 있는 게 아니며 그곳의 살아 있는 생명체도 우리가 이용하고 소비할 자원에 불과한 것이 아니다. 그와 반대로, 야생의 생물 군집은 일종의 본래적 가치를 지니기 때문에 우리의 도덕적 관심과 배려의 대상이 되어야 마땅하다. 인간은 무엇에 좋은가? 이 질문은 사람이 어떤 목적을 위한 수단으로만 유용하다고 추정하는 것 같아서 적절치 않다고 여기듯이, 다음 질문도 생명 중심의 관점에서는 부적절하다고 간주된다. 야생은 무엇에 좋은가? 자연계의 생명체는 단지 지구 생물 군집의 구성원이기 때문에 지니는 가치를 가지고 있다. 그 가치는 그들이 인간에게 실질적으로 유용하거나, 유용할 가능성 또는 인간이 그들을 즐겨 바라보거나 연구 대상으로 흥미를 가진다는 사실에서 나오는 것이 아니다.

이 책에서 옹호하는 일반 논제는 이런 생명 중심 견해와 맥락이 비슷하다. 이렇게 설명해도 좋을 것이다. 우리가 동료 인간에 대한 도덕적 의무가 무엇이든 간에, 그에 덧붙여, 또 그와 무관하게 야생 생물에 대해 그들 자체의 권리로 인해 우리가 가지게 되는 의무도 있다. (인간이 도덕적 권리를 가진다고 말하는 것과 동일한 의미에서 그들도 도덕적 권리를 가진다고 말하는 것이 아니다. 이 점은 5장에서 탐구할 것이다.) 인간 이외 지구 생명체에 대한 우리의 의무에 대한 근거는 본래적 가치를 지닌 존재라는 지위다. 그들은 본성 자체에 의해 그들에게 속하는 일

존재 여부가 우리의 현재 결정에 달려 있다면, 우리는 인식 가능한 개인인 그들을 해치거나 이롭게 함에 대해 이야기할 수 있지 않은가? 여기서 나는 도덕 행위자가 현재 행하는 바에 의해 해를 입거나 이익을 볼 수 있는 (인간이든 아니든) 미래 존재가 있을 것이며, 그렇다면 미래 존재에 대한 우리의 의무가 있을 수 있다는 입장을 취한다. 비록 그들은 존재하게 될 때까지 인식 가능한 개인이 아니지만, 그들의 기본적인 이익은 확인될 수 있으며, 그들이 마땅히 우리의 도덕적 배려의 대상이 되어야 한다는 주장은 충분히 이해할 수 있다. 반대 견해에 대한 비판적 논의와 함께 이 입장을 전반적으로 훌륭히 방어하는 내용은 다음에 있다. Tom Regan엮음, Earthbound: New Introductory Essays in Environmental Ethics (New York: Random House, 1984), pp.214-245에 실린 Annette Baier, "For the Sake of Future Generations." 바이어는 우리가 의무를 지는 미래의 존재에 식물이나 의식이 없는 동물을 포함시키지 않지만, 이 책에서 제시하는 이유 때문에 나는 그들을 포함시킬 것이다. 우리는 식물과 동물이 어떤 종류의 존재인지 알기 때문에 그들이 존재하게 되면 그때 그들의 기본적인 이익이 무엇일지를 보통 알 수 있다.

종의 가치를 지니며, 그렇기 때문에 그들을 마치 인간의 목적을 위해 존재하는 것처럼 취급하는 방식은 잘못이다. 그들의 선이 보호되고 증진되어야 하는 것은 그들을 위해서다. 인간이 존중받아야 하는 것과 마찬가지로 그들도 존중받아야 한다.[3]

이런 일반 논제를 완전히 옹호하려면 생명 중심의 환경 윤리 이론 전체가 체계적이고 세세하게 확립되어야 한다. 그 이론이 전체 모습을 드러내고 모든 요소들이 신중하게 검토되었을 때에만 그 이론을 합리적으로 받아들일지 여부가 분명해질 것이다. 합리적으로 받아들일지 여부를 판단하는 근거는 인간 중심 이론을 모두 배제하는 근거이기도 함을 알게 될 것이다.

3. 인간이든 아니든, 모든 생명체가 마땅히 도덕적 배려를 받아야 한다는 주장은 다음 논문에서 옹호된다. Kenneth E. Goodpaster, "On Being Morally Considerable," Journal of Philosophy 75/6 (June 1978): 308–325. 굿패스터는 이 주장을 모든 생명체에게 권리가 있다는 주장과 신중히 구별한다. 인간 이외 존재가 권리를 가지고 있음을 부정하면서도 여전히 그들이 행위자가 의무와 책임을 지는 도덕 주체(즉, "수동자")로 적절하다고 볼 수 있다. 이 책에서 내세우는 이유에 근거하여 이 점에서 나는 굿패스터와 의견이 같다.

2. 도덕 행위자와 도덕 주체

도덕 행위자와 도덕 주체라는 두 가지 개념에 유의함으로써 환경 윤리에 관한 인간 중심 이론과 생명 중심 이론을 더 명확히 구별할 수 있다. 세상에서 어떤 존재가 도덕 행위자인지에 대해서는 두 이론의 의견이 일치하지만, 어떤 존재가 도덕 주체인지에 대해서는 두 이론의 견해가 서로 다르다. 두 이론 모두 도덕 행위자는 도덕적으로 혹은 비도덕적으로 행동할 수 있고, 의무와 책임을 가지며, 자신이 하는 일에 대해 책임을 질 능력이 있는 존재라고 본다. 이런 능력 가운데 가장 중요한 것은 옳고 그름을 판단할 수 있는 능력; 도덕적 검토를 할 수 있는, 다시 말하자면, 선택의 여지가 있는 다양한 행위에 대해 찬성하거나 반대하는 도덕적 이유를 생각하고 경중을 따질 수 있는 능력; 그 근거에 따라 결정을 내릴 수 있는 능력; 결정을 실행에 옮기는 데 필요한 결의와 의지력을 행사할 수 있는 능력; 그리고 실행에 실패했을 때 다른 사람들에게 답변할 수 있는 능력이다.

얼핏 이것이 모두 인간의 능력이며, 그렇기 때문에 도덕 행위자라는 분류가 인간이라는 분류와 단순히 동일하다고 보는 견해가 있을 수 있다. 그것이 왜 잘못인지를 이해하는 것이 중요하다. 이유는 두 가지다. 첫째, 모든 인간이 도덕 행위자인 것은 아니며, 둘째, 인간이 아닌 도덕 행위자가 존재할 수 있기 때문이다.

첫번째 범주에는 일시적으로 혹은 영구적으로 앞서 말한 능력을 상실했기 때문에 도덕 행위자가 아닌 인간이 포함된다. 태어난 지 3일 된 아기, 뇌 손상을 입은 어린아이, 회복할 수 없을 정도로 정신 이상 증세를 보이는 사람, 정신적으로 혹은 정서적으로 지능이 심각하게 지체된 사람이 그 예다. 이들은 생물학적 의미에서 모두 인간이다. 모두 호모 사피엔스 종에 속한다. 그렇지만 이들이 일상적인 도덕 규칙을 어기는 행동을 했을 때 책임을 묻거나 비난하지 않는다는 사실에서 보듯이 이들은 분명히 도덕 행위자가 아니다. 우리는 이들을 판단할 때 다른 사람들을 판단할 때 쓰는 도덕 규칙을 쓰지 않는데, 이는 이들의 행동이 규범을 적용할 수 있는 범위 밖에 있다고 믿기 때문이다.

두 번째 범주에는 도덕 행위자이지만 인간이라는 종이 아닌 존재가 포함된다. 우리 행성이나 우주의 다른 곳에 그런 존재가 실제로 있는지 없는지는 여기서 밝히지 않는다. 지구상 인간 이외의 존재들 중에 자신의 정체에 대한 감각이 충분히 발달했고, 동료에 대해 책임을 느끼는 사회적 개체군에 속하며, 다른 구성원과의 관계를 충분히 이해할 수 있는 동물이 있을 수 있다. 어쩌면 돌고래, 고래, 코끼리, 영장류가 그런 이해력이 있을 것이다. 나의 목적을 위해서는 이 쟁점을 논할 필요는 없다. 환경 윤리 체계에서 도덕 행위자에게 유효하게 적용되는 기준과 규칙을 밝히는 문제에서 인간만이 도덕 행위자인지, 즉 인간이 그 기준과 규칙을 따를 도덕적 의무를 지닌 유일한 존재인지 여부를 가릴 필요는 없다.

유효한 도덕 규칙은 왜 도덕 행위자의 능력을 지닌 존재들에게만 적용되는가? 도덕 규칙을 어떤 행위자(의도적으로 어떤 행동을 하거나 삼가는 자)에게 적용한다면, 행위자는 그 규칙을 자신의 선택과 행동의 규범적 지침으로 삼을 수 있어야 한다. 이 일에는 선택의 여지가 있는 행동이 규칙과 맞기 때문에 그 행동에 찬성한다고(또는 규칙을 위반하기 때문에 그 행동에 반대한다고) 생각할 수 있는 능력뿐 아니라 규칙에 근거하여 도덕적 판단을 내릴 수 있는 능력이 필수적이다. 규칙이 적용되는 행위자는 또한 그런 이유 때문에 행동을 실행에 옮길 수 있어야 하고, 규칙이 요구하기 때문에 그렇게 해야 (또는 규칙이 금하기 때문에 삼가야) 한다. 이것은 도덕 행위자만이 가지는 능력이다.

옳고 그른 행동의 원칙에 대해서만이 아니라 미덕과 악덕의 기준에 대해서도 마찬가지로 생각할 수 있다. 그 기준도 도덕 행위자인 존재들에게만 적용된다. 이는 좋은 성품의 본보기가 되거나 나쁜 성품을 버림으로써 기준을 충족하려고 의도적으로 노력할 수 있어야 하기 때문이다. 그런 존재는 성품의 기준이 무엇인지를 알고 자신의 미덕과 악덕, 도덕적 장점과 단점을 판단할 때 그 기준을 사용할 수 있어야 한다. 마지막으로, 성품 기준이 적용되는 존재는 기준에 명시된 좋은 성품의 이상을 더욱 완벽하게 구현할 것이라는 이유 때문에 스스로 목표를 정하고 그 목표를 좇아 행동할 수 있어야 한다.

이제 도덕 행위자 개념과 구별되는 도덕 주체 개념으로 넘어가보자. 먼저 주목할 것은 도덕 행위자인 인간이 동시에 도덕 주체일 수 있다는 점이다. 이는 인간이 다른 인간에 대해 의무와 책임을 질 뿐 아니라 다른 사람들이 지는 의무와 책임의 대상이라는 의미다. 도덕 행위자의 역할에서는 다른 사람들을 올바르게 또는 그릇되게 대할 수 있다. 도덕 주체의 역할에서 (자신에 대해 도덕 행위자인) 다른 사람들로부터 올바르게 또는 그릇되게 대우받을 수 있다. 따라서 한 사람이 도덕 행위자이자 도덕 주체일 수 있다.

그러나 도덕 주체라는 부류는 도덕 행위자라는 부류보다 범위가 더 넓다. 모든 도덕 행위자는 도덕 주체지만, 도덕 주체 모두가 도덕 행위자인 것은 아니다. 이는 도덕 주체가 도덕 행위자의 능력이 없음에도 불구하고 도덕 행위자가 가지는 의무의 대상이라는 지위를 지니기 때문이다. 예를 들어, 우리는 정신이상이거나 심각하게 지체된 사람을 해치거나 학대하지 않을 의무가 있으며, 그렇다면 그들은 우리와의 관계에서 도덕 주체의 자격을 가질 수 있다.

도덕 주체는 올바르게 또는 그릇되게 대우받을 수 있고, 도덕 행위자가 의무와 책임을 지는 대상인 존재로 정의될 수 있다. 그들의 존재 조건은 분명히 도덕 행위자의 행동에 따라 더 좋아지거나 더 나빠질 수 있다. 따라서 그들을 좋게 또는 나쁘게 대한다는 것이 성립된다. 좋게 또는 나쁘게 대할 수 없는 어떤 것에 대해 도덕 행위자가 의무를 가진다고 말하는 것은 터무니없을 것이다. 어떤 실체를 해치는 것이 불가능하다면, 해치지 않을 책임도 없고 그 실체가 해를 입지 않도록 보호할 책임도 없다. 어떤 것을 이롭게 하는 것이 불가능하다면 그렇게 할 의무도 없다. 도덕 주체는 해치거나 이롭게 할 수 있는 실체여야 한다.

행위자가 의도적으로 어떤 존재를 이롭게 하려고 행동할 때, 목적은 그의 존재 조건을 개선하는 것이다. 즉 호의적으로 행동하는 것이다. 존재를 해치려고 하는 것은 그의 존재 조건을 악화시키는 것이다. 즉 악의적으로 행동하는 것이다. 호의적인 행동은 다른 사람에게 선을 행하고 다른 사람의 안녕을 증진하려는 바람에서 나온다. 악의적인 행동의 동기는 다른 사람의 안녕에 해로운 방식으로 행동함으로써 다른 사람에게 악을 행하고자 하는 것이다. 따라서 선과 악이 행해질 수 있음은 그 대상인 도덕 주체의 특성과 관련이 있다. 아마도 도덕 주체에 관해 윤리적으로 가장 중요한 점은 도덕 행위자가 도덕 주체의 관점에서 그들이 어떻게 대우받아야 하는지를 판단하는 것이 항상 가능하다는 사실이다. 그 판단이 함축하는 기준은 판단하는 사람이 아니라 도덕 주체의 안녕을 증진하거나 보전하는 것이다.

다음 장에서 나는 도덕 주체가 자신의 선을 지닌 존재이기 때문에 도덕 주체에 관한 앞의 서술이 모두 참임을 보여줄 것이다. 그런 실체에는 특정 집단의 유기체뿐 아니라 모든 생명체가 포함된다. 무생물(돌, 모래알, 물 웅덩이, 눈, 불, 얼음, 공기) 자체는 도덕 주체가 아니다. 그들은 그들 고유의 선이 없기 때문에 올바르게 혹은 그릇되게, 호의적으로 또는 악의적으로 대우할 수 없다.

무생물이 도덕 주체가 아닌 이상, 도덕적 관점에서 볼 때 자연 환경의 순수하게 물리적인 조건은 생존이 그 조건에 달려 있는 동식물과 뚜렷이 구분되어야 한다. 하천에 대한 의무는 없다 하더라도, 그 안에 사는 물고기와 다른 수생 생물에 대한 의무 때문에 하천을 오염시키지 않을 의무가 있을 수 있다. 다시 말하자면, 강 자체가 도덕 주체가 아님에도 불구하고 도덕 행위자는 도덕 주체에 대한 의무를 다하기 위해 하천을 특정 방식으로 다루어야 한다. 이와 유사하게, 폐기물 처리장에서 유독성 화학물을 제거하거나, 모래 언덕의 침식을 방지하거나, 협곡의 바위투성이 서식지를 보존하는 것이 생명 중심 환경 윤리 체계의 도덕적 요구일 수 있다. 이 경우 그런 대우를 받는 것은 폐기물 처리장, 모래 언덕 또는 바위 자체가 아니다. 그들에 대한 의무는 없다. 그러나 어떤 방식으로든 그들을 보존하거나 변화시키려는 목적으로 그들에게 영향을 미치는 의도적인 행동은 도덕 행위자가 도덕 주체에 대한 의무를 다하는 데 필요한 조치일 수 있다. 따라서 자연 환경에 있는 무생물이 도덕 행위자에 의해 변형되거나 파괴되거나 보존될 수 있다는 사실은 중요한 윤리적 고려 사항이다. 이 점이 중요한 이유는 무생물을 어떻게 다루는지가 도덕 주체의 안녕에 영향을 미치기 때문이다.

이로써 모든 도덕 행위자가 도덕 주체지만 모든 도덕 주체가 도덕 행위자가 아닌 이유를 쉽게 알 수 있다. 도덕 행위자의 필수 능력이 없는 생명체는 많이 있다. 이는 인간 종 내에서도 참임을 보았다. 대부분의 사람들은 정신 이상이거나 심한 지적 장애인을 도덕 주체로 간주한다. 그들의 안녕은 우리가 관심을 갖고 배려할 가치가 있다고 생각한다. 그러나 그들을 도덕 행위자로 간주하는 사람은 없다. 생명 중심의 환경 윤리 이론에서는 동식물도 마찬가지다. 몇몇 포유동물을 제외하면 인간이 아닌 생명체는 도덕 행위자가 아니다. 그들은 올바르게 행동하거나 그릇되게 행동할 수 없고, 의무나 책무가 없으며, 도덕적 책임을 갖는 존재가 아니다. 그러나 그들은 도덕 행위자에 의해 올바르게 또는 그릇되게 대우받을 수 있는 존재다. 이는 동식물의 삶이 우리의 행동에 따라 의도적으로 더 좋아지거나 더 나빠질 수 있기 때문이다. 우리는 그들의 안녕을 보호하고 증진하기 위해 의도적으로 행동할 수도 있고, 그들의 안녕을 해치거나 손상을 주는 방식으로 행동할 수도 있다. 우리는 그들의 관점에서 세계를 상상하면서 어떤 일이 그들에게 좋은지 혹은 나쁜지를 판단하고, 그들을 돕거나 방해하는 방식으로 그들을 대하는 것이 가능하다. 그렇기 때문에 그들이 도덕 주체의 지위를 가진다고 생각하는 것이 타당하다.

여기서 우리는 동식물을 도덕 주체로 보는 것이 의미 있다는 개념적 주장과, 그들을 도덕 주체로 간주해야 한다는 규범적 주장을 구별해야 한다. 규범적 주장이 옳다면, 다시 말해 동식물이 도덕 주체로 간주되어야 함이 참이라면, 우리에게는 의무와 책무가 있고 우리는 보통 그것을 수행해야 한다. 그러나 개념적 주장만 옳다면 동식물에 대한 의무와 책무를 이야기하는 것은 이론에 지나지 않는다. 실제로 우리가 그런 의무와 책무를 지니고 있는지 여부는 규범적 주장이 참인지 거짓인지를 밝

힘으로써 답해야 할 다음 질문이다. 핵심을 간단히 말하자면, 개념적 주장이 옳다면 우리는 동물과 식물을 올바르게 또는 그릇되게 대할 수 있다. 규범적 주장이 옳다면 우리는 그들을 올바르게 대우해야 하고 그릇되게 대하는 일을 자제해야 한다.

생명 중심의 환경 윤리 이론은 개념적 주장과 규범적 주장이 모두 옳다고 본다. 동식물에 대한 의무에 대해 이야기하는 것을 이해할 수 있을 뿐 아니라, 도덕 행위자인 인간은 동료 인간에 대해 의무를 지님과 마찬가지로 동식물에 대해서도 의무를 지님이 사실이다. 반면에 인간 중심 이론에서는 개념적 주장을 수용할 수 있지만 규범적 주장을 배척할 것이다. 사실 어떤 이론을 인간 중심 이론으로 만드는 것은 규범적 주장을 틀리다고 간주하는 데 있다. 따라서 생명 중심 이론과 인간 중심 이론 사이 쟁점의 초점은 규범적 주장이 옳은지 그른지를 묻는 질문에 있다.

생명 중심 이론의 입장은 언뜻 보기에 매우 이상할 수 있다. 어떤 사람들에게는 명백히 거짓으로 보일 수 있다. 특히 모든 동식물이 도덕 주체 부류에 포함될 때 그럴 것이다. 어떻게 우리 인간이 모기와 지렁이에 대해 의무와 책임을 가질 수 있을까? 우리가 그 주장을 이해할 수 있더라도 (즉, 개념적 주장이 사실이더라도), 그 주장을 정당화하는 이유는 무엇인가? 나무나 버섯 같은 것들을 올바르게 또는 그릇되게 취급하는 것에 관해 이야기하는 것이 정말 타당한가? 그리고 그것이 타당하다면, 특정 방식으로 행동하고 또 다른 방식으로 행동하지 않을 도덕적 의무가 우리에게 있다고 확증할 수 있는 근거는 무엇인가?

더욱이 모든 동식물이 적절한 도덕 주체로 간주된다면, 그들에 대한 우리의 의무는 인간에 대한 의무와 충돌할 수 있다. 한쪽 의무를 다하는 것은 종종 다른 쪽 임무를 수행하지 못하는 결과로 이어질 것이다. 여기서 어느 의무가 우선이냐는 문제가 제기된다. 규범적 주장이 옳고 동식물에 대한 의무와 책임이 우리에게 있다면, 그 의무와 책임은 종종 인간의 정당한 도덕적 주장과 대립할 것이다. 이렇게 서로 대립하는 주장의 딜레마를 어떻게 해결할 수 있을까? 이 불가피한 갈등을 다룰 합리적 방법을 찾는 것은 불가능해 보일 것이다.

규범적 주장이 옳고 인간과 인간 이외 존재 사이의 갈등에서 나오는 도덕적 딜레마를 합리적으로 해결할 수 있음을 보여주는 것이 이 책의 논증 전체를 차지하는 과제다. 그러나 이 시점에서 몇몇 사항을 고려해 보는 것은 이미 떠올랐을 의문의 일부에 도움이 될 것이다.

우선, 인간 이외 유기체의 안녕과 인간의 안녕 사이에 갈등이 발생했을 때는 언제든 한쪽을 희생시키면서 다른 쪽의 안녕이 증진되게 결정을 내려야 한다. 이 결정은 인간과 인간 이외 존재 사이의 갈등을 공정하게 해결할 우선순위 원칙에 근거하여 이루어질 수 있다. 결국 이 책의 마지막 장에서 나는 그 점을 보여줄 것이다. 인간이든 아니든 살아 있는 각 유기체의 안녕을 우선 이행할 주장으로 인정하고 그 주장의 도덕적 정당성을 고려해야 한다. 이는 인간뿐 아니라 동식물도 적절한 도덕 주체로 간주되기 때문이다.

따라서 모든 생물이 도덕 주체라는 규범적 주장은 생명 중심의 환경 윤리 이론을 터무니없거나 비현실적인 것으로 만들지 않는다. 이 이론과 그에 수반되는 규범적 주장은 오히려 자기 보존을 위해 맹목적으로 투쟁하고 무자비하게 싸우는 대립 세력의 갈등 상황을, 대립하는 도덕적 주장을 공정하게 해결해야 하는 윤리 문제로 바꿔놓는다. 갈등 당사자의 요구는 정당한 것으로 인정되고 갈등 해결은 도덕 원칙에 따라 다룰 윤리 문제가 된다. (6장에서 이 우선순위 원칙에 대해 논할 것이다.)

지금 밝히려는 두 번째 요점은 '직관적' 도덕적 판단과 관련이 있다. 어떤 사람은 도덕적 직관에 따라 대합이나 풀 같은 유기체를 도덕 주체로 간주하는 것과, 그들을 올바르게 또는 그릇되게 취급할 수 있다는 것이 오류라고 볼 것이다. 우리는 고통을 느낄 수 있는 동물을 다치게 하는 것이 잘못이라고 느끼지만, 사람들이 조개를 파내거나 정원에서 잡초를 뽑는 모습을 보면서 그런 직관적 감정을 느끼지는 않는다. 고통을 느낄 수 없는 것을 죽이거나 상처 입히는 것이 어떻게 잘못일 수 있을까? 따라서 우리가 고통을 느낄 수 없는 식물이나 동물을 다루는 방식에 잘못이 전혀 없음이 완벽하게 분명하고, 직관적 도덕 감각에 의하면 자명한 것 같다. 따라서 실제로 모든 사람의 도덕적 직관에 호소한다면 생명 중심 환경 윤리 이론의 핵심인, 모든 생명체가 도덕 주체라는 생각을 충분히 반박할 수 있다.

그런데 이런 종류의 논증이 건전하지 않은 이유를 아는 것이 중요하다. 특히 이 책에서 제시하는 것과 같은 생명 중심의 환경 윤리에 대해 그런 식으로 반박할 수 없다. 자연계의 생물을 어떻게 다루어야 하는지에 대한 우리의 도덕적 직관은 어린 시절에 스며든 자연에 대한 기본 태도에 달려 있다. 인생 초기에 우리가 경험하는 태도는 사회 집단이 받아들이는 동식물에 대한 특정 관점을 반영한다. 전세계의 다양한 문화는 말할 것도 없이 서양 문화권 내에서도 서로 다른 집단의 극단적인 시각 차이가 발견된다. 우리 사회에서 사냥 스포츠를 어떤 사람은 좋고 깔끔하고 건강한 여가 활동으로 받아들이고, 다른 사람들은 그것을 잔인하고 부도덕하고 경멸적인 관행으로 간주함을 생각해보라. 이런 문제에 대한 감정과 확신은 때때로 강렬하다. 이렇게 사람들은 옳고 그른 것을 강하게 '직관' 할 것이다. 그들에게, 예를 들어, 새들에게 잔인한 것은 잘못임이 자명해 보일 것이고, 모피로 쓰려고 스라소니를 잡는 데는 아무런 문제가 없음도 마찬가지로 자명할 것이다.

윤리 문제에 관한 우리의 직관적 판단은 이런 식으로 초기 도덕적 조건의 영향을 많이 받기 때문에, 또한 사회가 어린아이에게 동식물을 다루는 문제에 대해 서로 다른 태도와 감정을 불어넣기 때문에, 환경 윤리 이론을 받아들이거나 거부하는 근거로 우리 자신이나 다른 사람의 도덕적 직관을 사용할 수 없다. 우리가 우리 자신의 직관을 사용했다고 가정해보자. 환경 윤리 이론을 받아들이거나 거부하는 근거로 자연에 대한 태도가 우리와 같지 않은 다른 사람들의 직관 대신 우리의 직관을 선택한 것을 어떻게 정당화할 수 있는가? 우리는 우리 자신의 직관을 선택함으로써 우리의 직관은 옳고 다른 사람들의 직관은 그르다고 가정하는 것이다. 그러나 옳고 그른 이유를 보여줄 수 없는 한, 우리는 우리의 직관에 기반한 환경 윤리 체계를 수용하고 그들의 직관에 기반한 체계를 거부할 어떤 이유도 내세울 수 없다. 따라서 직관은 환경 윤리 이론의 합리적이고 객관적인 근거가 될 수 없다.

도덕적 직관에 의존하는 것은 마음속 가장 강한 내적 확신에 호소하는 것이다. 그런 호소는 깊은 곳에서 느끼고 믿는 것이 참인지 거짓인지와 아무 관련이 없다. 실제로 이 문제에 관한 진리 추구는 직관적 판단에 의존하는 경향 때문에 심각하게 가로막히게 된다. 우리는 우리가 확신하는 도덕적 신념이 옳고 다른 사람의 반대되는 신념이 잘못된 것이라고 생각하고 싶다. 그러나 우리만큼 그들도 자신의 신념을 확신하고 있다. 우리의 신념을 정당화하는 훌륭한 이유를 내놓지 못하는 한, 우리는 다른 사람의 직관적 확신이 잘못이라고 단순히 배척할 수 없다. 어떤 것 같다는 직관이 근본까지 철저히 파고드는 생각을 대신할 수 없다.

도덕적 직관에 관한 이런 생각에서 끌어내고 싶은 결론은, 각자 어떤 견해를 지키고 싶어하든지 간에 환경 윤리 이론을 합리적으로 수용할 수 있음을 증명하는 부담이 모든 사람들에게 똑같이 부과된다는 것이다. 처음부터 어느 한 입장이 다른 입장보다 더 그럴 듯하다고 추측할 수 없다. 특히 자신의 직관과 가장 부합하는 입장이 가장 옳은 것이라고 가정할 수 없다. 윤리 연구 분야에 종사하는 사람들은 모두 완전히 열린 마음으로 연구를 수행해야 한다. 판단의 객관성을 달성하고 지금껏 가장 자신 있게 지녔던 확신을 포기하게 될지라도 철학적 성찰의 결과를 기꺼이 받아들이도록 최선을 다해야 한다.

환경 윤리 영역에서 우리의 이성이 닿을 수 있는 끝까지 생각을 파고들 때 우리가 현재 가지고 있는 믿음과 태도를 부적절한 것으로 판명하게 될지도 모른다. 실제로 자연계를 바라보는 우리의 관점과 자연계 내 인간의 위치가 근본적으로 바뀔 수도 있다. 현재 우리의 도덕적 관심이 확장되고 새로운 방향을 찾을 수도 있고, 우리 행성의 자연 환경과 야생의 생물 군집에 대한 우리 자신의 책임 인식이 심오하고 광범위한 변화를 겪을 수도 있다. 완전히 열린 마음으로 솔직하게 그리고 매우 신중하고 비판적으로 성찰할 때에만 사고 영역에서 인간 정신이 도달할 수 있는 진리에 더 가까이 다가갈 수 있다.

지금 우리 사회의 윤리적 관점은 인간 중심의 관점이 우세하다. 그래서 생명 중심 환경 윤리 이론의 기본 원칙은 처음에 많은 사람들에게 잘못된 것으로 보일 수 있다. 그렇다고 해서 우리의 판단이 편향되게 내버려두어서는 안 된다. 우리는 객관성을 얻기 위해 노력해야 하고, 그렇게 하려면 이 분야의 즉각적인 직관에서 한발 물러나 생명 중심적 견해의 장점을 편견 없이 고려할 수 있어야 한다.

3. 유효한 도덕 원칙의 형식 조건

이 절과 다음 절에서는 규칙이나 기준이 명확히 유효한 규범적인 윤리 체계에 포함되기 위해 반드시 충족해야 할 조건을 제시한다. '유효'하다는 것은 체계의 규칙과 기준이 도덕 행위자 모두에게 구속력을 가짐(도덕적 요구 사항임)을 의미한다.

나는 형식 조건과 내용 조건을 나눌 것이다.[4] 현대 윤리학에서 널리

4. 형식 조건과 내용 조건의 구별은 Kurt Baier, The Moral Point of View: A Rational Basis of Ethics (Ithaca, NY: Cornell University Press, 1958) 8장과, John Rawls, A Theory of Justice (Cambridge, Mass.: Harvard University Press, 1971), 특히 23절 "The Formal Constraints on the Concept of Right"에 제시되어 있다. 그 구별은 윌리엄 K. 프랑케나의 "The Concept of Morality," Journal of Philosophy 63 (1966) 688–696와 "On Defining Moral Judgments, Principles, and Codes," Etyka 2 (1973) pp. 45–56에서도 논의되었다. 두 논문 모두 K. E. 굿패스터가 엮은 Perspectives on Morality: Essays by William K. Frankena (Notre Dame, Ind.: University of Notre Dame Press, 1976)에 수록되었다. 그 구별에 관한 가장 상세하고 포괄적인 연구는 다음 책의 행동의 도덕적 이유에 대한 최근 분석에서 찾아볼 수 있다. Stephen L. Darwal, Impartial Reason (Ithaca, N.Y.: Cornell University Press, 1983).

받아들이듯이, 형식 조건은 규칙, 기준 또는 원칙을 도덕적인 것으로 즉 도덕이나 윤리 범주에 속하는 것으로 서술하거나 분류할 때 의미하는 바를 정의한다고 볼 수 있다. 규칙, 기준 또는 원칙이 형식 조건을 충족한다고 실증된다면 그것은 어떤 유형의 규범으로 이해된다. 따라서 형식 조건은 인간 윤리와 환경 윤리 모두 동일하며, 형식 조건을 수용한다는 것은 그야말로 특정 방식으로 도덕 규칙을 고안하는 것이다. 이 책에서 나는 유효한 구속력이 있든 없든 도덕 규칙, 기준 또는 원칙이 되려면 형식 조건이 충족되어야 한다는 가정하에 진행한다.

반면에 내용 조건은 환경 윤리 규범과 인간 윤리 규범이 다를 뿐 아니라, 도덕 규칙의 유효성에 필요한 조건으로 수용되려면 정당화가 이루어져야 한다. 도덕 범주에 속하는 규칙, 기준 또는 원칙의 유효성을 입증하기 위해서는 그것이 내용 조건을 충족함을 보이는 것으로 충분하지 않다. 그 조건이 그 조건을 충족하는 규범의 도덕적 유효성을 결정함 또한 증명해야 한다.

인간 윤리의 내용 조건은 이 장의 뒷부분과 5장에서 설명하고 분석할 터인데, 나는 그것을 '사람 존중'이라고 부를 것이다. 나는 그 정당성의 근거를 간략히 설명할 것이지만, 여기서 그 논거를 완전히 정교하게 다듬지는 않을 것이다. 이 책의 목적은 환경 윤리 영역에 초점을 맞추는 것이고, 인간 윤리와 환경 윤리의 관계를 고려하더라도 인간 윤리의 토대에 대해 그렇게까지 세밀하게 검토할 필요는 없을 것이다.

환경 윤리 영역에서 유효한 도덕 규칙의 내용 조건은 자연 존중이다. 이 문구가 정확히 무엇을 의미하며 왜 이 문구가 도덕적 유효성을 정확히 심사하는 데 관련되는지는 이 책 전반에 걸친 우선적인 주요 관심사다.

이제 어떤 행동의 규칙이나 성품의 기준이 도덕적 범주에 포함되려면 충족해야 하는 형식 조건에 대한 논의로 돌아간다. 어떤 조건을 서술할 때 규칙이나 기준이 적용되는 행동이나 성품의 경험적 특성을 설명할 필요가 전혀 없다면 그 조건은 형식에 관한 것이다. 형식 조건만으로는 어떤 행동이 옳은지 그른지, 어떤 성품이 선한지 악한지 알 수 없다. 추가 정보는 내용 조건이 제공해야 한다. 따라서 규칙과 기준이 규범으로, 즉 도덕 행위자가 선택하고 행동할 때 이행하려고 노력하는 실질적 지침으로 기능하려면 형식 조건과 내용 조건이 모두 필요하다.

형식 조건은 다섯 가지가 있다. 유효한 규범적 윤리 체계를 구성하는 규칙과 기준은

(a) 일반적인 형식이어야 하고,

(b) 모든 도덕 행위자에게 보편적으로 적용될 수 있다고 간주되어야 하고,

(c) 공평무사하게 적용되어야 하고,

(d) 모든 사람이 받아들일 규범적 원칙으로 지지를 받아야 하고,

(e) 윤리와 관계없는 모든 규범에 우선한다고 받아들여져야 한다.

우리는 이 조건들이 규칙과 기준의 특성을 규정한다고 볼 수 있지만, 규칙과 기준이 어떤 식으로 적용되는지, 그리고 규칙과 기준을 받아들이는 사람들에 의해 어떻게 간주되는지도 특성에 포함된다는 점에 주목해야 한다. 나는 앞의 순서대로 각 조건을 설명할 것이다.

(a) 일반적인 형식이어야 함

규칙이나 기준이 특정 개인이나 행동을 지정하지 않고 특성의 유형에 대해 말한다면 그 규칙과 기준은 일반적인 형식이다. 따라서 유효한 도덕 규칙은 결코 특정 개인이나 집단이 특정 시간과 특정 장소에서 특정 행동을 행해야 한다고 기술하지 않는다. 그것은 일반적으로 묘사되는 어떤 상황에서 어떤 종류의 행동이 누군가(즉, 도덕 행위자인 누군가)에 의해 이행되어야 한다고 말한다. 예를 들어, 어떤 사람에게 약속

한 사람은 누구든 그 사람에게 약속을 지킬 의무가 있다고 할 수 있다. 약속을 한 사람과 약속을 받은 사람의 역할이 언급되지만, 그 역할을 하는 특정 개인은 언급되지 않는다. 두 번째 예로, '다른 사람을 해치지 말라' 라는 규칙은 완벽하게 일반적인 형식이다. 이 규칙은 어떤 유형의 행동을 모두 금지하며, 도덕 행위자는 누구든 그런 유형의 행동은 무엇이든 삼가야 한다고 규정한다.

마찬가지로, ('정직은 미덕이다' 또는 '사람은 정직해야 한다' 와 같은) 좋은 성품의 도덕적 기준도 정직성을 북돋기 위해 특정 사람, 특정 시간 또는 특정 장소를 언급하지 않는다.

우리가 논의하고 있는 형식 조건은 도덕 규칙의 일반성임에 유의해야 한다. 약속을 지키고 남을 해치지 않고 정직한 것은 예를 들기 위해 언급했을 뿐이다. 규칙이나 기준이 일반적인 형식이라는 단순한 사실에서 어떤 종류의 행동이 옳은지 그른지, 어떤 유형의 성품이 좋은지 나쁜지를 추측할 수 없다. 따라서 일반성 자체는 순수하게 형식적인 조건이다.

(b) 모든 도덕 행위자에게 보편적으로 적용될 수 있어야 함

도덕 규칙이나 기준은 도덕 행위자인 모든 존재에게 보편적으로 적용될 수 있는 규범적 원칙이어야 하고, 그것을 지지하는 사람들에게 보편적으로 적용될 수 있어야 한다. 즉, 유효한 구속력을 지닌 도덕 규칙으로 보편적으로 적용될 수 있다고 여겨져야 한다. (특정 상황에서 정확히 적용되는지 여부는 이 조건을 충족하는 규범이 정확히 유효하다고 간주되는 이유를 보여야 하는 그 다음 문제다.)

보편적 적용 가능성이라는 조건이 중요하게 암시하는 바는 유효한 도덕 규칙과 기준의 체계 전체가 모든 사람(모든 도덕 행위자)이 그것을 따르며 살 수 있는 수준이어야 한다는 것이다. 모든 사람이 따르려고

할 때 그 규칙을 폐지하거나 무효로 하는 행위를 규정하는 규칙은 포함될 수 없다.[5]

어떤 규칙을 자신의 도덕 원칙으로 채택할 때 사람들은 그 규칙이 자신뿐 아니라 다른 사람들도 구속한다고 생각한다. 그것이 모든 도덕 행위자 사이에서 보편적으로 적용된다고 생각한다. 보편적으로 적용된다고 간주되지 않는 규칙은 윤리와 관계없는 규칙이다. 그런 규칙은 완벽하게 유용하고 실용적인 기능 면에서 정당화될 수도 있겠지만, 개인의 도덕 체계에 속할 수 없다. 윤리와 관계없는 규칙의 몇몇 예는 다음과 같다.

(i) 도보 여행 클럽 같은 자발적 모임이나 미국 과학진흥협회 같은 전문 단체의 회원들이 동의한 규칙. 회원이 되기로 선택한 사람들에게만 적용되는 것으로 이해된다.

(ii) 참가자에게만 적용되는 대회나 경기의 규칙.

(iii) 특정 목표를 달성하는 최선의 방법으로 주어지는 '길잡이' 규칙. 그 목표를 추구하는 사람들에게만 적용된다.

(iv) 사회의 관습과 규칙. 사회 구성원에게만 적용되는 것으로 이해된다. ('로마에서는 로마인처럼 행동하라.')

(v) 국가의 법. 시민과 그곳의 거주자들에게만 구속력이 있다.

이들 중 어떤 규칙도 규범적 윤리 체계에 속하지 않으며, 이들은 유효한 도덕 규칙과 일치할 수도 있고 그렇지 않을 수도 있다. 이들이 유효한 도덕 규칙과 일치한다면, 윤리와 관계없는 그 규칙을 따르는 데 아무런 문제가 없다. 유효한 도덕 규칙과 모순된다면, 그 규칙을 따르는 행동은 도덕적으로 잘못이다. 이 경우, (아래의 다섯 번째 조건에 의해) 유효한 도덕 규칙이 다른 모든 유형의 규칙에 우선하므로 문제의 행동을 해서는 안 된다.

5. 칸트의 거짓 약속 사례가 가장 유명한 예다. Immanuel Kant, Foundations of the Metaphysics of Morals, 1절을 보라. 이 형식 조건은 현대 용어로 Kurt Baier, The Moral Point of View, pp. 195– 200에 기술되어 있다.

(c) 공평무사하게 적용되어야 함

세 번째 형식 조건은 도덕 규칙과 기준의 적용 범위가 아니라 적용 방식과 관련이 있다. 규칙과 기준은 원칙의 문제로 공평무사하게 적용되어야 한다. 칸트의 용어로 말하자면 '정언 명령' 으로 기능한다. 규칙이나 기준이 유효한 도덕 규칙이라면 행위자의 목적이나 관심사와 무관하게 각 행위자가 따라야 하는 원칙으로 지지를 받는다. 어떤 상황에서 규칙을 따르는 편이 자신에게 유리하든 그렇지 않든 따라야 할 의무가 있다. 이는 유효한 도덕 규칙에 따라 행동하는 것이 원칙에 맞게 행동함을 의미한다. 자신의 관심사이기 때문이 아니라 도덕적으로 요구되는 것이기 때문에 옳은 일을 하는 것이다.

이는 좋은 성품의 기준에도 똑같이 적용된다. 사람들에게 항상 양심적이고 공정하다는 것은 좋은 도덕적 성품의 유효한 기준이다. 우리가 이 기준을 성실히 우리 자신의 도덕 규칙으로 삼는 한, 우리는 공정성이라는 특성을 계발하려고 (또는 이미 있다면 그 특성을 강화하려고) 노력한다. 그런 성향을 타고났는지 여부나, 다른 사람들에게 한결같이 공정한 특성을 계발하는 것이 다른 사람들에게서 우리에 대한 호감이나 동의를 끌어내게 하는지 여부와 상관없이 그렇게 노력한다. 우리가 공정할 때 사람들과의 관계는 실제로 더 부드럽고 즐거울 수 있으며, 그들이 보답으로 우리에게 공정한 태도를 보이면 그 상황은 우리에게 유리할 수도 있다. 그러나 단지 결과 때문에 공정하려고 노력한다면, 공정성은 우리 삶의 도덕 기준으로 기능하지 않는다. 이는 우리 자신에게 그 규칙을 공평무사하게 적용하지 않는 것이다.

유효한 모든 도덕 규칙과 기준을 모든 사람에게 공평무사하게 적용해야 하는 이유는 이렇다. 행위자가 개인 목적을 달성하거나 특정 관심을 충족하는 데 (심지어 다른 사람들의 이익을 증진하는 것에 대한 관심이더라도) 도움이 된다고 기대하는 경우에만 도덕적 구속력이 있다고 간주한다면, 문제의 목적이나 관심이 도덕적으로 수용된다는 판단이 앞서지 않는 한, 그 규칙과 기준을 따라야 할 도덕적 이유가 없을 것이다. 이에 대해 정확히 판단을 내리려면 유효한 도덕 원칙을 적용해야 한다. 그 원칙이 다시 목적과 관심을 추구하기 위한 방법으로만 사용된다면, 다시 그 목적이 도덕적으로 바람직하고 그 관심사가 이행할 도덕적 가치가 있다는 판단이 필요하다. 결국 우리는 원칙으로 적용되는 기준과 규칙이 불가피하게 필요하다.

모든 상황에서 도덕성과 사익이 늘 부딪힌다는 뜻은 아니다. 사람이 어떤 행동을 할 때 도덕적인 이유와 사익이 모두 있는 경우가 많다. 예를 들어 법을 따르는 것은 (법이 정당하다면) 도덕적으로 올바른 것이기도 하고 벌금이나 징역을 피하는 길이기도 하다. 공평무사라는 척도에 수반되는 모든 것은 이렇다. 우리가 도덕적으로 올바른 행동을 정확히 판단한다면 그것이 모든 사람에게 원칙으로 적용되는 규칙과 부합하기 때문인 것이다. 규칙은 그 규칙이 요구하는 행위가 행위자에게 유리한지 여부와 상관없이 모든 행위자에게 구속력을 가진다고 여겨야 한다.

(d) 모든 사람이 받아들일 규범적 원칙으로 지지받아야 함

앞의 세 조건 (일반적임, 보편적으로 적용 가능함, 공평무사함)에 덧붙여, 네 번째 조건은 도덕 규칙이나 기준을 자신의 규범적 지침으로 채택하는 사람들이 다른 모든 사람들도 그것을 채택하는 데 찬성하는 경우에만 그 도덕 규칙과 기준이 유효하다고 규정한다. 칸트의 용어로 말하자면, 기준이나 규칙은 모든 합리적인 존재들에게 보편적인 법이어야 한다. 따라서 도덕 규칙이 보편적으로 적용되는 것으로 간주되고 (두 번째 조건), 공평무사하게 적용할 의도인 (세 번째 조건) 것으로는 충분하지 않다. 그것을 지지하는 도덕 행위자가 그것이 적용될 수 있다

고 이해되는 다른 모든 존재들, 즉 다른 모든 도덕 행위자들도 마찬가지로 그 규칙을 지지하는 데 진심으로 동의해야 한다.

각 행위자의 관점에서 규범적인 윤리 체계는 모든 사람들을 위한 것으로 이해된다. 그 규칙과 기준은 적용 범주에 속하는 모든 사람들의 삶의 행위와 성품 계발에서 지침 원칙으로 기능할 것이라고 기대된다. 이를 도덕의 공적 측면이라고 불러도 좋을 것이다. 회원들에게만 알려진 클럽의 비밀 규칙처럼 특정 개인이나 집단에 속하는 사적인 도덕성이 있을 수 있다는 생각은 배제된다.

그렇다면, 유효한 도덕 규칙이나 기준은 공적으로 인정된 원칙, 즉 모든 사람이 선택과 행동의 지침으로 사용하며 도덕적 구속력이 있는 원칙으로 모두가 공개적으로 인정한 것이다. 현실 사회에서는 특정 기준이나 규칙을 모든 사람이 기꺼이 인정하지 않을 수 있다. 그러나 이는 기준이나 규칙의 유효성에 관한 한 초점 밖의 문제다. 네 번째 조건은 규칙이나 기준이 유효하다면 모두가 따르는 원칙으로 옹호되어야 한다는 것이다. 그것을 받아들이는 사람은 누구든 기꺼이 다른 사람들도 그것을 받아들이도록 해야 하고, 유효한 구속력이 있다고 모든 사람이 인식하는, 즉 공적으로 인정되는 규범으로 승인해야 한다.

(e) 윤리와 관계없는 모든 규범에 우선하는 것이라 받아들여져야 함

마지막 형식 조건은, 도덕 규칙이나 기준을 받아들이는 사람들이 그것을 최고로 중요시하고 다른 모든 사람들도 최고로 중요시하기를 지지하는 경우에만, 그 규칙과 기준이 유효할 수 있다는 것이다. 도덕 기준이나 규칙을 최고로 중요시한다는 것은 다른 모든 유형의 규범보다 우선한다는 것이다. 도덕적 이유는 도덕과 관계없는 모든 이유보다 우위에 있다(중요하다, 우선한다). 도덕과 관계없는 이유는 (a), (b), (c) 및 (d)에 언급된 특성 중 일부 또는 전부를 결여한 규범에 따라 행동을 결

정하는 이유를 말한다. 여기에는 사회 규범 (관습, 법률, 제도, 게임 규칙 등)과 개인 규범 (인생에서 자신의 목표를 달성하는 최선의 방법을 정할 때 사용하는 것)이 포함된다.

도덕 규칙이나 기준을 유효한 구속력이 있는 것으로 받아들인다는 것은 그것이 다른 모든 관심사보다 합법적으로 우위에 있다고 간주한다는 의미지만, 다른 관심사나 목적과 부딪힐 때에도 항상 그 도덕 규칙이나 기준을 따르도록 동기 부여를 받을 것이라는 심리적 주장으로 받아들여서는 안 된다. 그보다는 잘 정리된 실질적인 논증 체계의 우선순위 논리에 관한 주장이다. 자기 이익 추구가 규칙 준수와 양립하지 못하는 경우에도 도덕 규칙이 자기 이익에 대한 어떤 고려보다 우선한다고 믿을지도 모른다. 의지가 약한 경우 그럴 수 있다. 고려하고 판단한 대로 일관성 있게 행동하지 않더라도 여전히 규칙이나 기준이 우선한다고 간주하는 것이다.

규칙이나 기준이 유효한 규범적 윤리 체계에 제대로 포함되려면 충족되어야 하는 다섯 가지 형식 조건에 대한 설명을 이것으로 마친다. 이 조건들은 이를 충족하는 규칙과 기준의 내용은 언급하지는 않으므로 모두 형식 조건이다. 내용이 무엇이든 간에 규칙과 기준은 일반적 형식이어야 하고, 받아들이는 사람들이 모두 보편적으로 적용 가능하고 공평무사하고 공적이며 최우선인 규범으로 간주해야 한다.

유효한 규범적 윤리 체계가 무엇인지 완전히 이해하려면 이미 명시한 형식 조건에 내용 조건을 추가해야 한다. 규칙이나 기준이 모든 도덕 행위자에게 유효한 구속력을 가지려면 그 내용은 어떠해야 할까? 이 질문에 답하려면 인간 윤리와 환경 윤리를 구분해야 한다. 두 윤리 영역은 다섯 가지 형식 조건을 충족하는 규칙과 기준에 의해 규정된다. 다만 그 조건만 적용되는 한, 두 영역을 구분할 수 없다. 두 영역의 차이는 각 규범 체계의 내용에 있다. 그러므로 나는 환경 윤리의 내용은 잠시 밀쳐놓고 인간 윤리라는 제목으로 유효한 규범적 윤리 체계의 내용 조건을 논할 것이다. 이 과정을 통해 두 윤리 영역을 혼동 없이 비교할 수 있을 것이다.

4. 유효한 도덕 원칙의 내용 조건 : 인간 윤리의 내용

인간 윤리의 영역에서 유효한 도덕 규칙과 기준의 내용은 사람으로서의 인간과 관련이 있다. 여기서 인간은 포유류 종인 호모 사피엔스의 구성원이라는 생물학적 정의다. 반면에 사람은 자율적인 선택과 가치 판단의 중심으로 이해해야 한다. 사람은 자신의 가치관에 따라 삶의 방향을 정하는 존재다. 관심사와 목적이 있을 뿐 아니라 관심사와 목적에 비추어 스스로 장기 목표와 단기 목표를 정할 수 있다. 그들은 삶의 목표를 스스로 결정할 권한이 있고, 그 목표를 향해 나아가는 최선의 방법에 대해 결심할 수 있다. 그들은 다양한 활동과 프로젝트에 질서를 부여할 수 있으므로, 어떤 목적이 다른 것보다 더 중요한지 결정하고, 하나의 목적을 달성하기 위한 절차가 더 중요한 목적의 달성을 방해하는 경우 그 절차를 밟지 않는 쪽을 선택한다. 결국 사람은 자신의 전반적인 안녕과 행복에 기여하는 바를 판단하여 가치를 부여하는 존재다.

삶에서 어떤 경험은 궁극적 목적, 즉 최종 목적으로 중요하고 가치 있다고 간주된다. 또 어떤 경험은 쓸모 없고 공허하며 무의미하다고 여겨진다. 또한 사람들은 자신의 '라이프 스타일' 즉 삶의 방식을 개발하여 가장 깊은 내적 욕구와 열망이 표현으로 바람직하고 보람 있는 것을 판단한다. 사람들은 가치 체계가 서로 다르기 때문에 가장 살 만한 가치가 있다고 판단하는 진실로 좋은 삶에 대한 개념이 다르다.

가치 체계라는 용어가 여기서 사용되는 방식처럼, 한 사람의 가치 체계는 단순히 개인적 선호를 모아놓은 것으로 간주되어서는 안 된다. 또한 좋아하는 것과 싫어하는 것, 욕망과 혐오, 세계에 대한 긍정적 반응과 부정적 반응 등으로 이루어진 단순하고 비체계적인 연속체도 아니다. 단순히 어떤 욕구와 결핍의 충족을 목표로 삼거나 일상 생활에서 다양한 만족과 불만족을 경험하는 데 그친다면 그는 자신의 가치 체계가 없는 것이다. 자신의 가치 체계가 있다는 것은 자신에 대한 총체적인 관점과 가치 있고 의미 있는 삶에 관한 개념에 비추어 어떤 것을 다른 것보다 더 낫다고 판단하는 경향이 있다는 것이다. 어떤 것을 다른 것보다 더 낫다고 판단하는 것은 그것이 좋은 삶의 주요 구성 요소에 더 크게 또는 더 근본적으로 기여하기 때문에 다른 것보다 더 낫다고 판단하는 것이다. X가 Y보다 훨씬 좋은 것 같다는 단순한 느낌과는 분명히 다르기 때문에, X가 Y보다 낫다는 판단(진정한 가치 판단)은 삶 전체를 볼 때 각각이 어떻게 이로운지를 고려하여 X가 Y보다 더 큰 가치를 지닌다고 판단하는 것이다.

이런 식으로 선호가 더 나은 것과 구별될 수 있는 것처럼, 욕망은 바람직한 것과 구별될 수 있다. 단순히 욕망을 가지고 그 만족을 목표로 삼는 데 빠져드는 대신, 가치 체계를 가진 개인은 특정 기준을 채택하여 그 욕망의 충족이 바람직한지 여부를 판단하며 심지어 처음부터 어떤 욕망은 바람직하지 않다고 판단한다. 진정한 가치 판단처럼 바람직한 판단은 합리적인 선택 원칙에 근거하고 있고, 사람들은 진정한 선에 대한 자신의 생각에 따라 그 원칙을 채택한다. 사람들의 이른바 '인생설계' 를 구성하는 여러 원칙들은 사람들이 자신이 처한 상황에서 최선을 다해 자신의 진정한 선을 실현하고자 노력할 때 수단과 목표에 질서를 부여하는 다양한 방법이다. 그렇다면 바람직한 것은 실제로 바라는 것이 아니라 바랄 만한 좋은 이유가 있는 것이다. 그리고 어떤 것을 바랄 만한 좋은 이유는 그것이 인생 설계 전반을 구성하는 수단과 목표의 질서 속에서 소중한 자리를 차지할 때 생긴다.

앞서 말한 방식으로 진정한 가치 판단과 바람직함 판단을 내리려면 자기 정체성 감각이 전제되어야 한다. 왜냐하면 자신에게 미래가 있다고 생각할 수 있어야 하기 때문이다. 이는 나중에 외적 상황이 다르더라도 자신이 현재의 자기와 동일한 사람일 것이라고 믿는다는 뜻이다. 삶을 통일된 전체로 바라보고 그 비전에 비추어 판단을 내리는 데는 개인의 정체성이 필요하다. 자기 인식이 있는 존재만이 인격체가 될 수 있다.

인격체가 의미하는 바에 대한 이 분석을 염두에 두면, 인격체가 될 잠재력이 있는 존재가 완전한 인격체로 발달할 기회를 가지지 못할 수도 있음을 알 수 있다. 여기서 '완전한 인격체' 란 자신의 가치 체계를 선택하고 그 가치 체계를 기반으로 자신의 삶을 이끄는 데 필요한 자율성과 합리성이라는 능력을 완벽하게 구현함을 뜻한다. 사람들이 인격을 구현하는 정도나 수준은 어린 시절 어떤 대우를 받았는지, 자율성과 합리성을 계발할 기회가 있었는지, 심각한 정신적 정서적 장애에서 얼마나 자유로운지에 따라 다를 수 있다.[6] 일반적으로 어떤 개체가 인격체인지 여부는 완전한 인격체의 속성을 얼마나 온전히 보이는지에 달려 있고, 이는 정도의 문제다. 개체의 인간성에 관해서는 그렇지 않은데, 여기서 '인간성' 은 호모 사피엔스라는 종에 속한다는 철저히 생물학적인 의미다.

6. 이 부분은 로버트 영의 자율과 그 발전 조건에 관한 연구 덕택이다. Robert Young, "Autonomy and the Inner Self," American Philosophical Quarterly 17/1 (January 1980):35-43와 "Autonomy and Socialization," Mind 89/356 (October 1980): 565-576을 볼 것.

그렇다면 나는 인격체가 되는 속성의 집합을 뜻하고자 '인격' 이라는 용어를 사용한다. 인격이란 어떤 존재를 인격체로 만드는 속성이고, 달리 말하자면 개체에 관한 것이며 우리가 그 개체를 인격체로 보는 이유를 설명한다. 문제의 속성은 일생 동안 여러 시기에 다양한 정도로 개인에게서 드러날 수 있고, 사람이 존재하는 어느 순간에 일시적이든 영구적이든 인격을 잃을(사람이기를 멈출) 수도 있다. 사람이 완전히 미치거나, 질병이나 갑작스러운 사고로 심각하게 뇌를 다쳐 정신적으로 '식물' 이 될 수 있다. 그런 개체는 죽기 전에 인격을 되찾을 수도 있고 그러지 못할 수도 있다.

인격에 대한 개념을 논할 때 인간만이 인격체가 될 수 있냐는 의문이 제기될 수 있다. 도덕 행위자라는 개념의 경우와 마찬가지로 나는 이 문제를 이 책에서 열린 질문으로 남겨두고자 한다. 아마도 어떤 수준의 인격은 침팬지, 원숭이, 고릴라 등등의 영장류에서 구현된다. 또한 돌고래와 고래는 인격의 특성 일부를 보일 수도 있다. 그리고 태양계나 은하계에 있는 다른 행성에 사람(인격체)인 존재가 있을 수 있다. 이 쟁점은 모두 여기서 해결할 필요가 없는 경험적 문제다. 편의상 나는 사람(인격체)이 생물학적 의미에서 인간인 것처럼 말하지만, 이를 사실로 받아들인다고 간주해서는 안 된다. (우리 행성에 존재하든 우주의 다른 곳에 존재하든) 인간 이외 존재가 사람(인격체)이라면, 그리고 그들이 도덕 행위자의 능력을 지니고 있다면, '인간 윤리' 라고 불리는 것은 우리에게 적용되는 것처럼 그들에게도 적용될 것이다

이제 인격체라는 개념과 유효한 인간 윤리 체계의 내용 사이의 관계를 생각해보자. 인간 윤리는 인격체인 사람들 간의 도덕적 관계와 관련이 있다. 이 윤리 체계에서 우리는 모든 사람을 도덕 행위자로 여길 뿐 아니라, 모든 사람을 자신의 가치 체계와 부합하는 삶의 방식으로 살아가며 (또는 그렇게 할 잠재적 능력이 있으며), 자율적인 선택의 중심으로서 다른 모든 사람들과의 도덕적 관계는 일련의 기준과 규칙을 따른다고 생각해야 한다. 고용주와 고용인 같은 다양한 사회적 역할에서의 관계는 고려하지 않을 것이고, 인생에서 실현하고자 하는 특정 가치에서 기인하는 사람들 간의 차이에도 관심을 두지 않을 것이다. 우리는 그런 차이에서 인격체이자 도덕 행위자로서의 관계만을 떼어내어 고려

할 것이다.

즉 요건을 갖춘 유효한 윤리 체계를 다룰 것이므로 그 관계는 이제 다섯 가지 형식 조건을 충족하는 규칙과 기준에 의해 결정되어야 한다. 따라서 단순히 인격체인 모든 사람들 사이의 관계는 특정 개인을 언급하지 않는 규칙과 기준의 지배를 받는 것으로 보아야 하고, 동시에 모든 사람에게 적용될 수 있는 것으로 이해해야 한다. 게다가 그 규칙과 기준은 개인의 가치 체계와 관계없이 무조건 적용된다. 우리는 또한 이 규칙과 기준을 받아들이는 사람들이 모두 그것을 다른 모든 가치보다 우선하는 것으로 받아들이며 그 가치에는 자율적인 사람으로서 추구하는 것도 포함된다고 간주해야 한다. 마지막으로, 도덕 행위자로서의 개인은 모든 사람이 자신의 의무를 규정하는 최고의 원칙으로 이 공평무사하고 최우선인 원칙을 사용하는 것을 기꺼이 지지해야 한다.

각 개인이 이런 식으로 지지할 규칙과 기준은 어떤 것일까? 이에 답하려면 우리는 이 규범의 보편적 채택을 지지할 때 개인은 특정 가치관을 추구하는 독특한 자아가 아니라 도덕 행위자로서 행동함을 명심해야 한다. 일반적이고 공평무사하기 때문에 특정 개인이나 특정 집단의 가치 체계를 선호하지 않을 것이다. 또한 문제의 규범은 최우선이므로 충돌하는 다른 가치보다 중요시될 것이다. 모두 도덕 행위자일 뿐 아니라 사람이기 때문에 각자는 자신의 가치 체계를 실현하려고 노력한다. 그러나 모두 도덕적 구속력을 가지는 최고의 원칙으로 동일한 규범을 채택해야 한다. 따라서 그 규범이 개인의 가치 체계마다 동등한 가중치를 부여하며 동시에 각 개인이 자신의 가치 체계의 실현을 추구하는 방식이 다른 모든 사람들의 유사한 추구와 양립할 수 있게 하는 경우에만 그 규범은 모든 사람들에게 받아들여질 수 있을 것이다

이 추론에서 끌어내는 결론은 다음과 같이 기술할 수 있다. 도덕 행위자로 행동하는 합리적이고 자율적인 사람들은 다섯 가지 형식 조건

을 충족하는 규칙과 기준이 자신이 선택한 가치 체계에 따라 살아가는 개인의 자율성을 존중한다는 원칙을 구현하는 경우에만 그 규칙과 기준을 만장일치로 채택할 것이다. 그러므로 유효한 인간 윤리 체계는 모든 사람들을 인격체로 존중하는 원칙을 구현하는 일련의 도덕 규칙과 기준이다.

각 개인의 인격을 존중한다는 원칙을 지키는 사람들 사이의 관계는 어떠할까? 다른 사람들을 인격체로 존중하는 것은, 우선 다른 사람들을 자율적 선택의 중심으로 간주함으로써 그들의 인격을 인정하는 것이다. 자신에게 살아갈 자신의 삶이 있는 것처럼 다른 사람에게도 그들의 삶이 있다고 본다. 그들을 사람으로 인식한다는 것은 자신을 보는 것처럼 그들을 본다는 것이다. 둘째, 자기 자신의 인격이 자체로 가치 있다고 평가하는 것과 마찬가지로 다른 사람의 인격도 가치 있다고 간주하는 것이다. 그리고 우리 자신의 인격체로서의 가치를 지각한다는 것은 우리가 자신의 삶을 살고 우리 스스로 선택한 우리 자신의 진정한 선의 개념을 추구할 수 있어야 한다고 믿는다는 의미이듯이, 다른 사람들의 인격체로서의 가치를 인정한다는 것은 그들이 스스로 생각하는 대로 그들 자신의 진정한 선을 추구할 수 있어야 한다고 믿는다는 의미다. 다른 사람들을 인격체로 존중하는 것은 그들이 그들 자신의 운명에 대한 통제권을 가질 자격이 있다고 생각하는 것이다. 이는 그들의 미래를 그들 자신의 손에 맡기는 것이다. 그들을 존중하는 것은 그들이 다른 사람의 자율성을 침해하지 않는 한 그들 자신의 가치 추구를 간섭하지 않겠다는 약속을 수반한다.

자율 선택권의 행사, 자신의 운명을 통제하는 것, 자기 자신의 삶을 사는 것, 그리고 자신의 가치를 추구하면서 간섭을 받지 않는 것은 특정 역량을 계발할 수 없다면 모두 불가능하다. 어떤 존재로 하여금 자신의 삶의 방식을 선택할 때 자율권을 행사하도록 허용하는 것은 이미 자율 선택이라는 역량이 발달했음을 전제로 한다. 그 자신의 운명에 대한 통제권을 허용하는 것은 그가 자신의 미래를 상상할 수 있다고 가정하는 것이고, 이는 다시 그가 자기 정체성을 인식함을 의미한다. 그가 자신의 가치를 추구할 자유를 침해받지 않는다는 것은 그가 스스로 자신의 목표를 정하고 '인생 설계'에 비추어 스스로 행동하는 능력이 있다고 가정하는 것이다. 그런 역량과 권한은 개인에게 계발할 기회가 주어졌을 때만 가능하다. 그렇다면 모든 사람들을 인격체로 존중한다는 원칙에는 개인의 역량 계발과 그 역량의 자유로운 행사라는 조건이 모두 필요하다. 유효한 인간 윤리 체계의 규칙은 두 가지 필요조건을 충족해야 한다.

이 필요조건을 충족하는 데 필요한 가장 기본적인 규칙은 사람을 죽이는 것과 인격에 심각한 손상을 주는 방식으로 사람을 해치는 것을 금하는 규칙이다. 더욱이 개인의 인격은 기본 요구가 어느 정도 충족되지 않으면 계발되거나 존중될 수 없으므로 최소한의 필요를 충족할 수 있게 자원의 공정한 분배를 위한 규칙이 있어야 한다. 또한 간섭받지 않을 자유, 그리고 성실, 정직 및 호혜에 관한 규칙이 있어야 한다. 동시에 이 규칙들은 사람들이 실현할 수 있는 사회 질서를 규정하고 사람 존중 태도를 공적으로 표현한다고 간주할 수 있다. 이 규칙에 부합되게 살아가는 도덕 행위자가 규칙을 엄격히 지킨다면 각 개인의 가치가 다른 사람들의 행동을 통해 인정받는 세상이 만들어진다. 그 세상에서는 규칙으로 정한 제약의 범위 내에서 자신이 선택한 목표를 추구할 기회가 개인에게 주어진다. 모든 사람들이 서로를 독립적이고 자기 주도적이며 본래적 가치를 지닌 존재로 간주한다. 따라서 자율성과 온전성은 동등한 가치를 지닌다.

인간 윤리의 내용을 이런 식으로 분석하면 사람 존중이라는 원칙은 도덕 공동체의 구조 내에 자리잡고 인간 윤리 영역에서 의무에 관한 규칙의 궁극적인 기반이 된다. (5장에서 나는 사람 존중이라는 원칙이 어떻게 보편적 인권의 기반이 되는지를 보여줄 것이다.)

이것으로 환경 윤리와 비교하는 기초로 삼고 싶은 인간 윤리에 대한 설명을 마친다. 이제 나는 계속해서 인간 윤리와 환경 윤리를 비교하고 특별히 둘 사이의 유사성을 언급할 것이다. 특히, 사람 존중에 근거한 인간 윤리 이론과 자연 존중에 근거한 생명 중심의 환경 윤리 이론 사이에 구조적 대칭성이 있음을 보이고자 한다. 규범적 내용에 관한 한 두 윤리 체계가 서로 다르지만, 주요 구성 요소의 내부 배치가 나타내는 유사성은 흥미롭고도 중요하다. 이 부분은 이후의 장에서 자세히 다룰 환경 윤리 이론 전반을 먼저 설명하는 역할도 할 것이다.

5. 인간 윤리와 환경 윤리의 구조적 대칭성

앞에서 설명한 인간 윤리 이론에는 주요 구성 요소가 세 가지 있다. 첫째, 도덕 행위자가 다른 사람들을 특정 방식으로 생각하는 신념 체계를 받아들이는 것이다. 그는 동료 인간을 (정신 이상이거나 심하게 지체된 경우가 아니라면) 자신과 같은 인격체로 인식한다. 개인을 자신의 가치 체계를 선택하고 자기 주도적으로 살아갈 수 있는 의식적 존재, 즉 중심 주체로 이해한다. 따라서 개인은 자신 안에서 발견되는 인격의 특성을 드러낸다고 본다.

두 번째 요소는 사람 존중 태도다. 이 태도는 도덕적이기도 하고 궁극적이기도 하다. 이 태도는 보편화될 수 있고 공평무사하기 때문에 도덕적인 태도이다. 다시 말해 진심으로 이 태도를 취하는 도덕 행위자는 다른 모든 도덕 행위자들도 특정 개인에 대한 선호와 상관없이 이 태도를 보편적으로 받아들이기를 옹호한다. 모든 사람들에게 동일한 구속력을 갖는 도덕적 태도로 간주하는 것이다. 존중 태도를 가진 사람은 자신만이 아니라 모두의 존중을 받을 자격이 각 개인에게 있다고 생각한다. 이 태도는 그 정당성을 더 일반적이거나 더 근본적인 태도에서 끌어낼 수 있는 것이 아니기 때문에 궁극적인 태도다. 이 태도는 사람 사이의 모든 도덕적 관계가 결정되는 가장 기본적인 틀을 제공한다.

세 번째 요소는 인간 윤리 영역에서 유효한 것으로 간주되는 규칙과 기준 체계다. 이 규범(가장 중요한 것들은 앞에서 언급했음)은 유효한 도덕 원칙의 다섯 가지 형식 조건을 모두 충족하는 것으로 이해된다. 또한 그 내용은 사람 존중 태도를 구현한다는 내용 조건을 충족해야 한다.

신념 체계, 궁극적인 도덕적 태도 그리고 일련의 규칙과 기준이라는 세 가지 구성 요소는 다음과 같이 서로 관련이 있다. 어떤 도덕 행위자가 다른 사람들을 인격체로 생각하는 신념 체계를 받아들이면 그는 세상에 대해 어떤 관점을 취한다. 다른 사람들도 함께 속하는 공동체에서 자신과 그들이 동등한 조건의 구성원이라고 생각한다. 공동체는 자체에 질서가 있어서 모든 개인이 자신이 선택한 가치 체계에 따라 자기 주도적으로 살아갈 수 있게 하며 각자에게 평등한 기회를 주는 데 필요한 제약만 가해야 한다.

이 신념 체계는 사람 존중 태도를 지지하며 이해시킨다. 사람들을 대하는 궁극적인 도덕적 태도로 이 태도를 채택하는 것이 타당하다는 개념적 바탕을 제공한다. 신념 체계는 사람들이 왜 이 태도를 취하는지 그리고 왜 다른 사람들도 이 태도를 취하기를 지지하는지 이해하는 데 도움이된다. 신념 체계를 알면 사람을 대하는 그 태도가 어떻게 그리고 왜 적절하고 도덕적으로 적합해 보이는지를 알 수 있기 때문이다.

앞에서 우리는 신념 체계가 인격에 의해 각 개인이 동등하게 인식되는 세상이라는 개념을 제공함을 보았다. 이제, 자존감이 있고 그래서 자신의 본래적 가치를 인정하는 사람을 생각해보자. 그는 문제의 신념 체계가 주어진다면 가치 평등이라는 면에서 자신과 다른 사람의 관계를 이해할 것이다. 다른 사람들을 자신과 같은 사람으로 생각할 것이고 자기 존중에서 나오는 본래적 가치를 그들도 가지고 있다고 인식할 것이다. 각자의 인격을 자신만큼 가치 있는 것으로 인정하는 이런 관점에서 다른 사람을 인식할 때, 모두 동등한 배려를 받을 자격이 있다고 생각할 것이다. 자신의 인격의 보전과 발전에 대한 주장과 마찬가지로 그들이 완전한 인격체로 성장할 수 있는 기회를 가지고 인격체로서 존재를 보전할 수 있어야 한다는 주장을 내세울 것이다. 그리고 이는 그가 사람 존중 태도를 채택할 것임을 의미한다. 더욱이 그는 그것을 도덕적인 태도로 채택할 것이다. 그것이 사람을 대하는 적절한 또는 적합한 유일한 태도이고, 따라서 모든 사람들이 그런 태도를 가져야 한다고 볼 것이기 때문이다.[7]

두 번째 구성 요소(존중 태도)와 세 번째 요소(도덕 규범 체계) 사이의 관계는 이제 쉽게 알 수 있다. 궁극적인 도덕적 태도로 이 태도를 취하는 한, 사람 존중 태도를 구현하는 행동 규칙과 성격 기준을 따르려고 애쓸 것이다. 자신이 그 태도를 채택하고 모든 도덕 행위자가 그것을 채택하기를 지지할 때 실제로 그렇게 될 것이다. 우리는 이 규칙과 기준을 따르는 행동과 성격을 통해 실제 생활 태도가 명확히 드러난다고 말할 수 있다. 규칙과 기준을 원칙으로 철저히 따르는 것은 모든 사람을 사람으로 존중함을 드러내는 것이다. 사람들의 본래적 가치를 공개적으로 인정하고 모든 사람들을 동등하게 배려하는 것이다.

이제 이 책에서 주장하고 옹호하는 환경 윤리 이론 전반을 살펴보자. 방금 설명한 인간 윤리 이론과 마찬가지로, 환경 윤리 이론도 신념 체계, 궁극적인 도덕적 태도, 일련의 도덕적 규칙과 기준이라는 세 가지 구성 요소로 이루어진다. 이 요소들은 서로 관련이 있는데 그 관계는 인간 윤리의 세 요소가 서로 밀접하게 연관되는 것과 같은 방식이다. 신념

7. 유효한 인간 윤리 체계에서 자기 존중과 인간 존중의 연결은 인간성(또는 이성적 존재)을 목적 자체로 보는 칸트의 원칙으로 거슬러 올라간다. Immanuel Kant, Foundations of the Metaphysics of Morals, 2절. 인간성을 목적 자체로 보는 개념은 H. J. Paton, The Categorical Imperative: A Study in Kant's Moral Philosophy (London: Hutchinson and Co., 1947), 16장에서 "인격 존중"으로 해석된다. 이 개념을 칸트 방식으로 사용하는 현대의 윤리 체계는 Alan Donagan, The Theory of Morality (Chicago: University of Chicago Press, 1977), 특히 2장과 7장에 제시되어 있다. 도너건은 이 개념의 뿌리가 "히브리 기독교 도덕 전통"에 있다고 주장한다.

체계는 태도를 지지하고 이해시키며, 규칙과 기준은 실생활에서 그 태도를 구체적으로 표현하게 한다. 각 구성 요소를 간략히 살펴보면 인간 윤리에서 보았듯이 그 점을 알 수 있을 것이다.

3장에서 자세히 설명할 신념 체계는 자연의 질서와 인간의 위치에 관한 철학적 세계관을 이룬다. 나는 이 세계관을 '자연을 바라보는 생명 중심 관점' 이라고 부른다. 사람이 이 관점에서 자신, 자신과 다른 생명체와의 관계, 그리고 지구상의 자연 생태계 전체를 생각할 때, 자신을 지구 생물 군집의 일원으로 보게 된다. 그렇다고 해서 자신의 인격을 부정하는 것이 아니다. 오히려, 자신의 인격뿐 아니라 생물학적 본성까지 포함하여 진정한 자아를 이해하는 길이다. 생명 중심 관점에서는 사람이 지구 생물 군집의 일원이어서 오랜 세월 진화해온 서로 다른 동식물 종들과 공통의 유대감이 있다고 본다. 우리 행성의 다른 모든 생물과 마찬가지로 인간의 존재 자체가 자연이라는 생물계의 근본적인 건실성과 온전성에 의존하고 있음을 인식한다. 전체로 볼 때 생물권은 서로 의존하는 부분으로 이루어진 복잡하고 통일된 그물망으로 보일 것이다.

자연을 바라보는 생명 중심 관점에는 개별 유기체를 인식하고 이해하는 특정한 방식이 있다. 각 유기체는 자기 고유의 방식으로 자신의 선을 추구하는 목적론적 (목표를 지향하는) 삶의 중심으로 여겨진다. 물론 모두 자신의 선을 의식적인 목표나 목적으로 추구한다는 뜻은 아니다. 의식이 전혀 없을 수도 있고, 있는 경우조차 유기체가 목표를 달성하기 위해 의도적인 행동을 취하는 것으로 간주할 필요는 없다. 그보다는, 생명체를 활동이 조직화되고 통일된 시스템, 즉 자신의 안녕을 보호하고 증진함으로써 자기 존재를 보존하는 일정한 경향성으로 생각한다.

마지막으로, 생명 중심 관점에서는 자연계 내 인간의 위치가 다른 생명체보다 우월하다는 생각을 거부한다. 이른바 '하등한' 생명체와 비교하여 인간이 고등한 존재라고 보지 않는다. 생명 중심 관점에서는 자연을 위계적인 것으로 보는 것을 배제한다. 생명 중심 관점을 받아들이고 그 언어로 생물계를 바라보려면 종-공정성 원칙을 따라야 한다. 어떤 종을 다른 종보다 선호하는 편견은 받아들일 수 없다. 이 공정성이 인간 이외 종에 적용되는 것과 마찬가지로 인간 종에도 적용된다.

이것이 생명 중심 관점을 수용하는 의미이다. 이 관점의 수용을 완전히 정당화하는 논증은 3장에서 다룰 것이다. 잠시 그 정당성을 단순히 가정하고, 그 관점을 수용하면 도덕 행위자가 어떻게 자연 존중 태도의 수용을 지지하고 명료하게 이해할 수 있는지 살펴볼 것이다. 인간이 자신과 자연계 전체의 관계를 생명 중심 관점의 개념 틀에서 생각한다면 인간은 같은 종인 인간을 바라보듯이 인간 이외 종을 바라볼 것임은 앞선 설명으로 이해할 수 있다. 인간이든 아니든 생명체는 각각 종 특유의 본성에 따라 자신의 선을 추구하는 실체로 간주될 것이다. (인간은 자율적이고 자기 주도적으로 자신의 선을 추구할 뿐 아니라 자신의 진정한 선이 무엇이냐는 개념을 스스로 만들어내기도 한다.) 생명 중심 관점은 종에 대해 공정한 입장이므로 어떤 종도 다른 종보다 본질적으로 우월하거나 열등하지 않다. 모두 동등하게 도덕적 관심과 배려를 받을 자격이 있다고 판단한다.

그렇다면 도덕 행위자가 모든 야생 생물을 동등하게 배려하고 각각의 선이 그 자체로 그리고 그 존재를 위해 보존하고 보호할 가치가 있다고 판단하는 것은 모든 야생 생물을 적절한 존중 대상으로 여긴다는 뜻이다. 생명 중심 관점을 받아들인다면, 존중 태도는 지구의 야생 생물을 대하는 유일하게 적합하거나 도덕적으로 적절한 태도로 채택될 것이다. 지구 자연계의 개별 유기체, 종-개체군, 생물 군집을 존중하는 태도를 취하는 사람은 그 개체나 집단의 가치가 인간의 목적(또는 다른 종의 목적)에 얼마나 유용한지에 달려 있는 게 아니라는 의미에서 그들이 본래적 가치를 지닌다고 생각한다. 어떤 사람이 이 태도를 궁극적인 도덕적 태도로 받아들인다면 나는 그가 자연을 존중한다고 말할 것이다.

환경 윤리 이론의 세 번째 요소는 도덕 행위자의 능력을 갖춘 사람들에게 도덕적 구속력을 가지는 일련의 기준과 규칙이다. 이 규범은 자연계와 야생의 생물 군집을 어떻게 다루어야 하는지 또는 어떻게 다루어서는 안 되는지에 관하여 도덕 행위자의 행위를 이끄는 원칙이다. 현재의 이론에 따르면, 이 규범은 자연 존중 태도를 구현하기 때문에 유효한 규범이다. 어떤 규칙이나 기준이 그 태도를 구현한다는 것은 도덕 행위자가 그 규칙과 기준을 따름으로써 행위나 성품을 통해 그 태도를 진정으로 드러낸다는 뜻이다. 사실, (다른 것들도 있는 가운데) 그 태도를 궁극적인 도덕적 태도로 진심으로 채택한다는 것은 선택한 사람이 자신의 선택과 행동에 대한 규범적 지침으로 규칙과 기준을 사용한다는 의미다.

이것으로 우리는 세 가지 주요 구성 요소와 그 요소가 서로 연관되는 방식 면에서 인간 윤리와 환경 윤리가 어떻게 구조적 대칭을 이루는지를 살펴보았다.

6. 생물학과 윤리

환경 윤리 체계를 앞에서 설명한 방식으로 이해한다면 생물학의 사실 진술과 윤리의 당위 진술 사이의 논리적 간극은 좁혀지지 않는다. 생명 중심주의에 따라 자연과 관련된 우리의 행위를 지배하는 도덕 원칙이 생명체에 관한 현대 생물학의 설명에 '바탕을 누고' 있다고 말하는 것은 옳지만, 생물학의 발견이 도덕적인 결론을 도출하는 전제로 기능한다는 의미는 아니다. 이 책에서 생명 중심의 자연 존중 이론이 제시되고 옹호됨에 따라 생물학과 윤리 사이의 여러 연관성이 밝혀질 것이다. 그러나 이 연구를 통해 윤리의 자율성이 지켜진다는 것도 알 수 있을 것이다. 한편에 있는 생물학적 설명과 묘사, 그리고 다른 한편에 있는 도덕 원칙 사이에 논리적 함의 관계는 없다.

논리적 간극이 존재하는 이유는 아마도 인간에 대한 서로 다르지만 똑같이 옳은 두 가지 개념, 다시 말하자면 생물 유기체로서의 인간과 도덕 행위자로서의 인간 사이의 관계에서 가장 잘 찾아볼 수 있을 것이다. 특히, 우리는 이 개념 중 어느 것도 부인하지 않으면서 우리와 자연계의 관계를 이해하려고 노력해야 한다. 생물학적 방법으로 우리 자신을 바라보는 것이 도덕적 책임이 있는 존재로 우리 자신을 생각하는 것과 어떻게 양립할 수 있느냐는 질문에 더해 다음과 같은 질문도 있다. 우리 자신에 대한 생물학적 견해는 환경 윤리 원칙에 대한 우리의 도덕적 책임과 어떤 관련이 있는가?

가장 먼저 주목할 점은 철저히 생물학적 관점에서 인간이 동물이라는 사실이다. 다른 모든 종과 마찬가지로 우리는 유전과 자연 선택이라는 법칙에 따라 초기 형태의 생명에서 진화했다. 분류학상으로 우리는 동물계, 척삭동물문, 포유강, 사람과, 그리고 호모 사피엔스 종에 속하며 동물적 질서를 가진 과학 분류 체계에 잘 들어맞는다. 또한 생물적 기능을 지닌 유기체로서, 우리가 종으로서 존재를 보존하려면 물리적 환경에 성공적으로 적응할 수 있어야 한다. 우리가 생존하려면 우리는 다른 생물과의 관계 속에서 생태적 균형을 유지해야 한다. 우리가 지구 자연 생태계의 견고하고 안정된 질서에 생물적으로 의존하고 있음은 인간의 상태에 관한 기본 사실이다. 우리는 이 현실을 인간 이외 모든 종들과 공유하고 있다.

이는 우리에 관한 한 사실이지만, 인간의 상태를 부분적으로만 보여줄 뿐이다. 다른 생명체와 달리 우리는 어떻게 살지를 결정해야 한다.

우리의 선택에는 여러 가능성이 열려 있다. 인간 문명을 창조할 수 있는 많은 대안적인 방법뿐 아니라 우리와 자연계의 관계를 규정하는 방식에 대해서도 그렇다. 인간은 선택해야 하는 궁극적 필요를 피할 수 없다. 우리는 규범적 원칙을 따름으로써 선택을 이끌 수 있고 또 그렇게 하지만, 더 깊이 들어가보면 원칙 자체도 인간이 선택한 것이다. 우리 자신을 구속하는 규범이 우리 스스로 제정한 법이다. 우리 스스로 행동 규칙이나 성품 기준을 따르기로 약속함으로써 또 이행 실패에 대해 책임을 짐으로써 그것을 규범적 지침으로 삼지 않으면 어떤 것도 우리에게 제약을 가할 수 없다.

우리의 생물적 본성과 도덕적 자율이라는 근본적인 이원성은 '생물학적 본성은 도덕 행위자로서 우리가 내리는 선택과 과연 관련이 있는가? 만약 있다면 어떤 면에서 관련이 있는가?' 라는 의문을 불러일으킨다. 다른 식으로 말하자면, '우리가 지구 생물 군집의 구성원이라는 사실이 윤리적으로 왜 중요한가?' 라는 문제다. 이것이 여기서 내가 탐구하고자 하는 질문이다.

포유류 척추동물의 진화와 지질시대에 대한 연구는 우리 행성에 인간 종이 처음 출현한 것이 아주 최근의 사건임을 보여준다. 이 새내기가 다른 종들만큼 오래 생존할 수 있을지는 앞으로 지켜보아야 할 일이다.

진화론 관점에서 보면 우리 자신이 다른 종들과 기원이 유사할 뿐 아니라 실존적 조건도 공유하고 있음을 알 수 있는데, 그 실존적 조건에는 늘 존재하는 멸종 가능성도 포함된다. 생태적 관점으로 바꿔 본다면, 동물이라는 우리의 본성이 다른 식으로 뚜렷해진다. 우리는 어쩔 수 없이 생물적 필요라는 제약을 받는다. 살아 있는 유기체로서 우리의 신체적 생존은 다른 종의 신체적 생존과 마찬가지로 동일한 법칙과 이론으로 설명될 수 있다. 우리의 신체적 생존에 인간 이외 동식물과의 생태적 관계와 오염되지 않은 환경이 필요함은 지구 상 다른 생명체의 경우에 밝혀진 사실과 근본적으로 다르지 않다. 그들과 마찬가지로 우리도 자연이라는 우주와 분리될 수 없는 부분이다.

그러나 우리 자신을 생물적 존재로 이해한다고 해서 우리가 어떻게 살아가야 하는지에 대해 특별한 지침이 제공되는 것은 아니다.[8] 도덕 행위자로서 적절한 역할은 우리의 생물적 본성에 관한 사실에서 도출할 수 없다. 우리는 생물학에서 얻은 지식만 가지고 어떤 기준과 규칙을 우리의 규범적 원칙으로 채택해야 하느냐는 결론을 도출할 수 없다. 자기 보존이라는 목표조차 인간이 도덕적 존재로서 추구해야 할 최종 목표로 보여줄 수 없다. 생물학적으로 볼 때 인간은 자유 행동으로 자신을 멸종시킬지도 모른다. 진화 이론의 어떤 것도 이것이 불가능하거나 바람직하지 않다고 말하지 않는다. 진화의 과정에서 많은 종들이 멸종되었다. 인류의 멸종이 바람직하지 않다면 생물학이나 다른 어떤 과학을 초월하는 이유 때문이다. 이미 멸종된 다른 종들이 간 길을 우리가 갈 수도 있다. 과학 지식이 줄 수 있는 깨달음은 인간이 그 지식을 합리적으로 사용하리라는 보장이 없다는 것이다!

인간이 다른 종과 함께 어떻게 살아야 하는지, 그리고 심지어 인간이 과연 살아야 하는지 여부는 규범적 판단과 평가가 필요한 문제다. 생물학이 관련 사실에 관한 지식을 제공할 수 있지만, 과학은 우리의 규범적 판단과 평가의 근거가 되는 기준을 제공하지 못한다. 도덕 행위자 역할을 하는 인간에게 자신이 선택한 목적을 위해 생물학적 지식을 사용할 수 있는 능력이 있는 한, 인간이 그 지식을 어떻게 그리고 어떤 목적에 사용해야 하는지는 과학적 질문이 아니라 윤리적 질문이다.

이 문제는 설득력 있는 호소의 원천으로 인기를 끄는 생물학 분야인 생태학에 특별히 적용된다. 생태학은 자연 환경과 관련하여 우리가 어떻게 살아야 하는지를 보여준다는 주장이 자주 제기된다. 생태적 안정성과 온전성 자체가 환경 윤리 규범을 구성한다는 것이다. 따라서 지구

8. 특히 우리는 자연계의 일부라는 사실에서 인간이 다른 종을 모방하고 자연에서 그들처럼 행동해야 한다는 결론을 끌어낼 수 없다. 생명 중심 관점에는 자연계에서 일어나는 것을 우리 행동의 모델로 삼는다는 의미로 "자연을 따라야" 한다는 함의가 없다. 예를 들자면, 이 실수는 생명 중심주의에 대한 리처드 A. 왓슨의 공격에서 찾아볼 수 있다. Richard A. Watson, "Anti-Anthropocentric Biocentrism," Environmental Ethics 5/3 (Fall 1983): 252–256. 또한 사회생물학자들은 유전자가 보존될 수 있는 조건에 대한 진술에서 윤리적 단언을 직접 도출하려고 노력한다. Edward O. Wilson, Sociobiology: The New Synthesis (Cambridge, Mass.: Harvard University Press, 1975)를 볼 것. 생물학적 발견을 삶의 지침으로 사용하려는 이 시도는 마이클 루스가 그의 책 Sociobiology: Sense or Nonsense (Dordrecht: D. Reidel, 1979)에서, 특히 9장 "Sociobiology and Ethics"에서 철저히 검토하고 비판했다.

생태계의 구조와 기능 자체가 우리 자신과 자연 환경 사이의 적절한 관계를 알려준다고 한다. 건강한 생태계에서 유기체 간 그리고 유기체와 환경 사이의 생태적 균형은 자연의 질서와 조화를 이루는 인간 문화를 형성하는 데 우리의 지침이 되어야 한다. 이 점들을 고려할 때 생태학은 환경 윤리 영역에서 따라야 할 모델을 제공한다는 결론이 내려진다.[9]

9. 이 사고 방식은 Aldo Leopold, A Sand County Almanac (New York: Oxford University Press, 1966)와 Paul Daniel McKinley 엮음, The Subversive Science: Essays toward an Ecology of Man (Boston: Houghton Mifflin Co., 1969)에서 찾아볼 수 있다. 이 입장에 관한 철학적으로 정교한 진술은 Holmes Rolston III, "Is There an Ecological Ethic?" Ethics 8/2 (1975), 93–109에 있다.

이런 식의 추론은 논리적 관점에서 볼 때 치밀하지 못하다. 사실과 가치, 즉 '이러하다'와 '해야 한다'를 혼동하고 있기 때문이다. 건강한 생태계에서 유기체 간 그리고 유기체와 환경 사이의 생태 관계는 생물학적 사실의 문제다. 그 관계를 밝히고 설명하는 것은 생태학의 과제다. 그러나 '인간의 문화가 어떻게 자연의 질서와 조화를 이룰 것인가?'라는 윤리적 질문은 생물학적 사실에 관한 질문이 아니다. 이는 생물적 유기체가 아니라 도덕 행위자로서 인간이 직면하는 질문이다. 이 질문은 우리와 자연의 관계를 어떤 식으로 설정해야 선택 가능한 다양한 대안 중에서 우리가 채택하는 것이 윤리적으로 옳은 것이 될지를 묻고 있기 때문이다.

환경 오염과 환경 파괴가 일정 수준에 도달하거나 지구 생물 군집의 손상이 일정 한계를 넘어선다면 우리의 존재가 지속되는 데 필요한 물리적 조건이 돌이킬 수 없을 정도로 훼손되고 우리는 결국 멸종되고 말 것이다. 그러나 인간과 자연의 관계에서 대안적 생활 방식은 생태적 제약의 한계 내에 여러 가지가 있으며, 생태학은 우리가 도덕 행위자로서 그 가능성 중 어느 것을 선택해야 하는지를 알려줄 수 없다. 예를 들어, 생태학의 어떤 내용도 자연을 전적으로 착취하는 태도가 잘못이라고 말하지 않는다. 생태학에 관한 한 인간이 자연 존중 태도를 취하지 않고 오히려 야생 생물을 인간만을 위해 쓰일 수많은 대상으로 간주하는 것이 완벽하게 가능하다. 그 윤리적 관점에서 보면 자연은 인간의 이익만을 위해 올바르게 통제되고 변형되고 소비되고 있다. 다른 생명체의 가치는 쓰임새에 있을 뿐이다. 그들은 인간에게 실제로 또는 잠재적으로 유용한 점 외에는 가치가 전혀 없다. 생태학 자체는 다른 생명체를 바라보고 평가하는 그 방식이 부적절하거나 잘못이거나 바람직하지 않다고 판단할 수 없다.

동물이라는 지위와 도덕적 지위의 구별과 관련하여 주목할 점이 하나 더 있다. 그것은 많은 사람들에게 자명한 진리로 보이는 점, 즉 인간의 생존이 선이라는 점과 관련이 있다. 인간의 삶이 선이라는 것은 모든 윤리적 사고의 기본 대전제 아닌가? 이를 받아들일 수 없는 윤리 이론은 명백히 오도된 것으로 보일 것이다. 그러나 이 책에서 나는 어떤 관점에서 보면 인간 종의 보전이 선이 아닐 수 있다고 반박할 것이다. 우리가 기꺼이 인간 중심이 아닌 관점에서 자연계를 본다면 인간의 삶이 바람직하다는 주장을 합리적으로 구체화할 필요가 있다고 주장할 것이다. 의문의 여지 없이 그렇게 추정할 수는 없다. 사실, 의문의 여지 없이 그렇게 추정한다는 것은 확실히 인간 중심 관점에서 자연계와 그곳에서 인간의 위치를 바라보는 것이고, 이는 환경 윤리의 가장 근본적인 쟁점을 회피하는 것이다. 동물로서의 인간과 도덕 행위자로서의 인간의 차이를 분명히 염두에 둔다면, 우리는 동물로서 살아남고 번식하기를 원하지만, 도덕 행위자로서는 우리가 살아남고 번식해야 하는지를 자문할 수 있다. 우리의 생물학적 욕구와 필요 때문에 그 욕구와 필요를 만족시킬지 말지를 결정해야 하는 자유가 사라지지는 않는다. 다른 것 대신 어느 한 가지 방식을 결정하는 최종적이고 확정적이고 논리적으로 확고한 이유를 우리의 생물학적 욕구와 필요가 제시하지도 않는다. 인간 없는 세상이 더 나은 곳이 될 것이라고 인간이 진정으로 믿는 것은 모순이 아니다. 모순이 아니더라도 그 판단을 합리적으로 받아들일 수 있는지 여부는 환경 윤리 이론의 적절한 토대가 철저히 검토될 때를 기다려야 하는 질문이다. 연구 시작 단계에서 논증 없이 규범이나 가치 평가와 관련된 질문에, 심지어 인간 생존 자체가 바람직하냐는 질문에 답을 추정하는 것은 시기상조일 것이다.

7. 생물 배양 윤리에 관한 주석

이 책에서 생각하는 환경 윤리의 범위는 환경 윤리를 인간 윤리뿐 아니라 내가 생불 배양의 윤리라고 일컫는 것과 구별할 때 너 잘 이해할 수 있을 것이다. 이 세 번째 윤리 영역은 이 절 이후에는 더 이상 고려하지 않겠지만, 그 일반적인 주요 특징을 살펴보는 것은 환경 윤리 영역의 관심 분야를 더 명확히 파악하는 데 도움이 될 것이다.

인간 윤리는 인간들 사이의 도덕적 관계와 관련이 있고 환경 윤리는 인간과 자연계의 도덕적 관계와 관련이 있는 반면, 생물 배양의 윤리는 완전히 인간의 통제 아래 있는 인공의 환경에서 인간이 동식물을 다루는 것과 관련이 있다. 생물 배양은 사회 제도와 관행의 집합이다. 인간이 생명체가 사는 환경을 만들고 조절하며 인간의 이익을 위해 생명체를 체계적으로 활용하는 인간 문명의 일면이다. 따라서 생물 배양에는 인간의 목적을 위해 인간이 동식물을 이용하는 모든 조직적 활동이 포함된다. 여기에는 환경 조건의 조작뿐 아니라 생명체 자체의 조작이 포함된다. 육종, 교배 프로그램 및 그 밖의 유전자 조절 방법으로 인간은 인간의 목적에 가장 잘 부합하는 동식물을 생산한다.

그리하여 생물 배양에서 인간 이외 유기체가 살고 죽는 모든 조건과 유기체 자체가 인간의 손에 달려 있다. 인간이 환경과 유전을 모두 계획하고 지시한다. 다음은 한 사회의 생물 배양에 포함될 수 있는 사회 제도와 관행의 목록이다.

· 농업 (곡물, 채소 및 과일 재배)

· 식량과 의류 생산을 위한 동물의 사육과 도살 (닭, 양, 돼지 등의 사육 및 소 목축)

· 목재 생산을 위한 산림 조성

· 정원용 꽃, 관목, 나무를 생산하는 식물 재배

· 다양한 용도를 위한 동물(작업용 말, 경주용 말, 사냥개, 감시견, 서커스용 동물 등)의 사육과 훈련

· 애완 동물의 거래 및 애완 동물 소유와 관련된 모든 활동

· 과학 실험을 위해 동물을 기르고 수집하고 사용하는 것

· 동물원, 아쿠아리움 등 동물 전시 시설

· 동물을 이용하는 스포츠 (경마, 개 경주, 로데오, 승마, 투우, 투계)

'관리' 되는 동물의 이익이 아니라 인간의 이익이 목적인 야생 생물 관리 관행 (사냥 스포츠용으로 풀어놓을 목적으로 농장에서 꿩 및 다른 조류를 키우는 것, 낚시용으로 호수와 하천을 막고 부화장에서 물고기를 키우는 것)

윤리적 관점에서 이 관행을 볼 때 바로 눈에 띄는 특징이 두 가지 있다. 첫째, 모두 인간 이외 생명체와 환경을 완전히 지배하는 인간에 의해 좌우된다. 둘째, 모두 인간 이외 생명체를 인간의 목적을 위한 수단으로 다룬다.(애완 동물의 경우에서 보듯이 인간 이외 생명체가 항상 해를 입는다는 뜻은 아니다.) 이 특징이 도덕적으로 적절하냐는 점에서 생물 배양의 윤리 문제가 제기된다. 이 점에서 앞의 두 가지 특징을 생각해보자.

생물 배양의 사회 제도와 관행은 무엇보다도 절대적이고 무조건적인 힘의 행사다. 이는 인간이 '정복' 하는 방식의 예다. (자연의 정복은 종종 문명화의 핵심으로 여겨졌다.) 우리 인간이 인공적으로 생물을 키

우는 일에 관여할 때, 우리는 그 생물과 특별한 관계를 맺는다. 우리는 힘으로 그들을 완벽하게 장악한다. 그들은 우리를 섬기거나 파괴되어야 한다. 일부 관행에서 우리 목적에 필요한 마지막 단계는 죽이는 것이다. 예를 들면 식량을 얻고자 동물을 도살하고 목재를 얻고자 나무를 자르고 치사량의 독성 화학 물질을 투여하여 실험실 동물을 죽게 만드는 것이다.

그런데 한 사회의 생물 배양에 사용되는 모든 살아 있는 유기체가 자신의 이익을 가진 존재라는 것은 진실이지 가치 판단이 아니다. 그들은 도움을 받거나 해를 입을 수 있다. 이 점에서 그들은 자연 생태계의 야생 동식물과 마찬가지다. 따라서 생물 배양에서 생명체에 대한 권한을 적절히 행사하는 것과 관련하여 의무와 책임이 우리에게 있는지를 묻는 것이 타당하다. 결국 힘이 옳은 것은 아니다. 우리에게 생명체를 지배할 힘이 있다고 해서 그 힘으로 우리가 원하는 대로 할 수 있는 면허가 부여되는 것은 아니다. 애완 동물로 동물을 소유하는 경우, 사람들은 동물의 복지를 위해 책임을 기꺼이 받아들인다. 그 동물에게 관심을 가지며 그 동물이 건강하고 행복하게 살 수 있게 돕고 싶기 때문이다. 애완 동물에 대한 사랑에 애완 동물 주인의 책임감이 뒤따르는 것이다. 동물의 삶에 대해 권한이 있다는 사실이 그 권한의 행사에 도덕적 제약이 없다는 의미는 아니다.

생물 배양에서 생명체를 대하는 방식에 대한 주된 윤리적 쟁점의 초점은 개인적인 애정이나 돌봄이 없는 상황에 있다. 그런 감정이 없다는 것이 도덕 행위자인 인간이 자신의 목적을 위해 사용하는 동식물에 대해 책임이 없다는 뜻일까? 그렇지 않음이 분명하다. 인간 윤리에서 지적했듯이, 다른 사람에 대한 우리의 의무는 우리의 사랑이나 애정 여부에 따라 달라지지 않으며, 개인적인 우연성과 상관없이 유지된다. 따라서 다른 생명체에 대해 권한이 있어도 그들의 복지에 대한 모든 책임이

면제되지 않듯이, 그들에게 개인적인 애정이 없어도 우리가 그들을 대우하는 방식에 대한 모든 도덕적 제약에서 자유롭지 않다.

이 분야에서 우리를 인도할 윤리적 원칙이 있을까? 대답을 시도하기 전에 한 사회의 생물 배양과 도덕적으로 관련 있는 두 번째 특성을 살펴보자. 이는 생물을 배양하는 사회 제도와 관행이 모두 인간의 이익을 목표로 한다는 사실이다. 인간의 삶을 어떤 식으로든 더 좋게 (더 즐겁게, 더 흥미롭게, 더 건강하게, 또는 더욱 안전하게) 만들기 위해 생명체와 환경을 개발하고 관리하고 통제한다. 따라서 생명체를 주로 도구적 가치가 있는 것으로 간주한다. 좋은 감시견, 서커스 동물, 실험용 설치류, 다양한 잡종 옥수수 등등은 인간의 목적에 맞게 싸고 쉽게 사용할 수 있는 것들이다. 사람들이 애정을 느끼는 동식물을 제외하면, 인간 이외 생명체는 기계, 건물, 공구 및 기타 인공물과 동일한 지위를 가진다.

그럼에도 불구하고, 그들은 한 가지 중요한 면에서 (어떤 경우에는 인공물이더라도) 기계, 건물 및 공구와 같지 않다. 이 한 가지 중요한 면에서 그들은 근본적인 특징을 인간과 공유한다. 그들에게는 그들 고유의 선이 있고 그에 수반되는 것들도 있다. 따라서 그들의 삶은 인간이 그들을 대하는 방식에 따라 좋아지기도 하고 나빠지기도 하며, 인간이 그들의 입장에 서서 그들의 안녕이라는 측면에서 그들에게 무슨 일이 일어나는지를 판단하는 것이 가능하다. 그 판단은 그 유기체의 입장에서 내려지고 그 유기체에게 이로운지 해로운지를 주장하는 형태가 되며, 그 유기체가 인간에게 어떤 식으로 유용하든 그 유용성과 전혀 무관한 문제다. 따라서 한 사회의 생물 배양에서 다뤄지는 동식물은 도구적 가치가 있다는 사실이 그들이 어떻게 대우받아야 하느냐는 윤리적 문제를 해결하지 못한다. 도구적 가치에 더해 그리고 그와 무관하게 그들이 어떤 가치를 지닌다고 간주해야 하느냐는 문제는 늘 존재한다. 배양되는 동식물이 유용성에 더해 그리고 그와 무관하게 가치를 지닌 것으로 간주되면, 그들을 어떻게 대우해야 하느냐는 문제는 단순히 어떤 식으로 대우하면 그들을 이용하는 데 인간이 더 효율적으로 혜택을 볼 수 있는지를 살펴봄으로써 결정할 수 있는 것이 아니다. 그와 반대로, (지각 있는 동물의 경우) 그들의 고통을 최소화하는 것같이 도덕적 요건으로 그들의 대우에 제약이 가해질 것이다. 도덕적 제약으로 인해 생물 배양에서 생명체를 다루는 적절한 방식이 더 비싸고 덜 효율적이고 더 어렵게 된다는 뜻일 수 있다. 그렇다면 (기업이 추구하는 최대 이윤 같은) 인간의 이익을 일부 희생하는 일도 뒤따를 수 있다.

한 사회의 생물 배양 방식이 어떠해야 하는지를 결정하는 윤리 문제는 피할 수 없다. 다른 문제와 마찬가지로 여기서도 도덕 행위자 앞에는 선택할 수 있는 대안이 여럿 있다. 인간의 필요에 부응하는 동시에 일정한 도덕적 범위 내에서 유지되는 생물 배양이 가능하다. 인간의 이익을 위한 관행이라는 사실이 동식물을 대우하는 방식을 완전히 자유 방임하는 정책을 정당화하지 못한다. 한편으로는 인간의 이익 창출의 효과 성과, 다른 한편으로는 생명체의 통제와 조작에 대한 적절한 제약 사이에서 균형을 취하는 것이 이 윤리 분야에서 도덕 행위자의 주요 책임이 된다. 그 책임을 수행하기 위한 원칙 체계를 개발하거나 옹호하는 것은 내가 이 책에서 목적하는 바가 아니다. 그러나 인간의 권한 내에 있는 생명체의 복지를 고려하고 마땅히 관심을 가지는 것은 생물 배양을 체계화하고 운용할 때 도덕적으로 정당화되는 방식을 선택하는 근본 요소가 될 것이다.[10]

10. 많은 사람들의 관심을 점점 더 끌고 있는 한 가지 쟁점은 채식주의 대 육식의 문제다. 이것은 환경 윤리가 생물 배양 윤리에 영향을 미치는 분야다. 나는 이 책의 마지막 장에서 이 문제를 다룰 것이고, 그때 인간의 이익과 다른 생명체의 이익 사이 갈등을 대하는 우선순위 원칙을 논의할 것이다.

2장

자연 존중 태도

1. 서론

이 장과 다음 두 장에서는 내가 '자연 존중'이라고 부르는 환경 윤리 이론의 주요 구성 요소 세 가지를 차례로 다룰 것이다. 첫 번째 요소는 존중이라는 도덕적 태도 자체다. 이 장에서 나는 도덕 행위자가 자연계를 존중하는 태도를 취하고 그 태도를 자신의 궁극적인 도덕적 태도로 삼는 것이 어떤 의미인지를 분석할 것이다. 두 번째 요소는 자연을 바라보는 생명 중심 관점이다. 세계와 그 안의 인간을 바라보는 통일되고 일관성 있는 관점을 형성하는 이 신념 체계는 3장에서 자세히 검토할 것이다. 다양한 요소와 내부 짜임새를 제시한 다음, 나는 생명 중심 관점에서 보면 합리적이고 자율적인 도덕 행위자가 자연 존중 태도를 취함에 따라 도덕적 약속이 지지를 받고 명료해짐을 보일 것이다. 4장에서 다룰 세 번째 요소는 도덕 행위자가 자연 존중 태도를 취하고 실제로 일상 생활에서 그런 태도를 명확히 드러낼 때 그들의 특성과 행동을 규범적으로 지배하는 규칙과 기준이 되는 윤리 체계이다.

합리적이고 자율적인 행위자가 자신의 궁극적인 도덕적 태도로 자연 존중 태도를 취하는 것이 어떤 의미인지 파악하려면 존재의 선과 존재의 본래적 가치라는 두 가지 개념을 이해해야 한다. 전자는 후자와 논리적으로 독립적이다. 다시 말하자면, 어떤 존재가 고유의 선을 지닌 것으로 정확히 인식될 수 있지만, 그와 동시에 본래적 가치를 지닌 것으로 간주되지 않을 수 있다. 여기에는 전혀 모순이 없다. 그렇지만 우리는 합리적인 행위자가 고유의 선을 지닌 존재에 대해 존중하는 태도를 취한다면 그 존재를 본래적 가치를 지닌 존재로 생각하는 것임을 알게 될 것이다.[1]

1. 이곳과 이 책 전체에서 사용되는 존중이라는 개념은 "인식적 존중" 유형에 속한다. 스티븐 다윌은 이 태도를 "평가적 존중"과 대비하는데, 그것은 우리가 장점이나 우수성 면에서 높이 평가하는 사물, 행동, 사람을 존중하는 것이다. Steven L. Darwall, "Two kinds of Respect," Ethics 88/1 (October 1977): 36-49를 볼 것. 세 번째 종류의 존중은 고유한 가치가 있다고 여기는 것에 대한 것이다. 본연의 가치와 구별되는 고유한 가치의 개념은 이 장의 3절에서 논의할 것이다.

2. 존재의 선이라는 개념

세상에는 고유의 선을 지닌다고 의미 있게 말할 수 있는 개체가 있는 반면에 그런 판단이 터무니없는 것으로 보이는 유형의 개체도 있다. 예를 들면, 부모가 아이를 위하여 캠핑 여행을 함께 가는 것을 생각해보자. 아이의 선이 실제로 증진되었는지 여부에 따라 이 생각이 맞을 수도 있고 틀릴 수도 있다. 하지만 맞든 틀리든, 아이의 선을 증진한다는 개념은 이해할 수 있다. 고유의 선을 지닌 존재라는 개념의 적용 범주에는 아이가 포함된다. 그런데 어떤 사람이 모래 더미가 비에 젖지 않게 그 위에 지붕을 만들어 모래 더미의 선을 증진할 수 있다고 말하는 것을 가정해보자. 우리는 그가 하는 말이 무슨 뜻인지 의아할 것이다. 그 말을 해석하자면, 젖은 모래는 특정 목적에 좋지 않기 때문에 모래 더미는 마른 상태를 유지해야 한다고 볼 수 있다. 이 경우에 증진되는 것은 모래 더미 고유의 선이 아니라 그것이 쓰이는 목적이다. 모래를 마르게 보관함으로써 증진되는 이익이 있다면, 아마도 인간의 어떤 목적일 것이다. 그러나 모래 더미 자체에 관한 한, 모래를 마르게 보관함으로써 그것의 선을 증진한다는 것은 참도 거짓도 아니다. 모래는 고유의 선을 가지고 있지 않다. 모래는 고유의 선을 지닌 존재라는 개념이 적용되는 범주에 속하지 않는다.

어떤 존재가 선을 지닌 부류에 속하는지를 알 수 있는 한 가지 방법은 문제의 존재를 위하여 무엇이 좋고 무엇이 나쁜지를 말하는 것이 말이 되는지를 살피는 것이다. 다른 존재를 언급하지 않으면서 어떤 것이 그 존재를 위해 좋다고 하거나 나쁘다고 하는 것이 맞거나 틀릴 수 있다면, 그 존재는 고유의 선을 지닌 것이다. 따라서 어떤 사람이 매일 운동을 하는 것은 그를 위해 좋다고 말한다. 그 의미를 이해하기 위해 다른 사람이나 사물을 언급할 필요가 없다. 반면에, 기계에 윤활유를 잘 발라서 유지하는 것이 좋다고 말한다면, 그 주장을 옹호하기 위해 기계가 사용되는 목적을 언급해야 한다. 기름칠을 유지함으로써 증진되는 것은 기계 고유의 선이 아니라 인간의 이익이며 기계는 인간의 목적을 위한 수단이다.

어떤 존재를 위해 무엇이 좋은지를 말하는 것과 마찬가지로, 어떤 존재에게 무엇이 도움이 되는지에 대해서도 말할 수 있다. 노부부가 따뜻한 지역으로 이사를 했다면 우리는 '그들을 위해 좋은 변화였다' 또는 '이사를 해서 도움이 많이 되었다' 라는 식으로 말할 수 있다.[2]

2. 존재의 선, 존재를 위해 좋은 것, 그리고 존재에게 도움이 되는 것의 연관성은 G. H. Von Wright, The Varieties of Goodness (New York: Humanities Press, 1963)에서 유래한다. 인간 선(인간 존재의 선)의 일반 개념은 플라톤과 아리스토텔레스 윤리 사상의 중심이었다.

존재의 선이 그 존재를 위해 좋은 것, 그리고 그 존재에게 도움이 되는 것과 어떻게 연관되는지는 쉽게 알 수 있다. 존재에게 좋거나 도움이 되는 것은 그 존재의 선을 보호하거나 증진하는 것이다. 마찬가지로 존재에게 나쁜 것은 존재의 선에 손상을 주거나 해로운 것이다. 이 개념은 이로움과 해로움이라는 면에서 똑같이 잘 표현될 수 있다. 존재를 이롭게 한다는 것은 그 존재에게 유리한 조건을 조성하거나 유지하는 것, 또는 그 존재에게 불리한 조건을 없애거나 그 발생을 방지하는 것이다. '유리' 와 '불리' 라는 용어는 안녕이 증진되거나 손상될 수 있는 존재에게 적용되며, 고유의 선을 지닌 존재에게만 의미 있게 적용될 수 있다. 사실 어떤 개체의 안녕이라는 말은 보통 그 개체의 선과 동의어로 간주된다.

존재의 선을 증진한다는 것은 존재의 선과 통하지만 아직 삶에서 구현되지 않은 상황을 조성하거나 존재의 선에 해로운 삶의 조건을 없애는 것이다. 한 개체의 선은 존재에게 해를 입히는 것을 피하고(즉, 존재의 선에 반하는 일을 하는 것을 삼가고), 존재의 선을 보존하는 데 필요한 것이 손신을 막고, 위헌에서 안전하게 보호하며, 다치게 될 해를 피하는 등 여러 방식으로 보호할 수 있다. 의미상, 존재의 선을 보호하고 증진하는 이 방법은 모두 그 존재에게 이롭다.

이 고려 사항에 비추어 본다면, 어떤 존재들이 고유의 선을 지닐까? 우선 자신의 목표가 있고 그 목표를 이룰 수단을 찾는다는 의미에서 이익관심이 있는 존재들을 생각해 볼 수 있다. 모래 더미, 물웅덩이 등등은 목표를 추구하지 않으므로 이익관심이 없다. 이익관심이 없으므로 이익관심을 증진함으로써 혜택을 볼 수도 없고, 이익관심이 좌절됨으로써 해를 입지도 않는다. 어떤 것에도 만족하거나 불만을 품지 않는다. 그들에게 일어나는 일에 그들이 무관심하다고 여기거나 아무것도 그들에게 중요하지 않다고 말하는 것은 다소 이상할 것이다. 왜냐하면 우리는 보통 (심한 우울증 같이) 특수한 상황에 있는 사람들에 대해 이런 식으로 말하면서 그들의 현재 마음 상태를 정상 상태와 대비하기 때문이다. 그러나 무생물의 경우에는 그들에게 일어나는 일이 결코 그들에게 중요하지 않다.

이익관심이 있다는 것이 고유의 선을 지닌, 적어도 일부 개체의 특징이지만, 모두 그러할까? 그렇지 않은 것 같다. 고유의 선을 지니지만 엄밀히 말해서 이익관심이 있다고 표현할 수 없는 개체들도 있다. 그들은 혜택을 보거나 해를 입는다고 말하는 것이 타당하기 때문에 고유의 선을 지닌다. 그들에게 일어나는 일이 유리한지 불리한지 판단될 수 있다. 그러나 의식적으로 어떤 일을 목표로 삼거나 어떤 목표를 이루기 위해 수단을 취하는 존재가 아니다. 그들은 그들에게 일어나는 일에 관심을 갖거나 신경을 쓰지 않으므로 이익관심이 없다. 그들은 만족도 불만족도, 성취도 좌절도 경험할 수 없다. 의식이 없거나 의식이 있더라도 자신에게 닥친 여러 대안 중에서 선택할 수 있는 능력이 없는 생명체들이 그러하다. 여기에는 모든 형태의 식물과 단순한 형태의 동물이 포함된다.

어떤 존재가 고유의 선을 지니면서도 이익관심이 없다는 게 어떻게 가능하지를 더 명확히 이해하려면 어떤 것에 관심이 있는 한 개체와 그 관심의 대상을 구분해보는 것이 유용할 것이다. 어떤 것이 한 존재에게 이익이 되고 혜택을 주지만 그 존재는 이것에 관심이 없을 수 있다. 실제로 전혀 관심을 가질 수 없는 종류의 개체도 있다. 어떤 것이 (진실로) X에게 이익이 되는지를 알기 위해 X의 관심 여부를 알아보지는 않는다. 문제의 그것이 실제로 X의 전반적인 안녕을 증진하는지를 조사한다. 즉 이런 질문을 던진다. '이것이 X의 이익을 증진하거나 보호하는가?' 이는 X의 신념, 욕망, 감정 또는 의식적 관심에 의해 결정되지 않으므로 객관적인 문제다. 한 개체가 소유하거나 행하고자 관심을 두는 것이 그 개체의 (전체적인, 최고의, 장기) 이익이 아닐 수 있음은 분명하다. 이는 인간의 삶에서 전형적으로 표면적 선과 진정한 선을 구분하는 기초다. 표면적 선은 자신의 선을 실현한다고 믿기 때문에 가치를 두는 것들이다. 진정한 선은 그 사람의 선의 실현에 실제로 기여하는 것들이다. 이런 식으로 사람들은 종종 주관적 가치를 잘못 판단한다. 자신의 진정한 선과 대치되거나, 적어도 도움이 되지 않는 것으로 나중에 밝혀질 것에 가치를 두기도 한다. 성취했을 때 가치 없는 것으로 판단될 것을 목표로 삼기도 한다. 따라서 주관적으로 가치를 두는 것이 객관적으로 중요한 것은 아니다. 표면적 선이 항상 진정한 선과 일치하는 것은 아니다.

사람들이 가치를 두는 것에 대한 개념에 덧붙여 사람들의 전반적인 선의 실현에 기여하는 것에 대한 개념도 있다. 인간의 선에 대한 객관적인 가치 개념을 일컫기 위해 나는 '인간선(the Human Good)' 이라는 용어를 사용할 것이며, '인간의 가치' 라는 용어로는 사람들이 주관적으로 가치를 두는 것을 지칭할 것이다.

인간선이란 무엇인가? 소크라테스 시대 이후로 철학자들은 이 물음과 씨름했다. 서로 다른 답이 여럿 제시되었다. 나는 그 다양한 답을 인간선에 관한 특정 개념으로 간주하고, 일반 개념과는 구분할 것이다. 또 다른 특정 개념은 다양한 문화권의 생활 방식과 개인의 가치 체계에서 찾아볼 수 있다.

일반 개념에는 '인류 번영', '자기 실현', '진정한 행복' 같이 수많은 대략적인 동의어가 있다. 그러나 이 용어들의 의미는 '인간의 선(the good of humans)'이라는 개념만큼이나 모호하고 불분명하므로 이 중 하나와 단순히 동일시하는 것은 이 개념을 파악하는 데 도움이 되지 않을 것이다. 아마도 이를 규정하는 가장 명쾌한 방법은 완전히 이성적이고 자율적이고 깨어 있는 사람이 최고의 가치를 두고자 하는 종류의 삶이라고 말하는 것이다. 사실 어떤 가치 판단도 이런 조건에서 이루어지지 않는다. 가장 호의적인 상황에서 내리는 삶 전반에 관한 이상적인 선택을 규정하는 것이다. 그러나 어떤 선택이 이런 이상적인 조건에 근접할수록 선택하는 개인은 자신의 진정한 선에 대해 더 적절하고도 명확히 이해하게 된다고 말할 수 있다. 그 사람의 합리성, 자율성, 실질적인 지식이 높을수록 살 만한 가치가 있는 종류의 삶을 선택할 때 변경이나 포기가 줄고 당사자가 느끼는 후회나 환멸도 적을 것이다. 이런 조건에서는 인생에서 궁극적으로 추구할 가치가 있다고 보는 목표 체계가 그 사람의 표면적 선만이 아니라 진정한 선을 이룰 가능성이 크다.[3]

인간 이외 동물들은 어떤가? 고유의 선을 지닌 개체라는 개념이 적용된다고 말할 수 있을까? 물론, 주관적 가치 개념에 관한 한, 그런 생명체에게 주관적 가치 개념을 적용할 때 사용하는 행동 기준에 대해 언제든 문제를 제기할 수 있다. 동물이 어떤 것을 이롭거나 해롭다고, 바람직하거나 그렇지 못하다고, 또는 추구해야 하거나 피해야 한다고 보는 것을 의심할 수 있다. 이에 관한 어떤 문제 제기나 의심도 생명 중심의 적절한 환경 윤리 체계의 개발에 관한 한 문제가 되지 않는다. 인간 이외 동물에게 주관적 가치 개념을 적용할 수 있느냐는 논란은 자연 존중 윤리와 관련이 없을 뿐이다. 이 이론에 영향을 주는 것은 지금까지 살펴본 다양한 주관적 개념이 아니라, 객관적 가치 개념이다. 두 종류의 가치 개념을 구분한다면, 주관적 가치 개념의 적용 가능성을 문제시할 필요가

3. 인간선에 관한 이 "깨어 있는 선호" 견해는 G. H. 폰 라이트 (같은 책, 5장)가 신중히 분석했다. 비슷한 견해로는 존 롤스가 제기했고 인간 개인의 선을 규정하는 "합리적인 인생 설계"가 있다. John Rawls, A Theory of Justice (Cambridge, Mass.: Harvard University Press, 1971) 63절과 64절을 볼 것. 그의 책, Impartial Reason 2부에서 스티븐 다월은 인간 선을 인식하는 이 방식이 실천이성의 논리 구조와 어떤 관련이 있는지를 보여주었다.

없다. 왜냐하면 자연 존중 이론에서는 동물에게 고유의 선을 지닌 개체라는 객관적 개념을 적용하는 것이 타당하다고 가정할 뿐이기 때문이다. 아무리 인간과 다르다고 해도 모든 동물이 고유의 선을 지닌 존재임은 이 이론의 기본 원칙 중 하나이다. 마찬가지로 기본이 되는 두 번째 원칙은 모든 식물도 마찬가지로 고유의 선을 지닌 존재라는 것이다. 두 원칙을 뒷받침하는 추론을 이제 밝히고자 한다.

어떤 개체에 주관적 가치 개념을 적용할 수 있는지 의심스러운 경우를 가정해보자. 예를 들어 나비의 이익관심이나 선호에 대해 말하기를 주저할 수 있으며, 좋다고 하거나 바람직하다고 보는 의미에서 나비가 어떤 것을 평가한다는 것을 아마도 즉각 부정할 것이다. 하지만 나비의 생활사를 이해하고 나비가 건강한 상태로 생존하는 데 필요한 환경 조건을 알게 되면 나비에게 무엇이 이로우며 무엇이 해로운지를 쉽게 말할 수 있다. 정상적인 방식으로 알, 애벌레, 번데기 단계를 거쳐 발생하며 우호적인 환경 조건에서 건강한 성체로 자라 그 존재를 유지하는 나비는 번영하고 번성한다고 말해도 좋을 것이다. 물리적 환경에 성공적으로 적응하고 전생애에 걸쳐 그 종의 정상적인 생물적 기능을 유지하면서 잘 살고 있는 것이다. 이 모든 것이 사실이라면 우리는 이 특정 곤충의 선이 온전히 실현되었다고 확실히 결론지을 수 있다. 나비는 수준 높은 안녕을 누렸다. 나비 세계의 관점에서 보면 잘 산 것이다.

단세포인 원생동물같이 단순한 동물을 생각할 때조차 생물학적 정보가 있는 사람이라면 무엇이 그들에게 이롭거나 해로운지, 어떤 환경 변화가 그들에게 유리하거나 불리한지, 또한 어떤 물리적 상황이 그들에게 좋은지를 이야기하는 것은 분명히 합리적이다. 이 생명체에 대해 더 많이 알수록 우리는 무엇이 그들의 이익에 도움이 되는지, 아니면 해로운지, 무엇이 그들의 안녕을 증진하는지, 무엇이 치명적인지를 확실히 판단할 수 있다.

이제 우리는 인간이 동물의 관점을 취하는 것이 어떻게 가능한지를 이해할 수 있으며, 전혀 의인화하지 않고 사실 정보에 근거하여 그들의 관점에서 무엇이 바람직하고 무엇이 바람직하지 않는지 객관적으로 판단할 수 있다. 이는 상당히 중요한데, 나중에 보게 되겠지만, 기꺼이 인간 이외 생명체의 관점을 취하고 사실 정보를 바탕으로 그 관점에서 객관적인 판단을 내리는 것은 자연 존중 윤리의 중심 요소 중 하나이기 때문이다. 유기체 자체의 관점에서 무엇이 좋고 나쁜지를 말하는 것이 의미 있음을 인정하기만 하면, 우리 인간은 그 유기체 생명의 관점에서 가치를 판단할 수 있다. 그 유기체가 그런 판단을 내리지도 이해하지도 못하더라도 말이다. 더 나아가 우리는 그 유기체의 선을 고려하고 우리 자신의 행위로 인해 유기체가 해를 입지 않도록 할 의무가 있음을 생각할 수 있다. 이와 관련된 어떤 생각이나 행동도 그 유기체가 주관적으로 뭔가를 가치 있게 생각하거나 우리의 행동에 관심을 가진다고 추정하지 않는다.

앞서 고려한 사항들은 모두 동물뿐 아니라 식물에도 적용된다. 한 존재의 선이라는 객관적 가치 개념을 주관적 가치 개념과 구분하기만 하면 식물을 이롭게 하거나 해를 입히고, 그 이익에 관심을 기울이며, 호의적으로 행동하는 것이 어떤 의미인지를 이해하는 데 아무런 문제가 없다. 우리는 식물이 자라고 번성하도록 도울 목적으로 의도적으로 행동할 수 있으며, 식물의 안녕에 진실로 관심이 있어서 그렇게 할 수 있다. 도덕 행위자로서 우리는 식물을 파괴하거나 해치지 않을 의무가 있다고 볼 수 있다. 우리는 또한 식물의 관점을 취하여 그들에게 일어나는 일이 그들 관점에서 좋은지 나쁜지를 판단할 수도 있다. 이가치 판단은 식물 고유의 선을 보전하거나 증진하는 것을 기준으로 삼을 것이다. 꽃이나 관목, 나무를 돌본 적이 있는 사람은 누구나 이게 무슨 의미인지를 알 것이다.

위와 같은 방식으로 식물에 반응하고 식물을 다룬다고 해서 결코 식물이 의식적인 목적과 욕망을 가진다는 의미에서 이익관심을 가진다는 뜻이 아니다. 주관적 가치 개념이 식물에게 적용된다고 보지 않을 수 있으며, 그럼에도 불구하고 식물이 고유의 선을 지니며 그 선은 우리가 식물을 다루는 방식에 따라 증진될 수도 있고 해를 입을 수도 있다고 볼 수 있다.[4]

동물이나 식물의 선의 내용을 구성하는 조건은 동물이나 식물의 종류에 따라 다를 것이다. 한 종의 안녕을 증진하는 것이 반드시 다른 종의 안녕을 증진하지 않을 수 있으며, 실제로 해로울 수도 있다. 특정 유기체에게 무엇이 좋고 나쁜지 뿐 아니라 그 유기체의 선이 어떻게 구성되는지를 알려면 그 종의 특성을 알아야 한다. 그런 특성에는 유기체의 세포 구조, 다양한 구성체의 내적 기능, 다른 유기체 및 물리화학적 환경과의 외적 관계가 포함된다. 유기체가 어떻게 발생하고 자라고 생명을 유지하는지를 알지 못한다면 무엇이 선의 실현을 증진하며 무엇이 그에 해로운지를 완전히 이해할 수 없다.

4. 조엘 페인버그는 식물이 욕망과 이익이 없기 때문에 고유의 선이 없다고 주장했다. 그러나 이 주장을 고수하려면 그는 이렇게 말해야 한다. "우리는 잡초가 번성한다고도 말하지만, …이런 식으로 말하는 것은 평범한 모순이다." W. T. Blackstone 엮음, Philosophy and Environmental Crisis (Athens, Ga.: University of Georgia press, 1974), p. 55n에 실린 J. Feinberg, "The Rights of Animals and unborn Generations"을 볼 것. 이 내용은 심각하게 오도하는 것 같다. 우리가 이익과 생명체의 선을 구별하기만 하면, 말 그대로 잡초가 번성한다고 말할 수 있는데, 그것은 잡초의 선이 유난히 높게 실현되고 있음을 의미한다. 잡초가 번성할 수 있으며 실제로 번성한다는 것은 모순이 아니라 자연의 평범한 진실이지만, 농부와 정원사가 보면 경악할 일이다.

생명체의 선에 관한 앞선 논의에서 고유의 선을 지닌 존재의 유형은 항상 개별 유기체로 이해되었다. 이제 개별 유기체가 증진될 수 있는 선을 지니고 있다면, 통계적으로 종-개체군 전체의 선을 증진하는 것에 대해 말할 수 있음이 분명해진다. 개체군은 구성원들의 선과 무관하지 않게 고유의 선을 지닌다. 그러나 개체군의 선을 증진하거나 보호한다는 것이 모든 구성원의 선을 증진하거나 보호함을 의미하지 않는다. 종-개체군의 선의 수준은 개별 구성원의 선이 보이는 분포의 중간값에 의해 결정된다. 그 분포의 중간값이 높을수록(분리된 단위로 고려한다면) 종-개체군 전체는 더 좋은 것이다. 종-개체군 전체를 이롭게 한다는 것은 선이 실현되는 중간값을 올리는 방식으로 개별 구성원의 선을 증진하는 것이다. 이 수치를 낮추는 것은 종-개체군을 해치는 것이다. 따라서 종-개체군의 선을 언급할 때는 언제든 개별 유기체만이 다른 존재의 선과 무관하게 정의될 수 있는 선을 지닌 실질적인 존재임을 항상 명심해야 한다. 이들의 선은 종-개체군의 선과 달리 다른 어떤 종류의 선으로 분석될 수 없다.5

종-개체군의 선에 대해 말하는 것이 타당한 것처럼 생물 군집 전체의 선에 대해 말하는 것도 타당하다. '생물 군집 전체'라는 용어가 가리키는 물리적 개별 존재는 없음이 강조되어야 한다. 각각이 물리적 실체이며 서로 그리고 다양한 방식으로 무생물 환경과 관계를 맺고 있는 유기체들의 집합이 있을 뿐이다. 생물 군집의 선은 개별 구성원의 훌륭한 삶에서 실현될 수 있을 뿐이다. 그들이 잘 살고 있다면 군집도 그렇다. 그럼에도 불구하고 개별 유기체의 선을 증진하거나 보호하는 것이 군집 전체의 선을 증진하거나 보호하지 않기도 하며, 개체를 해치는 것이 실질적으로 군집을 이롭게 하기도 한다. 예를 들어, 잘 기능하고 있는 생태계의 포식자-피식자 관계를 생각해보자. 피식자 종의 개별 구성원들이 포식자 구성원에게 잡아 먹힌다는 사실이 이 생태계에서 생물 군집 전체의 선과 맞아떨어진다. 실제로 일부 개체들이 다른 개체에 의해 파괴되는 것은 군집의 선의 실현에서 피할 수 없는 면이다. 기능이 건강한 생태계에서 포식자로부터 피식자를 보호하는 조치는 포식자에게 해를 입힐 것이고 그에 따라 피식자 개체군에게도 나쁜 영향을 줄 수 있다. 따라서 군집의 선에 대해 이야기할 때 개별 구성원의 선을 따로 언급하지 않더라도 군집의 선이라는 실체는 종-개체군과 마찬가지로 개별 유기체의 삶에서만 찾아볼 수 있다. 군집의 선은 통계적 개념이다.

이것으로 존재의 선이라는 개념에 대한 설명을 마친다. 이 개념의 적용 범위에는 모든 생명체가 포함된다. 이 개념은 직접적으로 그리고 일

5. 종-개체군은 이익을 보거나 해를 입을 수 있지만 종 자체는 그렇지 못하다. 북극곰 종 (Thalarctos maritimus)은 실제 포유동물 개체 또는 실제 포유동물 집단이 아니라 어떤 포유동물 부류다. '종'이라는 용어는 부류의 이름이며, 부류는 자체의 이익이 없고 구성원만 이익이 있다. 그래서 나는 같은 종에 속하는 생명체 집단을 지칭하기 위해 '종-개체군'이라는 용어를 사용한다. 로렌스 존슨은 어떤 종이 특정한 유전 계통으로 설명되면 고유의 선을 가지는 단일 실체로 간주될 수 있다고 제안했다. 그는 유전 계통이 한 종을 함께 묶는 것이며 서로 다른 유기체에서 순차적으로 구현된다고 말한다. 그것은 단순히 유기체의 집합(종-개체군)이 아니다. Lawrence E. Johnson, "Humanity, Holism, and Environmental Ethics," Environmental Ethics 5/4 (Winter 1983): 345-354를 볼 것. 이 제안에 대해 나는 유전 계통의 안녕에 대해 말하는 것이 타당하냐고 문제를 제기한다. 그런 계통은

유전자 구조가 그 계통을 구현하는 마지막 유기체가 죽을 때까지 계속 존재한 다음에 사라질 것이다. 흔한 말로, 종은 멸종될 것이다. 이것이 유전 계통의 이익이 좌절되거나 해를 입었다는 의미인가? 이 경우 개체의 안녕을 보존하고 증진하는 것을 개체의 사례가 계속 발생하는 것과 혼동하는 것 같다. 이것은 개체들의 실제 집단인 종-개체군의 안녕과 전혀 유사하지 않다. 집단의 안녕은 그 집단을 구성하는 개체들의 안녕의 함수다. 반면에, 유전 계통은 그것을 구현하는 유기체의 안녕이 증진되든 손상되든 특성이 변하지 않는다. 따라서 종-개체군은 고유의 선을 가진다고 생각하는 편이 타당할 수 있지만, 유전 계통도 같은 식으로 생각할 수 있는지 의문스럽다.

차적으로 개별 유기체에 적용되며, 통계적으로 개체군과 군집에 적용된다. 이제 자연 존중 태도가 의미하는 바를 이해하는 데 필요한 두 번째 개념을 알아볼 순서다. 그것은 본래적 가치라는 개념이다.

3. 본래적 가치라는 개념

자연 존중의 태도를 가진다는 것은 지구 자연 생태계의 야생 동식물이 본래적 가치를 지닌다고 보는 것이다. 이 생명체들이 본래적 가치를 지닌다는 것은 존중 태도의 기본적인 가치-대전제로 간주된다. 인간 윤리에서 사람 존중 태도도 마찬가지다. 사람들이 (그들의 장점, 사회적 목표에 기여하는 바, 개인적 호감과 별개로) 본래적 가치를 지니고 있다고 간주하지 않는다면 우리는 단순히 사람이라는 이유로 그들을 존중하지 않을 것이다. 본래적 가치를 지닌다고 간주할 때 우리는 그들을 존중 태도의 적절한 대상으로 여기고 그런 태도를 취할 수 있다. 여기서 특별히 관심을 두는 것은 인간 이외 생명체도 본래적 가치를 지닌 것으로 간주하는 것이 타당하기 때문에 그들에 대해서도 똑같은 태도를 취할 수 있다는 점이다. (그렇게 간주하는 것이 합리적으로 정당화되는지 여부는 나중에 다룰 문제다.)

본래적 가치라는 개념을 존재의 선이라는 개념과 혼동해서는 안 된다. 둘의 차이를 분명히 하기 위해, 고유의 선을 지닌다는 서술적 진술과, 특정한 방식으로 다루어야 한다든지 그래서는 안 된다는 규범적 진술 사이의 논리 간극을 생각해보자. 어떤 사람이 동물이나 식물이 고유의 선을 지니고 있다고 인정하면서, 그런 인정과 모순되지 않게, 도덕 행위자에게 그 선을 증진하고 보호하거나 해치는 것을 삼가야 할 의무가 있음을 부정할 수 있다. "그래요, 이런 내 행동이 생명체의 선을 해칠 거라는 걸 알지만, 그렇다고 해도 내가 그러지 말아야 할 이유는 없어요."라고 말하는 것이 모순은 아니다. 사실, 그런 행동을 반대하는 이유가 있고, 그 이유는 그 행동이 생명체에게 해가 되기 때문일 수 있지만, 문제의 생명체가 고유의 선을 지니고 있음을 근거로 그 주장을 내세울 수는 없다.

개체가 고유의 선을 지닌다는 사실에 도덕 행위자가 특정 방식으로 그 개체를 대해야 하거나 그러지 말아야 한다는 당위가 논리적으로 뒤따르지 않는다면, 의문이 생긴다. 고유의 선을 지닌 개체와 그 선이 도덕 행위자에게 부과하는 요구 사이에 (관계가 있다면) 어떤 관계가 있는가? 나는 도덕 행위자가 그런 요구를 인식하거나 인정한다면, 문제의 개체를 고유의 선을 지닌 존재로만 간주해서는 안 되고 본래적 가치를 지닌 존재로 여겨야 한다고 주장할 것이다. 그렇게 본다면 그 개체는 도덕 행위자의 입장에서 존중할 만한 가치가 있다고 간주된다. 그렇다면 그 개체에 대해 취할 수 있는 유일하게 타당하거나 적절하거나 잘 맞는 태도는 존중 태도로 보인다. 그 태도를 취하는 사람은 생명체가 자연의 동등한 다른 존재들에 의해 해를 입거나 훼손되어서는 안 된다는 원칙을 자신의 도덕적 규범으로 따르게 된다.

어떤 개체가 본래적 가치를 지닌다는 것이 어떤 의미인지를 명확히 밝히려면, 혼동할 수 있는 두 가지 다른 가치 개념, 다시 말해 내재적 가치라는 개념 및 고유한 가치라는 개념과 신중히 구별해야 한다. 어느 쪽도 본래적 가치와 동일하지 않다. 세 가지 개념을 지칭하는 데 사용하는 용어들은 일상 언어나 기술적 철학적 담화에서 만장일치로 합의한 것이 아니다. 나는 이들이 세 가지 개념을 표현하는 유일하게 올바른 용어라고 추정하지 않는다. 중요한 것은 개념의 차이를 분명히 이해하는 일이다.

(a) 내재적 가치

인간이나 다른 의식적 존재가 삶에서 직접 경험하는 즐거운 어떤 사건이나 조건에 긍정적 가치를 둔다면, 그리고 그들이 즐거움 때문에 그 경험에 가치를 둔다면(좋은 것으로 생각한다면), 그 가치는 내재적인 것이다. 그 경험은 본질적으로 좋다고 판단된다. 마찬가지로 내재적 가치는 의식적 존재가 최종 목표를 겨냥해 추진하는 목표와, 본질적으로 가치 있다고 보는 관심 분야에도 부여된다. 경험, 목표, 관심 분야에는 본질적인 가치만이 아니라 목표를 이루는 수단으로서의 가치도 부여될 수 있다. 그 경우는 내재적 가치와 도구적 가치가 모두 있는 것이다. 어떤 사람에게 천직은 괜찮은 수입을 보장하면서 만족감을 주는 일일 수 있다. 결과의 가치와 상관없이 어떤 활동이 자체만을 위해 그 안에서 만족을 느끼는 일은 내재적 가치가 있는 것이다.

(b) 고유한 가치

이것은 유용성이나 상업적 가치 때문이 아니라 단순히 아름다움, 역사적 중요성 또는 문화적 중요성 때문에 보존해야 한다고 믿는 (예술 작품, 역사적인 건물, 전쟁터, '경이로운 자연', 또는 고고학적 유적지 같은) 물건이나 장소에 부여하는 가치다. 이런 식으로 물건이나 장소를 평가한다면, 그 물건이나 장소를 파괴하거나 손상시키거나 방치하는 것은 잘못으로 간주된다. 좋은 상태로 보존하고 파괴 행위로부터 보호하기 위해 노력하게 된다. 그 물건이나 장소는 사람들에게 귀하고 소중한 것이다. 실용적인 유용성이나 상업적 가치와 상관없이 높이 존중하고 소중히 여기는 것은 그것이 그런 종류이기 때문이다. 개인이 지닌 작은 장신구가 시장에서는 가치가 없지만 사랑하는 사람이 그에게 준 선물이기 때문에 그것을 소중히 여기는 것이다.

예술 작품, 경이로운 자연, 역사적 기념물, 무생물 외에 생명체도 고유한 가치가 있는 것으로 판단될 수 있다. 사람들은 대부분 애완 동물을 이런 식으로 귀히 여기며, 어떤 사람들은 집안의 식물, 정원의 꽃, 또는 공원에 있는 좋아하는 나무를 소중히 여긴다. 야생 동식물 또한 사람에게 고유한 가치가 있을 수 있다. 그러나 고유한 가치의 바탕이 무엇이든 상관없이, 미학적이든 역사적이든 문화적이든, 또는 개인적인 취향이나 경이로움이나 감탄의 문제든, 어떤 것의 고유한 가치는 누군가의 가치 판단과 관계가 있고 그에 달려 있음을 알 수 있다. 사람들이 예술 작품을 보존하기를 원하지 않고 관심을 보이지 않고 감탄하지 않는다면, 그 작품은 어떤 심미적 강점이 있든 고유한 가치가 없는 것이다. 마찬가지로 역사적인 상징물, 경치가 특이한 지역 또는 고대 문명의 유적지가 그 자체로 중요하거나 가치 있다고 간주되지 않으면 고유한 가치를 지니지 못한다.

또한 고유한 가치를 지닌 것으로 여겨지는 생명체도 마찬가지다. 사람들이 동물과 식물에 고유한 가치를 부여하는 것이다. 사람들의 주관적인 가치 평가가 없다면 그 동물과 식물은 고유한 가치를 지니지 못할 것이다. 그 가치는 비상업적 중요성 때문에 그리고 실용적인 유용성과 무관하게 평가받는다는 의미에서만 '고유' 하다. 따라서 우유를 생산한다는 가치가 있는 소는 고유한 가치가 없다. 고유한 가치가 있는 것들의 경우, 그들의 가치는 사람들의 평가와 무관하게 부여된다는 의미에서 '고유' 한 것이 아니다. (이 면에서 고유한 가치는 내재적 가치와 유사하다. 둘 다 의식적인 존재의 주관적인 평가의 대상이 되어야 한다. 어느 가치도 그 가치를 평가하는 존재와의 관계를 벗어나지 않는다.)[6]

6. 고유한 가치에 대한 이 개념과 그것과 내재적 가치의 관계는 C. L. 루이스가 다음 책에서 처음 제시했다. An Analysis of Knowledge and Valuation (La Salle, Ill.: Open Court, 1946), 13, 14장.

(c) 본래적 가치

여기서 사용되듯이 '본래적 가치' 라는 용어는 고유의 선이 있는 존재에게만 적용된다. 그런 존재 X가 본래적 가치가 있다고 말하는 것은 다음을 주장하는 것이다.

(ㄱ) 본질적으로든 도구로든 사람들이 X에 대해 내리는 가치 평가와 관계없이, 그리고 (ㄴ) X가 인간이든 아니든, 의식이 있든 없든, 다른 존재의 선을 실현하거나 의식적인 존재의 목표를 달성하는 면에서 실제적인 유용성과 관계없이, X의 선이 실현되는 상황이 X의 선이 실현되지 않거나 (또는 같은 정도로 실현되지 않는) 그 외의 유사한 상황보다 낫다.

어떤 생명체가 본래적 가치를 지닌 것이 사실이라면, 그 생명체는 다른 존재의 선에 대한 언급 없이, 그리고 그 생명체가 가질 수 있는 도구적 또는 고유한 가치와 무관하게 그 가치를 지닌다.

여기서 어떤 존재가 본래적 가치를 지닌다는 주장은 다음의 두 가지 도덕적 판단을 수반한다고 이해해야 한다. (1) 그 존재는 도덕적 관심과 배려를 받을 자격이 있으며, 즉 도덕 주체로 간주되어야 하며, (2) 모든 도덕 행위자는 그 존재를 위해 그리고 그 자체를 목적으로 존재의 선을 증진하고 보호할 명백한 의무가 있다.[7] 이제 야생의 동식물이 본래적 가치를 지닌다고 가정해보자. 그렇다면 우리는 야생 생물로 자연에 있는 존재를 공손히 배려할 뿐 아니라, 그들의 존재에서 비롯되는 존중받을 권리를 인정하는 식으로 그들과 우리의 관계를 인정할 것이다.

인간이든 아니든 고유의 선을 지닌 종류의 존재들 중에서도 본래적 가치라는 개념은 장점이라는 개념과 구분해야 한다. 사람들에게 적용할 때 장점과 본래적 가치는 다음과 같이 구별할 수 있다.[8] 우리는 종종 누군가가 어떤 활동을 얼마나 잘하는지 또는 어떤 역할이나 직책을 얼마나 잘 수행하는지를 판단한다. '그는 상당히 훌륭한 치과 의사야.' '그는 우수한 테니스 선수야.' '그 도시에는 일류 교향악단이 있어.' 우

7. 나는 톰 레건의 명저, The Case of Animal Rights (Los Angeles: University of California Press, 1983)와 독립적으로 본연의 가치에 관한 견해를 발전시켰으나, 그의 "타고난 가치" 개념과 나의 "본연의 가치" 개념은 본질적으로 동일하다. (나는 5장과 6장에서 레건의 생각 일부를 언급할 것이다.) 레건은 자신의 논문 "The Nature and Possibility of Environmental Ethics," Environmental Ethics

리는 또한 한 사람이 다른 사람보다 낫거나 못하다고, 또는 그 집단에서 최고나 최악이라고 순위를 매김으로써 두 명 이상을 비교한다. 특정 장점의 척도에 따라 최우수, 우수, 양호, 형편없음으로 개인을 등급별로 나누는 것처럼 한 사람을 다른 사람보다 낫거나 못하다고 순위를 매기기도 한다. 이런 식의 판단이 내려질 때마다 우리는 장점에 근거하여 사람들을 평가하는(등급을 나누는, 순위를 매기는) 것이다.

사람들의 장점은 어떻게 결정되는가? 답은 사람들에게 적용되는 장점의 척도다. 그 척도는 가치 평가의 기준이며, 사람들의 어떤 특성은 좋게 보이는 특성(장점)이고 다른 것은 나쁘게 보이는 특성(단점)이다. 따라서 테니스 선수의 장점을 판단하는 기준은 어떤 사람이 훌륭한 선수인지를 결정하는 데 사용되는 척도다. 그 척도에는 속도, 정확성, 체력, 그리고 테니스 선수의 탁월성을 구성하는 다른 특성이 포함된다. 규범적인 윤리 체계에서 좋은 성품의 기준은 장점 척도의 한 유형이라고 볼 수 있다. 실제로 미덕과 악덕을 도덕적 장점과 단점으로 생각할 수 있다.

장점 면에서 개인들이 다양하다는 것은 장점이라는 개념에 포함되는 내용이다. A는 B보다 우수한 테니스 선수일 수 있지만, B는 A보다 더 훌륭한 시인일 수 있고, 둘 다 목수 실력은 형편없을 수 있다. 그런데, 사람들의 본래적 가치에는 이런 식의 대조적 다양성이 없다. 이는 장점이라는 개념이 본래적 가치라는 개념과 근본적으로 다른 점 중 하나일 뿐이다. 사람들이 사람으로서 본래적 가치를 지닌다고 간주된다면, 단순히 사람이라는 사실 자체가 그 가치의 바탕이므로 그들은 모두 동일한 가치를 지닌다.

동물과 식물도 등급이나 순위를 매기는 척도에 따라 장점이 평가될 수 있다. 그 판단이 인간 중심이라면, (야생이든 사육이든) 동물이나 (자연산이든 재배 작물이든) 식물은 인간의 이익이나 목적에 도움이 되

5/1 (Spring 1981): 19–34에서 자신의 "타고난 가치" 개념을 환경윤리 분야에 적용했다. 에블린 B. 플루하르는 "The justification of Environmental Ethic", Environmental Ethics 5/1 (Spring 1983): 47–61에서 레건의 개념을 도덕 철학적으로 분석한다. 모든 야생 동식물이 본연의 가치를 지닌다는 주장을 정당화하는 나의 견해를 포함하여 나 자신의 이론을 설명하는 첫 출판은 "The Ethics of Respect for nature", Environmental Ethics 3/3 (Fall 1981): 197–218이었다.

8. 인간에게 적용할 때 장점과 본연의 가치의 구별은 다음 내용에 힘입은 것이다. R. B. Brandt 엮음, Social Justice (Englewood Cliffs, N.J. : Prentice-Hall, 1962), pp. 47–61에 실린 Gregory Vlastos, "Justice and Equality".

는 한, 장점이 있는 것으로 간주된다. 따라서 '게임용' 어류나 포유류의 장점은 낚시나 사냥에 적합한 대상이 되는 특성이다. 스포츠맨의 관점에서 보면 어떤 종은 다른 종보다 시합을 하기가 더 좋다. 이와 비슷하게, 목재 회사의 관점에서 보면 어떤 나무는 다른 나무보다 더 훌륭하다(장점이 많다). 인간 이외 관점을 취한다면, 동물이나 식물의 장점은 다른 동물이나 식물의 이익 또는 생물 군집 전체의 이익에 기여하는 특성이 된다. 예를 들어, 특정 종류의 피식자가 다른 피식자 종보다 어떤 포식자에게 더 나은 먹이감이라면, 포식자의 관점에서는 전자를 후자보다 더 나은 것으로 만드는 특성이 장점이다. 특정 종의 포식자-개체군 자체가 그것이 속하는 생물 군집과 관련하여 장점을 가질 수 있다. 군집 전체의 안녕에 필요한 생태적 안정성을 유지하는 데 도움이 되는 특성이 있는 경우 그럴 수 있다.

장점과 본래적 가치의 구별은 인간 윤리와 환경 윤리 모두에서 매우 중요하다. 인간 윤리에 미치는 영향부터 생각해보자. 단지 사람이기 때문에 모든 사람들이 본래적 가치를 지닌다는 생각은, 1장에서 살펴보았듯이, 도덕 공동체에서 모든 의무의 궁극적인 바탕이다. 이 원칙이 암시하는 바 중 일부는 다음과 같다.

첫째, 모든 사람들이 의무의 대상이 되는 도덕 주체로서 동일한 지위를 가진다고 이해된다. 누구도 본질적으로 (즉, 장점 외에) 다른 사람보다 우월하다고 간주되지 않으며, 각자의 선은 동일하게 이행되어야 한다고 인식된다. 사람으로서 모두가 동등하게 관심과 배려를 받을 자격이 있다고 간주된다.

둘째, 누구도 다른 누군가의 목적을 위한 수단으로 대우받지 않는다. 인간이 목적 자체라는 원칙은 모든 사람이 사람으로서 본래적 가치를 지닌다는 명제가 함의하는 바다.

셋째, 모든 사람들이 본래적 가치를 지닌다고 간주되면, 각 개인의 선을 증진하거나 보호하는 일은 궁극적인 목적이며 그 사람을 위한 것으로 받아들여진다.

넷째, 사람들의 선은 도덕 원칙의 문제로 증진되고 보호되어야 한다. 사람들이 본래적 가치를 지닌다면, 그들의 선이 실현되어야 한다고 인식함으로써 그들의 인격을 존중할 의무가 모든 도덕 행위자에게 있다. 도덕 행위자가 이행하든 안 하든, 그리고 그가 다른 사람에 대해 가질 수 있는 개인적 감정과 무관하게 그 의무는 존재한다. 여기서도 본래적 가치는 특정 개인의 주관적인 가치 판단과 독립적이다.

이제 환경 윤리 분야로 돌아가서 모든 야생 동식물에게 (장점과 구별되는) 본래적 가치가 있다고 간주하고 그 결과를 생각해보면, 앞의 인간 윤리 분야와 유사하게 함의하는 바가 도출된다.

첫째, 단지 자연 생태계 생물 군집의 일원이라는 사실에 의해 야생 생물에게 본래적 가치가 있다면, 각 야생 동물 또는 야생 식물은 도덕 행위자가 지는 의무의 대상인 도덕 주체와 동일한 지위를 가진다고 이해된다. 어떤 종이든 상관없이 다른 종보다 우월한 종이 없으며, 모두 동등한 배려를 받을 자격이 있다.

둘째, 각각은 인간의 목적을 위한 수단으로 대우받아서는 안 되는데, 이는 본래적 가치를 지닌다는 지위와 모순되기—그것을 부정하기—때문이다.

셋째, 각자의 선을 증진하고 보호하는 일은 궁극적 목적이며, 그 존재를 위한 것으로 간주된다.

넷째, 도덕 행위자가 그런 존재의 선을 고려해야 함은 원칙의 문제이다. 그 존재에 대해 애정이 있든 없든, 의무의 이행이 내키든 내키지 않든, 도덕 행위자는 존중 의무가 있다.

앞의 설명을 통해 보면 본래적 가치라는 개념이 우리가 사는 도덕 세계의 관념 전체를 속속들이 형성함이 분명하다. 특히 그 개념의 적용 범위는 우리가 적절한 도덕 주체로 받아들이는 존재의 종류를 결정한다. 이 시점에 다음과 같은 의문이 필연적으로 생긴다. 어떤 존재에게 본래적 가치가 있음을 어떻게 알 수 있을까?

1장에서 보았듯이, 사람들이 본래적 가치를 지닌다는 주장의 경우에 사람들을 바라보는 이 방식만이 모든 사람들이 합리적인 가치 판단을 내리는 존재—의식적 삶의 자율적 중심—라는 생각과 합치됨을 보여줌으로써 그 주장이 참임을 입증할 수 있다. 우리 자신을 이런 존재로 바라보고 자기 존중으로 우리 자신의 본래적 가치를 주장하면서 동시에 우리 자신과 마찬가지로 사람인 다른 이들의 본래적 가치를 부인하는 것은 앞뒤가 맞지 않는다.

같은 식의 논거가 자연계의 모든 동식물에게 본래적 가치가 있다는 주장에도 적용된다. 이 경우 동식물을 바라보는 이 방식만이 자연에 대한 생명 중심 관점의 신념 체계를 받아들일 때 그들을 이해하게 되는 방식과 합치됨을 보여줌으로써 그 주장이 참임을 입증할 수 있다. 그 신념체계 자체의 바탕이 확실하다고 추정할 때, 야생의 모든 생명체에 대해 본래적 가치를 전제로 존중 태도를 취할 온갖 이유가 생긴다. (이 논거는 다음 장에서 충분히 제시될 것이다.)

여기서 정당화 문제는 미뤄두고 다음 연구 주제로 넘어가, 자연을 존중하는 태도를 취한다는 것은 어떤 의미이며, 행동과 성품으로 그런 태도를 표현하거나 구현한다는 것은 어떤 의미인지 살펴보자.

4. 자연 존중 태도의 표현

내가 옹호하는 환경 윤리 이론의 중심 신조는 특정한 궁극적인 도덕적 태도를 표현하거나 구현할 때 행동이 올바르고 성품이 도덕적으로 선하다는 것인데, 그 도덕적 태도를 나는 자연 존중이라고 부른다. 도덕 행위자가 이 태도를 취한다면 그들은 일련의 성품 기준과 행위 규칙을 자신의 도덕 원칙으로 따르는 것이다. 이 태도를 취하면 그 기준을 충족하고 규칙을 따르는 데 도덕적으로 헌신하게 된다. 도덕 행위자가 그 규칙에 맞게 행동하고 그 기준에 맞는 성품을 계발할 때 그들의 행위와 성품은 그 태도를 표현한다(확실히 구현한다). 따라서 윤리적 행위와 선한 성품은 태도에서 자연스럽게 흘러나오며, 사람의 행동 방식과 성품 유형에서 태도가 분명히 드러난다.

자연 존중 태도는 도덕 행위자의 일련의 성향이다. 그 성향은 네 가지로 분류할 수 있으며, 각각은 그 태도의 한쪽 측면을 이룬다. 나는 이들을 평가, 능동, 실천, 감정 측면이라고 부르겠다. 평가 측면은 어떤 가치를 판단하는 성향이고, 능동 측면은 목적을 가지거나 특정 목표를 달성하려는 욕구의 성향이다. 실천 측면은 특정 이유 때문에 행동할 뿐 아니라 그 이유를 행동의 좋은 구실로 간주하는 성향이다. 감정 측면은 특정 감정을 느끼는 성향이다. 각 측면을 순서대로 살펴보자.

자연 존중 태도의 평가 측면은 지구 자연 생태계의 모든 야생 생물이 본래적 가치를 지닌다고 보는 성향이다. 앞에서 보았듯이 그에 따라 그들의 선은 모든 도덕 행위자의 관심과 배려를 받아야 마땅하며 야생의 존재는 그 자체로, 그리고 그들을 위해 보존될 가치가 있다고 생각한다. 도덕 행위자의 이 성향은 자연 존중 태도의 한 측면이다. 실제로 우리는 이제 이것이 중심적인 일면임을 알게 될 것이다. 자연 존중 태도를 이루는 다른 모든 성향은 여기서 비롯된다.

능동 측면은 목표를 세우고 추구하는 성향이다. 목표와 목적이 있을 때 사람은 일련의 욕구와 욕망을 가진다. 따라서 문제의 목표와 목적을 달성하기 위해 그리고 자신이 원하는 것을 얻고 욕구를 충족할 수 있게 스스로 세부 목표를 세운다. 자연을 존중하는 사람의 일반적 목표와 전반적 목적에는 두 가지가 있다. 야생 생명체의 자연적 상황을 해치거나 방해하는 것을 피하는 것과 그들 존재를 자연 질서의 일부로 보전하는 것이다. 이 목적을 달성하기 위한 조치로 특별히 자연 생태계를 보존하고 생물 군집의 다양성에 이로운 우리 행성의 물리적 환경울 보장하기 위해 정책을 수립하고 실천에 참여하는 것이다.

그런 목적과 목표를 추구하는 성향은 야생 생명체를 본래적 가치가 있는 존재로 보는 근본적인 평가 성향에서 나온다. 도덕 행위자가 앞에서 언급한 목적과 목표를 추구하는 성향은 그들이 동식물을 이런 식으로 바라보기 때문이다.

실천 측면은 도덕 행위자의 실천이성과 관계 있다. 실천이성은 행동에 대해 찬성 또는 반대의 이유를 곰곰이 생각하여 결론을 내리고 그 이유 때문에 그 행동을 실행에 옮기거나 자제하는 역량이다. 여기에는 가치를 판단하고 숙고하고 결론을 내리며 의지를 발휘하는 힘도 포함된다. 행위자의 실천이성 역량은 가능성 있는 여러 행동 대안 중에서 선택을 해야 할 때 발휘된다. 서로 다른 대안이 있을 때 그 일을 해야 하는지 말아야 하는지, 또 왜 그렇게 해야 하는지 판단(평가)한다. 고려 대상인 각 대안에 대해 찬성 또는 반대하는 이유를 저울질 하면서 숙고한다. 그 다음에 가장 강력한 지지 이유가 있는 대안에 관심이 기울어 결론에 다다르고, 실생활에서 그 결정을 수행하면서 의지를 발휘한다.

실천이성은 자연 존중 태도를 가지는 데 관여하는데, 자연 존중 태도를 가지는 것은 어떤 종류의 행동이 그런 종류이기 때문에 그 행동을 행하거나 자제하는 경향을 의미하기 때문이다. 그 행동을 수행하거나 자제해야 할 이유는 그 행동의 특성 또는 그로 인한 미래의 결과적 사실인데, 그것들을 도덕적으로 적절한 고려 사항으로 간주하여 행동을 해야 하는지 여부와 그 이유를 판단한다. 대항하는 이유가 없거나 행동의 이유가 대항하는 이유를 앞설 때는 그 행동을 행해야 하는 경우로, 그 행동은 도덕적으로 정당화된다. 같은 구조의 실천적 추론이 행위자가 행하지 말아야 할 행동에 대한 결정에도 적용된다. 이 경우 도덕적으로 적절한 고려 사항인 사실들은 그 행동에 반대하는 이유를 제공한다. 이 결론에 대항하는 이유가 없다면, 또는 그 반대 이유가 중요도 면에서 대항하는 이유를 앞선다면, 그 행동은 도덕적으로 정당하지 않다는 결론이 내려진다.

자연 존중의 태도를 지닌다면 찬성하거나 반대하는, 좋은 도덕적 이유가 되는 행동의 특성과 결과는 어떤 것인가? 그것은 목적을 달성하는 효과적인 방식이 되거나 목적 달성에 방해가 되는 특성과 결과이고, 그 목적은 자연 존중 태도의 능동 측면이 지향하는 것이다. 또한 그것은 행동을 취했을 때 그 목적을 달성할 수 있음 또는 달성할 수 없음을 보여주는 사실들이다. 그런 목적이 있을 때 그 목적을 성공적으로 달성할 것이라고 믿는 타당한 이유가 있다면 행동을 할 타당한 이유가 생기고, 그 행동이 목적 달성을 방해할 것이라고 믿는 타당한 이유가 있다면 행동을 자제할 타당한 이유가 생긴다. 능동 측면에 대해 설명할 때 언급한 목적을 도덕 행위자가 가지고 있고, 방금 말한 이유 때문에 행동을 하거나 자제한다면 그들은 자연 존중 태도를 지니고 있는 것이다.

네 번째이자 마지막은 감정 측면이다. 세상의 사건에 대한 반응으로 어떤 감정을 느끼려는 경향이다. 이 감정은 평가, 능동, 실천 측면과 밀접하게 연결되어 있다. 자연을 존중할 때 사람은 지구상 야생의 생물 군집이나 종-개체군이나 개별 구성원이 존재를 유지할 것으로 예상되는 일에 기쁨을 느끼는 경향이 있다. 문제의 사건은 인간의 행동이 의도했을 수도 있고 의도하지 않았을 수도 있고, 자연적으로 일어났을 수도 있다. 또한 지구 자연 생태계의 생명체에게 해를 입히는 일들에 대해서는 마음이 상하는 경향이 있다. 이미 언급한 평가, 능동, 실천 측면이 있기 때문에 이런 긍정적 반응과 부정적 반응을 경험한다. 이 반응은 야생 생물이 본래적 가치를 지니고 있다고 생각하며, 합당한 목적과 목표가 있고 타당한 이유 때문에 행동하는 성향이 있다는 신호다. 감정은 다른 성향과 함께 가며, 이 모든 성향이 자연계를 존중하는 통일된 태도를 형성한다.

이 절의 서두에서 나는 다음과 같은 단어로 이 책이 옹호하는 환경윤리 이론의 중심 신조를 표현했다. "특정한 궁극적인 도덕적 태도를 표현하거나 구현할 때 행동이 올바르고 성품이 도덕적으로 선하다고 하는데, 그 도덕적 태도를 나는 자연 존중이라고 부른다." 그 태도를 가진다는 것이 어떤 의미인지를 살펴보았고, 이제 행동과 성품에서 태도를 표현하고 구현하는 것이 어떤 의미인지를 알아볼 것이다.

행위에 관한 한, 도덕 행위자의 행동이 어떻게 그리고 어떤 의미에서 자연 존중 태도를 표현할 수 있는지는 쉽게 알 수 있다. 능동과 실천 측면이 관계있다. 능동 측면의 목적을 달성하기 위해 도덕 행위자가 행동을 하거나 의도적으로 자제할 때, 그리고 실천 측면의 이유 때문에 어떤 행동을 행하거나 자제할 때, 그 행위는 언제나 태도를 표현한다. 어떤 태도를 지닌다는 것은 특정한 성향이 있다는 뜻임을 앞에서 보았다. 고려 중인 두 가지 측면에서 보면, 어떤 태도를 가지는 것은 특정 이유 때문에 특정 목적을 마음에 두고 행동을 행하거나 자제하는 경향을 뜻한다. 적절한 목적과 이유가 있어서 행동을 행하거나 자제하는 성향을 구현한다면, 그 사람은 자신의 실생활에서 어떤 태도를 드러내는 것이다. 도덕 행위자가 태도를 명백히 구현하는 것은 이런 방식이다.

그러므로 사람들은 야생의 생명체의 선에 대한 배려와 관심에서 행동하거나 자제할 때에만 자연을 존중하는 진정한 태도를 보이는 것이다. 야생의 생명체에 똑같은 효과를 가져오지만 그런 식으로 동기가 부여되지 않은 행위나 불행위에서는 존중이 드러나지 않는다. 실생활에서 자연을 존중하는 마음을 표현하려면, 자연 생태계의 동식물을 간섭하거나 해치지 않으며 그들을 위해 야생의 상태를 보전하는 쪽으로 의도와 목표가 향해야 한다. 자신의 궁극적 목표로 이런 목표와 의도를 지니는 것이 진정한 자연 존중에 필수적이다.

환경 문제에서 오로지 인간 중심의 관점을 지닌 사람들이 가끔 야생의 생명체의 선을 실제로 증진하는 행위를 한다. 하지만 그것은 야생 생명체들 자체를 위한 행위가 아니므로 그들의 행위는 자연 존중 태도를 표현하는 것이 아니다. 이면의 목적은 즉각적으로든 장기적으로든 인간이 혜택을 보는 것이다. 이들의 동기에는 인간 이외 야생의 생명체가 본래적 가치를 지니고 있다고 보는 시각이 결여되어 있다. 그 판단이 없다면 그들의 행위는 자연 존중을 표현하는 것으로 간주될 수 없다.

그런데 실생활에서 태도를 온전히 표현하려면 행위의 한 가지 측면이 더 필요하다. 원칙을 따르는 행동이어야 한다는 점이다. 목적이 야생의 생명체의 선을 증진하고 보호하는 것이더라도, 그 목적을 마음에 두고 행동하는 것이 우연히 그때 갖게 된 어떤 관심을 따르는 게 아니라 도덕적으로 요구되는 것이라고 생각해야 한다. 달리 말하자면 행동의 목적은 윤리적 의무에 있으며, 따라서 내키든 내키지 않든 공평무사하게 수행되어야 하는 목적으로 간주되어야 한다. 단지 또는 주로 마음이 쏠려서 그 목적을 추구한다면, 그때 표현되는 태도는 도덕적 존중이 아니라 개인적 감정이나 사랑이다.

자연 존중이 생명체를 돌보고 보살피는 감정을 배제하는 것은 아니다. 단순히 친절한 마음에서 그들을 해치고 싶지 않을 수 있다. 하지만 그런 동기 부여는 존중이라는 도덕적 태도를 보이지 않는다. 야생의 동식물의 선을 그들을 위해 증진하고 보호하려는 욕구가 있다는 것은 자연 존중에 반하지도 않고 자연 존중의 증거가 되지도 않는다. 그런 욕구를 가진 사람이 그 욕구를 따르는 행동이 도덕적 의무이며 욕구가 없을 때에도 의무임을 이해하는 경우에만 그 사람은 진정으로 자연을 존중하는 것이다. 자연 존중을 표현하는 행동은 야생 유기체의 선(또는 그런 유기체 집단의 선)의 증진과 보호 자체를 목적으로 삼아야 한다. 이는 존중 태도의 능동 측면에 속한다. 그러나 그 목적은 자연계의 동식물이 본래적 가치가 있고 그에 따라 그들을 위해 보존되고 보호되어야 하는 그들의 선을 지닐 자격이 있다는 원칙에 대한 도덕적 약속에 의해 행위자의 행동 목표가 설정되어야 한다. 그들은 관련 행위자에게 어떤 개인적 관심이 있든 그와 무관하게 그런 대우를 받을 자격이 있는 것으로 이해된다. 그런 대우의 목적이 윤리적으로 중요하게 여겨지는 경우에만 자연 존중에 해당된다.

어떤 사람이 어떤 행동을 행하거나 의도적으로 자제할 때 자연 존중 태도가 어떻게 표현될 수 있는지를 살펴보았다. 이제 그 태도가 한 사람의 성품에서 어떻게 드러나는지를 생각해보자. 일반적으로 좋은 성품이라는(전체적으로 볼 때 도덕적으로 훌륭한 행위자라는) 개념이든, (정직, 자비, 공정성같이 도덕적으로 훌륭한 성품의 특성을 지니는) 특정 덕목이든, 어느 쪽에 초점을 맞추든, 사람의 성품에는 숙고와 실천이라는 두 가지 측면이 있다.[9] 숙고 측면에서 좋은 성품은 (원함, 기대, 두려움을 포함하여) 도덕과 관계없는 관심, 욕구, 필요, 감정의 영향 때문에 혼란스럽거나 비합리적일 수 있는 선택의 상황에서 어떤 행동을 해야 하는지, 또는 하지 말아야 하는지를 합리적이고 명쾌하게 생각할 수 있는 능력이 계발되어 있고 안정적으로 그렇게 하는 성향이 있다. 숙고 측면에서 볼 때 특징 덕목은 도덕 행위자가 특정한 윤리적 유형의 의무, 책무, 책임에 대해 마음의 동요와 사고의 왜곡을 일관되게 피할 수 있는 역량이다. 예를 들어, 정직한 사람은 행위에서 정직함을 목표로 삼을 뿐

9. 성품과 덕목에 관한 이 견해의 출처는 4장의 주석 3에서 언급한다.

아니라, 자신의 동기와 욕구, 필요와 관심으로 인해 이중성, 합리화, 변명, 환상 등에 빠져들거나, 회피, 편향된 판단, 자기 기만, 속임수 등에 굴복하기 쉬운 상황에서도 무엇이 정직한 행동인지를 명확히 볼 수 있는 능력도 있다. 정직이라는 덕목을 함양한 사람들은 합리적으로 숙고하는 힘을 가지고 있어서 적절한 사실 정보가 주어지면 정직해야 하는 어떠한 상황에서도 정직이 필요한 올바른 결론에 어김 없이 다다른다.

덕의 두 번째 측면인 실천 요소에 대해 말하자면, 성품이 좋은 사람은 도덕과 관계없는 이익관심, 필요, 욕구, 감정의 영향을 억누르지 않는다면 자신의 도덕적 결정을 수행할 힘이 박탈되거나 심각하게 약화될 상황에서도 자신이 숙고한 추론과 판단에 맞게 행동하는 역량을 지닌 사람이다. 다시 말해서, 덕의 실천 측면은 의지가 약할 때 균형을 맞추는 역할을 한다. 정직을 다시 한 번 예로 들면, 그런 성품 특성이 있다는 것은 의지의 힘을 발휘하고 극기해야 하는 상황에서 성공적으로 정직한 행동을 행하고 부정직한 행동은 삼가는 역량이 있다는 것이다.

이제 환경 윤리 문제에서 사람의 성품이 어떻게 자연 존중 태도를 표현하고 구현하는지를 살펴볼 차례다. 사람의 성품은 자연 존중 윤리의 규칙이 적용되는 모든 선택 상황에서 어떻게 행동해야 하는지를 올바르게 숙고하고, 그 숙고의 결과인 결정을 수행할 수 있게 하는 덕목을 일관되게 드러내는 만큼 자연 존중 태도를 표현한다고 할 수 있다. 따라서 좋은 성품이 자연 존중 태도를 표현한다는 것은 좋은 성품을 지닌 행위자가 앞에서 설명한 방식으로 자연 존중 태도를 표현하는 행동을 어김 없이 수행한다는 의미다. 혼란과 의지 박약으로 인한 도덕적 잘못이 드물지 않은 상황에서도 덕목은 올바른 이유에서 올바른 목적으로 올바른 일을 할 수 있는 안정적인 능력을 부여한다. 덕목은 그런 상황에서 올바른 일을 하고 잘못을 자제하는 데 필요하다.

지구의 야생 생명체에 대한 우리의 의무와 책무와 책임에 관한 한,

우리가 그런 의무, 책무, 책임이 무엇인지를 명확히 볼 수 있으며, 어렵고 복잡한 상황에서도 요구 사항을 수행할 수 있을 때 우리의 성품은 자연 존중을 표현한다. 4장에서 나는 자연 존중 윤리의 기본 덕목 중 일부에 대해 논의할 것이다. 그 덕목은 구체적인 성품 기준에 의해 결정될 것이고, 그 성품 기준은 일련의 행위 규칙과 함께 유효한 환경 윤리 체계를 구성한다.

앞선 논의에서는 자연 존중 태도가 도덕 행위자의 행위와 성품에서 표현되는 방식을 살펴보았다. 이제 나는 그 태도가 환경 윤리 체계의 도덕 규칙과 기준에서도 표현되고 구현될 수 있음을 지적하고 싶다. 실제로 그 체계가 유효하다면, 그 규칙과 기준은 자연 존중 태도를 구현할 것이다.

일련의 도덕 규범(기준과 규칙)에서 태도가 구현되는 방식은 사람의 행위와 성품이 표현되는 방식에 대해 설명한 내용에 비추어 보면 쉽게 이해할 수 있다. 윤리적 행위와 성품을 규범적 원칙과 연결하기만 하면 된다. 그렇다면 사람의 행위는 특정 규칙이 부여하는 요건을 충족하는 한 자연 존중을 표현하는 것으로 보일 것이다. 따라서 그 규칙 자체도 태도를 구현한다고 할 수 있다. 마찬가지로 사람의 성품도 덕의 기준을 따르는 만큼 태도를 표현한다. 그렇다면 그 기준도 태도를 구현한다고 말할 수 있다. 따라서 자연 존중은 도덕 규범에서 구현되고, 그 규범은 도덕 행위자가 받아들이고 지킬 때 앞서 말한 방식으로 태도를 표현하는 성품을 계발하고 행동하도록 그들을 이끌 것이다. 이 규범은 자연 존중이 모든 도덕 행위자의 성품과 행위에서 온전히 표현되는 '있을 법한 세계'를 규정한다.

자연 존중 태도가 도덕 규범 자체에서 이런 식으로 구현될 수 있으므로, 유효한 환경 윤리 체계는 자연 존중 태도를 구현하는 행위 규칙과 성품 기준으로 이루어진 체계라고 간단히 밝힐 수 있다. 인간 윤리도 마찬가지다. 1장에서 나는 유효한 인간 윤리 체계는 사람 존중 태도를 구현한다고 언급했다. 사람 존중과 인간 윤리 규범의 관계는 자연 존중과 유효한 환경 윤리 체계의 관계와 대칭적이다. 인간 윤리의 규칙과 기준은 사람을 사람으로 존중함을 표현하는 행동을 행하고, 그런 덕을 함양하기 위해 모든 도덕 행위자가 따라야 할 것으로 간주된다. 환경 윤리에서도 이제 그와 유사한 점이 분명해진다. 유효한 환경 윤리 체계의 규칙과 기준은 야생 생명체의 본래적 가치를 충분히 인식하는 데 필요한 요건을 충족하려면 모든 도덕 행위자들이 따라야 하는 것들이다. 다시 말하자면, 모든 도덕 행위자의 행동과 성품이 자연 존중 태도를 적절히 표현하려면 그 규범을 따라야 한다.

이것으로 자연 존중 태도를 분석하고 실생활에서 그 태도를 표현하고 구현하는 것이 어떤 의미인지를 설명하는 첫 부분을 마친다. 이제 그 태도를 연구하는 두 번째 부분으로 넘어갈 것이다. 여기서는 자연 존중 태도를 궁극적 태도로 설명하는 것의 의미에 주의를 집중할 것이다.

5. 자연 존중이라는 궁극적 태도

자연 존중이 궁극적 태도라는 의미는 조심스럽게 살펴보아야 하는데, 이는 궁극이 그 정당화에 특별한 문제를 제기하기 때문이다. 행위와 성품에서 태도를 표현하는 한 도덕 행위자의 실생활은 자연 존중이 유래한 상위의 태도를 채택한 결과가 아니다. 자연 존중이 특수한 경우로 포함될 수 있는, 자연의 우주에 관한 더 광범위하고 더 보편적인 태도가 있지도 않다. 그러므로 자연 존중 태도의 채택은 보다 근본적인 도덕적 약속에 바탕을 두는 것으로 정당화될 수 없다. 그것은 사람이 할 수 있는 가장 근본적인 종류의 도덕적 약속이다.

정당화 문제를 분명히 이해하려면 자연 존중의 도덕적 태도 측면을 고려해야 한다. 먼저 주목해야 할 것은, 이 장의 초반에 지적했듯이, 자연 존중은 자연 사랑과 상당히 다르다는 사실이다. 도덕적 태도이기 때문에 존중은 자연 사랑이 그러하듯이 단순한 개인적 감정이나 돌봄의 문제가 아니다. 사람은 동물과 식물에 대해 느낌을 가질 수 있어서 그들의 안녕에 관심을 가진다. 야생지의 특정 종-개체군(예를 들어, 산비탈에 있는 모든 폰데로사 소나무들) 또는 (좋아하는 삼림 지대 산자락에 있는 동식물상 같은) 생물 군집 전체를 특별히 좋아하고, 그에 따라 그 생명체들을 돌보고 관심을 기울일 수 있다. 이런 식의 관심과 돌봄이 개인적 애착에서 비롯되면 그것은 자연 사랑이다. 그러나 그것이 도덕적 약속의 문제로 이해되지 않는다면 그들은 자연을 존중한다는 증거를 보이는 것이 아니다. 존중 태도는 자연 사랑이 그러하듯이 그 태도를 지닌 사람과 그 대상 사이의 개인적 관계가 아니다.

존중과 사랑의 이런 대조는 존중 태도의 합리적 정당화에 필요한 것을 이해하는 데 근본적으로 중요하다. 존중의 바탕은 생명체가 우리에게 보낼 수도 있는 정서적 호소에 있지 않으므로, 동물이나 식물이 우리 눈에 매력적이라는 사실 때문에 그들을 존중하는 태도를 채택하고 그들을 대하는 방식에서 그 태도를 표현하는 것이 아니다. 자연계에 있는 어떤 것이 다른 것보다 우리에게 더 아름답거나, 더 흥미롭거나, 더 큰 기쁨을 줄 수 있다. 어떤 것은 매력도 없고 흥미도 끌지 않고 심지어 혐오감을 줄 수도 있다. 그러나 우리가 자연을 존중한다면 그들의 매력 유무는 우리가 그들의 안녕에 대해 공평무사한 관심을 가지는 데 결코 영향을 미치지 않는다.

자연 존중 태도를 가진다는 것은 일련의 도덕 규칙과 기준을 유효한 윤리 규범으로 채택하는 것과 같다. 앞에서 설명한 의미로 그 태도를 표현하는 윤리 규범을 따르겠다는 약속이 실제로 수반됨은 물론이다. 그런데 도덕적 구속력이 있다고 생각하고 어떤 규범을 채택할 때 우리는 동시에 그 규범이 다른 모든 도덕 행위자에게도 구속력을 가진다고 믿는다. 이는 1장에서 언급한 것으로, 유효한 윤리 규범의 형식 조건 중 하나는 어떤 규범을 자신의 도덕적 원칙으로 채택하는 행위자는 누구든 그 규범이 모든 도덕 행위자들에 의해 보편적으로 채택되는 것을 지지한다고 규정한다. 자연 존중 태도도 그렇다. 도덕적 태도이므로 그것을 진심으로 채택하는 사람은 다른 모든 사람들도 채택해야 한다고 간주한다. 우리 자신이 그 태도를 지닌다는 것은 동시에 그것을 모든 도덕 행위자가 지닌 합법적이거나 정당한 태도로 믿는다는 것이다.

자연 존중 태도의 이 보편성은 논리적으로 그 태도의 평가 측면과 연결된다. 앞에서 보았듯이 평가 측면은 자연 존중 태도를 가지는 모든 사람들이 야생 생명체를 본래적 가치, 즉 주관적 이익관심이나 인간의 목적에 좌우되지 않는 가치를 지닌 존재로 본다는 사실이다. 본래적 가치를 지니기 때문에 생명체는 모든 사람들의 관심과 배려를 받을 자격이 있다고 간주한다. 사람들에게 있을 수 있는 개인적 감정이 어떻든 상관없이 도덕 행위자인 사람은 누구나 야생 생명체의 본래적 가치를 마땅히 인정해야 할 의무가 있다고 본다. 따라서 자연 존중 태도를 가지는 사람은 보편적 채택을 지지한다.

자연 존중 태도는 도덕적 태도일 뿐 아니라 궁극적 태도이다. 그 의미를 명확히 밝히기 위해 태도가 더 높은 수준 또는 더 낮은 수준일 수 있는 두 가지 방식을 생각해보자. 첫 번째에서는 도덕적 태도를 도덕과 관계없는 태도와 대비하며, 두 번째에서는 도덕적 태도의 수준 내에서 구별한다.

존중이라는 도덕적 태도 외에도 자연에 대해 취할 수 있는 다른 종류의 태도가 여럿 있을 수 있다. 호기심이 많은 과학적 태도, 자연의 아름다움을 감상하는 미학적 태도, 야외 활동의 즐거움을 누리는 쾌락적 태도 등이 예다. 그런데 우리가 자연 존중 외에 이 중 어떤 태도를 가지고 있다면, 그 태도와 관련된 이익관심을 증진하는 행위가 어떤 것이든 그 행위는 자연 존중을 표현하는 행위를 대체하거나 그보다 우선할 수 없다. 1장에서 지적했듯이, 도덕 규범은 항상 다른 어떤 규범보다 우선하기 때문이다. 누군가가 도덕과 관계없는 규범을 따르기 위해 규칙을 벗어나는 게 정당화될 수 있다고 생각한다면 우리는 그 규칙을 도덕 원칙으로 채택한 것이 아니다. 자연 존중과 일치되지 않는 행동은 도덕과 관계없다는 근거로 결코 정당화될 수 없다. 따라서 과학 지식을 추구하거나 아름다운 자연을 감상하거나 야외 활동을 즐기는 가운데 야생 생명체를 해친다면 더 기본적이고 더 높은 수준의 원칙을 어긴 것이다.

그렇지만 인간의 신체적 안녕에 대한 심각한 위협을 막거나 피하는 방법을 찾아내는 데 어떤 종류의 과학 연구와 실험이 필요하다고 가정해보자. 그 일은 사람을 존중하는 인간 윤리 규범에 도덕적 바탕을 두고 정당화될지도 모른다. 이 경우 하나의 궁극적 도덕적 태도(사람 존중)가 또 다른 태도(자연 존중)와 상충할 것이다. 이런 종류의 갈등을 제대로 다루는 작업은, 자연 존중에 기반한 환경 윤리 체계를 전부 제시하고 옹호한 다음에 이 책의 마지막 장에서 다룰 것이다. 지금은 다른 유형의 갈등에 관심을 기울여보자.

과학적, 심미적, 쾌락적 태도는 여러 상황에서 자연 존중과 양립하지 못할 수 있다. 예를 들어, 과학자들은 연구 과제를 수행하느라 희귀한 종으로 몇 마리 남지 않은 개체의 생명을 위험에 빠뜨릴 수 있다. 리조트 호텔에서 아름다운 전망을 확보하고 싶어서 생태적으로 민감한 지역에 호텔 건물을 지을 수도 있다. 자연을 바라보는 쾌락적 태도가 야생의 생물 군집에 상당히 해를 입힐 수도 있다. 스키장과 정박지, 레저 차량용 야영장과 호숫가 수영 시설, 골프장과 등산로의 건설과 사용은 모두 해로운 방식으로 자연 생태계의 기능을 간섭한다. 많은 사람들이 야외 활동을 즐기는 생활 방식을 추구하면 많은 동식물 종-개체군에 필요한 야생의 서식지가 파괴될 수 있다.[10] 인간의 이런 관행은 도덕과 관계가 없기 때문에, 자연 존중과 양립할 수 없는 그 일은 적어도 일차적으로 정당화되지 못한다. 어떤 강력한 도덕적 이유가 주어지지 않는 한, 진정으로 자연을 존중하는 사람이라면 윤리적 관점에서 그 일이 허용된다고 볼 수 없다. 그 활동으로 구현되는 도덕과 무관한 가치는 무엇이든 간에 자연 존중의 도덕적 요건보다 더 중시될 수 없다.

10. 미국 보존 운동 역사의 맥락에서 야생에 대한 태도의 변화를 연구한 유명한 사례는 다음을 볼 것. Roderick Nash, Wilderness and the American Mind (New Haven, Conn.: Yale University Press, 1967; 개정판, 1973). 개정판에서 내쉬는 '승리의 아이러니'라는 제목의 에필로그를 덧붙이고, 최근 수십 년 동안 어떻게 "미국인들이 야생을 죽도록 사랑"하고 있는지를 살펴본다.

그러나 과학적, 심미적, 쾌락적 태도가 필연적으로 자연 존중과 양립하지 못하는 것은 아니다. 야생 생명체를 심각하게 해치지 않고 또 자연 생태계에 손상을 입히지 않으면서 과학 연구를 수행하고 아름다운 자연을 경험하고 야외 활동을 즐길 수 있는 방법이 있다. 적어도 종-개체군 전체와 생물 군집의 선에 관한 한 실제로 어떤 해악도 미치지 않도록 조치하는 특별한 노력을 기울일 수 있다. 여기에는 생태적으로 민감한 지역에서 인간 활동을 제한하고, 때로는 (야생의 사막 서식지에서의 오프로드 차량 운전 또는 자연 호수에서의 모터 보트 운행 같은) 특정 관행을 단순히 금지하는 조치도 포함된다.

인간에 의한 자연계의 간섭이나 조작의 일부가 자연 존중과 양립할 수 있고, 실제로 그 태도를 표현할 수 있다는 사실도 주목할 만하다. 예를 들면, 오염된 하천, 호수, 습지대를 정화하는 사례가 있다. 다른 예로는 (미국 북동부 지역의 송골매 같이) 원래 서식지에서 사라진 종을 재도입하는 노력도 들 수 있다. 또 다른 사례로는, 이스턴 블루버드를 위해 둥지 상자를 놓아주고, 아프거나 상처 입은 야생의 포유류, 조류, 파충류를 동물병원에서 건강하게 회복시킨 다음 적절한 서식지에 풀어주고, 또 한때 탄광이었다가 이제는 버려진 지역을 원래의 자연(과 유사한) 조건으로 되돌리는 활동도 있다. 그런데, 이 모든 경우에 인간의 실천의 최종 목표는 야생 생명체 고유의 선을 증진하거나 보호하는 것이어야 한다. 자연에 대한 인간의 간섭이나 조작이 진정으로 자연 존중을 표현한다면, 문제의 활동은 인간만의 이익이 아니라 자연 상태에서 살고 있는 동식물들을 위해 행해져야 한다.

반면에 자연 존중 태도와 필연적으로 양립할 수 없는, 자연을 바라보는 일반적인 태도가 하나 있다. 그것은 착취 태도로 적어도 서양 문명에서는 항상 대부분의 사람들이 자연계를 대하는 지배적인 태도였고 지금도 그렇다. 자연을 단지 인간의 목적을 위해 인간에 의해 개발되고 사용되고 소비되는 물질 자원과 생물 자원의 거대한 보고로만 간주할 때에는 언제든 착취 태도가 된다. 자연은 우리를 위해 그곳에 있지 다른 생명체를 위한 것이 아니다. 우리는 우리 자신을 위한 도구로 자연을 사용할 독점적 권리를 가지고 있다. 문명 발전이란 야생을 '억압' 하고, 자연을 '정복' 하며 사람들이 더 나은 삶을 즐길 수 있도록 자연이 인간을 섬기게 하는 문제다.

착취 태도가 필연적으로 자연 존중 태도와 상충함은 야생 생명체의 가치를 판단하는 방식의 논리적 결과다. 착취적 관점에서 보면 동식물은 그들이 인간에게 혜택을 주기 위한 수단으로 이용될 수 있거나 인간이 직접 즐길 수 있는 기쁨의 원천이라는 이유에서만 소중하다. 그러므로 야생 생명체는 도구적 가치나 고유한 가치를 가지지만, 본래적 가치는 가지지 못한다. 그들은 인간이 특정 혜택을 누리는 데 도움이 되는 방식으로 조작되고 조절되고 소비될 수 있는 한 도구적 가치가 있을 뿐이다. 그들은 인간이 그들을 관찰하거나 그들에 대해 배우거나 어떤 식으로든 그들과 교류할 때 만족을 느끼는 한 고유한 가치가 있다. 이런 식으로 생명체를 여러 가지 도구나 대상으로 보는 것은 그들의 본래적 가치를 부정하는 것이다. 따라서 야생 생명체가 본래적 가치를 지닌다는 개념은 자연 존중 태도의 핵심이며 착취 태도와 대조되는 바로 그 본질이다.

착취 태도는 도덕적인 것인가? 선하다는 의미로 도덕적이 아니라 도덕의 범주에 속한다는 의미에서 묻는 것이다. 대답은 착취 태도를 가진 사람들이 1장에서 설명한 다섯 가지 형식 조건을 충족하는 원칙을 따르기로 약속하는지 여부에 달려 있다. 이런 경우가 확실히 가능하다. 착취 태도는 (인간이든 아니든, 특정 개체를 언급하지 않고) 형식 면에서 일반적이고, 모든 도덕 행위자에게 보편적으로 적용될 수 있고, (받아들이는 자들의 특정 이익관심에만 단순히 봉사하는 것이 아니라) 공평무사하게 받아들여질 수 있고, 모든 이들이 받아들이도록 지지를 받으며, 도덕과 관계없는 다른 태도보다 우선한다고 간주될 수 있다. 따라서 자연계를 대하는 문제에 관한 한, 착취 태도는 존중 태도 못지않게 다른 모든 규범과 가치보다 우선하는 최고의 도덕적 약속으로 보일 수 있다. 이 두 가지 궁극적이고 양립할 수 없는 태도 사이의 선택은 견고한 논증에 근거하여 그중 하나를 궁극적 도덕적 태도로 채택하는 것이 합리적 바탕 위에서 정당화됨을 보여줄 수 있어야 한다.

그렇다면 궁극적 도덕적 태도로 자연 존중 태도를 정당화하는 문제로 돌아가보자. 이 문제에 접근할 때 우리는 먼저 두 가지 도덕적 태도, 즉 파생적 태도와 궁극적 태도를 구별해야 한다. 이들은 다음과 같이 구별할 수 있다. 자연 존중을 우리 자신의 도덕적 태도로 채택한다면, 우리는 (다른 사람들뿐 아니라 우리 자신까지) 사람들이 자연계에 대해 취하는 어떤 정책과 행동을 찬성하거나 반대할 것이다. 이런 찬성과 반대가 일련의 도덕적 태도 자체를 구성하지만, 이들은 그보다 더 구체적이며 자연 존중이라는 일반적 궁극적 태도에서 파생된 것이다. 따라서 사람들이 자연을 존중한다면 그들은 정부의 DDT 금지, 야생 지역의 보호, 쓰레기 재활용과 같은 조치에 도덕적으로 찬성할 것이다. 마찬가지로, 자연 환경을 파괴하고 야생 생명체를 해치는 사회 정책과 관행, 그리고 개인 행동을 반대할 것이다. 이렇게 구체적으로 긍정적이거나 부정적인 도덕적 태도는 자연 존중에서 나오는 것이고, 어떤 사람이 자연 존중이 자연계에 대한 적절한 태도라고 믿지만 사회 관행과 개인 행동 면에서 이런 식의 찬성과 반대를 하지 않는다면 그 사람은 일관성이 없음을 뜻한다. (특별한 이유 없이) 환경 오염을 용납하는 사람은 자연을 존중한다고 말할 수 없다.

예를 들어, 어떤 사람이 정부의 DDT 금지에 찬성할 때 우리는 그가 진심으로 자연을 존중함을 보여줌으로써 그 찬성 행동을 설명할 수 있다. 그러나 자연 존중 태도 자체는 그 사람이 가지고 있는 훨씬 더 일반적이거나 기본적인 태도를 참조하여 설명할 수 없다. 자연 존중이 최고 수준의 도덕적 태도라는 것은 이런 의미다. 최고 수준의 도덕적 태도를 취하는 것은 근본 원칙이나 윤리 체계 전체에서 가장 기본적인 규범을 따르는 것이다. 자신의 도덕적 추론과 구체적인 도덕적 행동을 위한 규범 틀 전체를 있는 그대로 채택하는 것이다. 환경 윤리 분야에서 자연 존중은 그런 최고 수준의 태도이다. 자연 존중은 자연계에 영향을 미치는 행동이 정당함 혹은 정당하지 않음을 보여줄 때 어떤 이유가 선한 이유인지에 관한 결정적인 척도다. 동시에 인간이 지구의 자연 생태계에 있는 생명체를 대하는 다양한 방식에 대해 찬성하거나 반대하는 구체적인 태도의 근거다.

어떤 행동에 대해 찬성하거나 반대하는 도덕적 이유를 대고 그럼으로써 찬성이나 반대를 정당화할 때, 우리는 환경 윤리 분야의 규범적 원칙으로 받아들인 규칙과 기준을 적용한다. 만일 그 규칙과 기준 중 어떤 것이 의문을 불러일으킨다면, 우리는 그것이 윤리 체계의 구성 요소이며 일관되게 그 체계와 합치됨을 보여줄 수 있다. 그러면 그것이 자연과의 관계 속에서 삶의 방식 전체를 규정하는 도덕 원칙 체계의 일부로 간주된다. 그런데 그 도덕 원칙 체계를 따르거나 채택할 때, 우리는 특정한 궁극적인 도덕적 태도를 취하고 그 태도를 행동과 성품에서 표현하기로 약속한다. 원칙 체계 전체가 유효한 윤리 체계를 구성한다는 믿음은 그 원칙에서 구현되는 궁극적인 도덕적 태도가 정당화된다는 믿음과 동일한데, 전자가 후자의 근거는 아니다. 인간의 행동에 대해 찬성하거나 반대하는 구체적인 도덕적 태도는 궁극적 태도에서 나오지만, 궁극적 태도 자체는 더 기본적인 약속에서 나올 수 없다.

자연 존중 태도를 취하는 도덕적 근거를 댐으로써 그 태도를 정당화할 수 없는 것은 바로 이런 이유 때문이다. 모든 도덕적 근거 자체는 유효한 윤리 체계의 원칙에 의해 결정된다. 그런데 궁극적인 도덕적 태도를 취하는 데는 윤리 체계 전체를 유효한 체계로 따르겠다는 약속이 수반된다. 전체 체계의 유효성을 보여주는 것이 태도를 정당화하는 것이다. 어떤 태도를 취하는 도덕적 근거를 대려고 할 때 윤리 체계의 원칙을 이용하여 도덕적 추론으로 정당화하려고 하겠지만, 태도는 그렇게 정당화될 수 없다.

태도를 정당화하려면 그것을 구현하는 윤리 체계 전체가 유효함을 보여야 한다. 어떻게 해야 할까? 유일한 방법은 그 태도의 바탕이 되고 그것을 지지하는 신념 체계를 제시하고, 합리적이며 사실 정보를 알고 있고 현실 인식 능력이 계발된 사람들이 모두 받아들일 수 있음을 보여주는 것이다. 자연 존중 태도의 경우에는 자연과 그 속에 있는 인간의 위치를 바라보는 방식을 검토해야 하는데, 그에 따라 자연 존중 태도를 취하는 문제가 명료해질 것이다. 우리는 그 태도의 바탕이 되는 자연에 관한 관점을 먼저 이해해야 한다. 그 다음에 관점 전체의 맥락에서 태도가 어떻게 제대로 '맞는지' 를 볼 수 있고, 그 태도를 취하는 것이 자연계와 그 안에 있는 인간의 위치를 생각하는 전반적인 방식으로 적절함을 이해할 것이다. 그 후에 사실 정보를 가지고 있고 삶의 현실에 열려 있는 모든 합리적인 존재들이 그 관점을 자신의 세계관으로 받아들이는 이유를 보여주어야 한다.

이 문제는 다음 장에서 다룰 과제다.

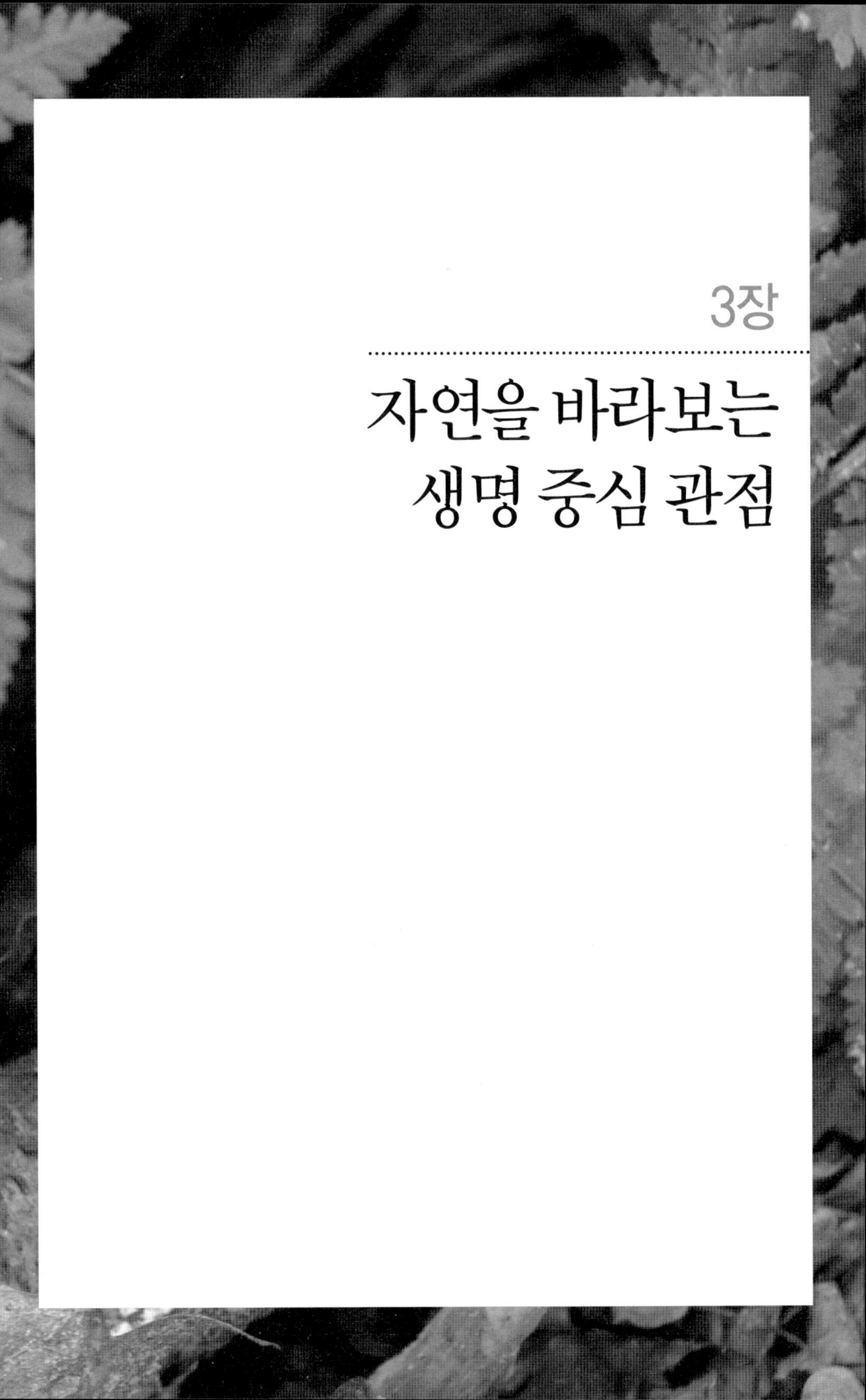

3장

자연을 바라보는 생명 중심 관점

1. 생명 중심 관점과 자연 존중 태도

우리가 생명체에 대해 적절하다고 생각하는 관점은 그들에 대해 또 그들과 우리의 관계에 대해 어떻게 생각하는지에 달려 있다. 자연계의 도덕적 중요성은 자연계 전체와 그 안에 있는 우리 자신을 어떻게 바라보는지에 따라 다르다. 자연 존중 태도를 이해하고 정당화할 수 있는 근거가 되는 신념 체계가 생명 중심 관점이다. 이 관점은 다음 의미에서 자연 존중 태도의 기초이며 그 태도를 뒷받침한다. 이 신념 체계를 받아들이고 그 관점에서 자연의 질서를 바라보는 것이 어떤 의미인지를 파악하지 못한다면, 우리는 자연 존중 태도의 핵심을 보지 못하는 것이다. 그러나 일단 그것을 파악하고 그와 조화를 이루는 세계관을 형성하면, 어떻게 그리고 왜 사람이 자연을 바라보는 유일하게 적절한 태도로 그것을 채택하는지를 즉시 이해할 것이다. 따라서 생명 중심 관점은 자연 존중 태도를 이해시키고 정당화하는 배경을 제공한다.

생명 중심 관점의 핵심을 이루는 믿음은 네 가지가 있다.

(a) 다른 생명체가 지구 생명 공동체의 일원인 것과 동일한 의미 및 동일한 조건으로 인간도 그 공동체의 일원이다.

(b) 인간은 다른 모든 종들과 함께 상호 의존하는 시스템을 구성하는 요소이며, 각 생명체가 잘 살거나 잘못되는 기회뿐 아니라 그 생명체의 생존도 환경의 물리적 조건과 더불어 다른 생명체와의 관계에 의해 결정된다.

(c) 모든 유기체는 각각 자신의 방식으로 고유의 선을 추구하는 유일한 개체라는 의미에서 목적론적 삶의 중심이다.

(d) 인간은 다른 생명체보다 본질적으로 우월하지 않다.

이런 믿음 네 가지를 받아들이는 것은 자연계와 그 안에 있는 인간의 위치에 대해 일관성 있는 관점을 가지는 것이다. 이는 인간의 삶에 대해 특정 관점을 취하는 것이고, 인간과 다른 생명체의 관계를 특정 방식으로 생각하는 것이다. 이 세계관을 가진다면, 존중 태도는 자연계와 그곳의 살아 있는 거주자들에 대해 유일하게 적합하고 타당하고 적절한 도덕적 태도로 간주된다.

그런데 '왜 도덕 행위자는 생명 중심 관점을 구성하는 네 가지 믿음을 받아들여야 하는가?' 라는 질문에는 도덕 행위자가 합리적이고 사실 정보를 잘 알고 있으며 높은 수준의 현실 인식 능력이 있는 만큼 그 믿음을 받아들일 것임을 보여줌으로써 답할 수 있다. 합리성, 사실에 입각한 알아차림, 현실 인식이라는 특성을 지닌 도덕 행위자는 그들이 합리적이고 사실을 알고 있고 현실을 인식하기 때문에 그 믿음을 받아들이는 식으로 믿음의 수용은 도덕 행위자의 특성과 연결된다. 이 결론에 이르는 충분한 추론은 이 장의 마지막에서 제시될 것이다. 우리는 먼저 네 가지 믿음과 그 바탕을 검토해야 한다. 각각은 다음 네 절에서 검토될 것이다.

2. 인간은 지구 생명 공동체의 일원이다

생명 중심 관점에서 자연을 바라보면, 우리는 인간의 생명을 지구 생물권의 자연 질서를 구성하는 부분으로 본다. 따라서 우리는 다른 종들의 지위를 생각하는 것과 동일한 방식으로 자연계 내 인간의 지위를 생각한다. 지구와의 관계는 공통이며 우리와 야생 동식물이 공유하고 있는 것이다. 이 공통 관계를 온전히 인식하면 우리는 그들과 진정한 공동체 의식을 가지게 된다. 어떻게 이 공동체 의식이 발달하는지 살펴보자.

생명 중심 관점을 수용할 때 가장 먼저 할 일은 우리가 생물학적 종의 일원임이 우리 존재의 근본 특성임을 받아들이는 것이다. 우리는 다른 종들 사이의 차이를 부정하지 않듯이 우리 자신과 다른 종들 사이의 특성을 부정하지 않는다. 그런데 우선은 그 차이를 밀쳐두고 생물적 존재라는 우리의 본성에 주의를 집중한다. 지구 생태계와 우리의 관계에 관한 한, 우리는 우리 자신을 여러 종 중 하나의 종-개체군으로 본다. 따라서 우리가 지구의 다른 모든 생명체와 공유하는 특성을 우선 인식한다. 기원이 같은 하나의 진화 과정에 있을 뿐 아니라, 우리 모두를 둘러싸고 있는 환경 상황이 공통임을 완전히 인정한다. 그들과 떨어져 있는 종이 아니라 그들과 함께 있는 종으로 우리 자신을 바라본다. 그러면 우리는 지구 생명 공동체의 동등한 일원으로서 그들과의 유대감을 긍정할 준비가 된 것이다.

우리가 보편적인 생물 군집의 일원이라는 인식은 다섯 가지 현실 인식에 뿌리를 두고 있다. (a) 그들뿐 아니라 우리도 생존과 안녕을 위해 생물적 물리적 요구에 직면한다. (b) 우리뿐 아니라 그들도 고유의 선이 있으며 그 실현은 우리나 그들의 통제하에 있지 않는 만일의 사태에 달려 있다. (c) 자유 의지, 자율, 사회적 자유라는 개념은 인간에게만 적용되지만, 그들과 우리에게 동등하게 적용되는 네 번째 자유 감각이 있으며, 그 자유는 선을 실현하려는 모든 생명체의 노력 면에서 가장 중요하다. (d) 종으로서 인간은 최근에 지구에 왔고, 우리가 등장하기 전에 수억 년 동안 형성된 생명 질서에서 보면 인간은 상대적으로 새내기다. (e) 마지막으로, 우리는 그들 없이 살아갈 수 없는 반면에, 그들은 우리 없이 살 수 있다는 사실이 있다. 이제 나는 이 점들을 각각 순서대로 검토하려고 한다. 이 점들을 우리 존재의 근본적인 진실로 완전히 인식하고 인정하는 것은 우리 자신이 거대한 지구 생명 공동체의 작은 부분일 뿐이라는 생각의 출발점임을 알게 될 것이다.

(a) 생존의 물리적 요건은 인간이든 아니든 똑같이 모든 생명체에게 환경의 변화와 그들을 둘러싼 다른 유기체의 활동에 끊임없이 적응할 것을 요구한다. 기능하는 유기체로서의 존재를 유지하려면 환경의 긴급 사태에 끊임없이 반응하고 다른 종인 구성원과 일정한 관계를 유지할 수 있어야 하는데, 이는 다른 어떤 동식물과 마찬가지로 인간의 경우에도 참이다.

생명체의 단순한 생존에서 안녕을 증진하고 촉진하는 조건으로 고려 대상을 바꾸더라도, 인간이든 아니든 모든 존재에게 필수적인 생물적 그리고 물리적 상황을 다시 발견한다. 최적의 방식으로 자라고 발달하려면, 둘 다 물리 화학적 환경에서 일어나는 사건과 과정뿐 아니라 다른 생명체와 일정한 방식으로 관계를 맺을 수 있는 능력이 있어야 한다. 생물적 능력으로 오래 건강하게 살고 그렇게 함으로써 생물적으로 번영하여 높은 수준으로 고유의 선을 실현하려면 다른 유기체와 생태적으로 잘 공존할 수 있는 방식으로 자신의 생명 기능을 지속할 수 있어야 한다.

이는 모두 인간이든 아니든 동등하게 적용된다. 그러나 호모 사피엔스 종의 경우 지구 전체에서 막대한 수로 개체군이 팽창했기 때문에, 인간은 생물적으로 건강한 최적의 삶을 살려면 지표면 전체에서 다양한 여러 생태계의 생물 군집과 균형 잡힌 공존을 유지해야 할 뿐 아니라 여러 가지 물리적 조건에 적응해야 한다. 우리 인간에게 단순한 생물적 생존과 물리적 안녕 외에 다른 삶의 목적이 있음은 의심할 여지가 없다. 하지만 그런 다른 인간적 가치를 추구하려면 생존 자체와, 적어도 최소한의 건강과 힘이 필요하다.

우리와 다른 종들이 이렇게 유사하다고 해서 우리의 자유 의지와 자율을 부정하는 것은 아니다. 다른 종과 달리, 우리는 어떻게 우리 존재를 유지할 것인지, 심지어 우리 존재를 과연 지속시킬 것인지를 선택할 자유가 있다. 그들과 달리, 우리는 자기 주도적 존재로서 독립성이 있다. 이 자유와 자율에는 우리의 선을 증진하는 것뿐 아니라 우리 자신에게 해를 입힐 수 있는 힘도 포함된다. 자유롭고 자율적인 존재로서 우리는 우리의 환경을 아름답고 안전한 곳으로 만들 능력이 있지만, 이곳을 추하고 위험한 곳으로 만들 능력도 있다. 자유 의지와 자율이 있다는 것은 우리의 힘을 가치 실현에 쓸 것인지 자기 파괴 목적에 쓸 것인지가 전적으로 우리에게 달려 있음을 의미할 뿐이다. 우리는 우리 삶을 어떻게 할 것인지를 스스로 결정해야 한다. 다른 종들은 이렇지 않다.

그런데, 여기서 우리의 관심사는 이것이다. 우리가 우리 존재를 보존하고 최적의 안녕을 누리고자 한다면, 생존과 신체적 건강에 필요한 생물적 요구 사항이 우리의 규범적 지침이 되어야 한다. 우리는 생명의 필수 조건을 보장하는 생물학적으로 정통한 원칙을 알아차리고 따라야 한다.

(b) 인간이 지구 생명 공동체의 구성원 역할을 다른 모든 종들과 공유하는 두 번째 측면은 앞선 (a)의 논의에서 암묵리에 가정되었다. 이는 고유의 선을 지닌 개체라는 개념의 범주에 인간과 인간 이외 존재가 모두 포함된다는 사실이다. 2장에서 보았듯이, 살아 있는 것은 모두 선을 지닌다고 말하는 게 옳을 것이다. 생명체가 잘 살 수도 있고 그러지 못할 수도 있고, 혜택을 볼 수도 있고 해를 입을 수도 있으며, 고유의 선을 실현하는 데 성공할 수도 실패할 수도 있는데, 일상적 존재로서 중심인 이런 일들은 우리 자신뿐 아니라 동식물에 대해서도 말 그대로 사실이며 왜곡될 수 없다.

우리 자신과 다른 종들이 공유하는 또 다른 측면은 우리 모두의 생존과 생물적 건강에 필요한 조건은 우리가 항상 통제할 수 있는 게 아니라는 사실이다. 인간이든 아니든 똑같이 우리는 모두 우리를 해칠 수 있고 우리가 피할 수 없는 환경 변화에 처한다. 우리의 생명과 안녕은 만일의 사태와 사고, 힘과 과정에 달려 있는데, 이에 대해 우리는 예측도 못하고 우리에게 유리하게 방향을 틀지도 못한다. 우리 인간이 우리 자신의 목적을 위해 성공적으로 자연을 '진압' 하고 조작할 수 있다고 아무리 믿는다고 해도, 우리의 지식과 힘의 한계를 인식하는 데 실패한다면 자신을 속이는 것이다. 우리가 환경을 완벽하게 통제하거나 언젠가 그럴 수 있다고 생각하는 것은 오만과 과대망상의 징후다. 자기 기만의 결과는 우리 주변의 세계에서 모두 너무나 분명하다.[1]

1. 이 점은 David Ehrenfeld, The Arrogance of Humanism (New York: Oxford University Press, 1978)에서 여러 사례를 들어 정교하게 다루고 있다.

예를 들어, 이집트의 아스완 댐에서 발생한 뜻밖의 생태적 환경적 문제를 생각해보자.

첫째, 보통 나일강을 따라 흘러내려온 다량의 토사가 남는 문제가 있다. 이 토사는 이제 댐 뒤의 나세르 호수의 고요한 물에 가라앉는다…. 둘째, 나세르 호수에 쌓인 비옥한 토사가 과거에는 연례적인 홍수에 의해서 이집트의 평야에 퍼지곤 했다. 그러나 이제는 비싼 비료로 대체되어야 한다. 셋째, 현재 나일강에서 지중해 동쪽 끝으로 들어가는 담수와 토사 양이 감소하자 해양의 비옥도는 떨어지고 염도를 증가시켰으며, 그에 따라 이집트 정어리 어업이 파괴되었다. 넷째, 이집트의 관개 수로의 수와 길이가 크게 증가하자 무서운 기생충성 질병인 주혈흡충증을 퍼뜨리는 달팽이가 급증하였다. 그리고 다섯째, 젖은 토양의 표면에서 물이 과도하게 증발하여 염분이 심하게 축적되는 염화의 문제가 있다.[2]

2. 같은 책, pp. 109–110.

자연 영역을 다룰 때 우리 인간의 한계를 인식함에 따라 우리는 다른 모든 생명체와 동일한 실존적 상황에 놓여 있음을 알게 된다. 우리의 선의 실현도, 우리의 존재 자체도 보장되지 못한다. 이 관점에서는 우리 자신의 상황을 보듯이 다른 생명체의 상황을 바라본다. 우리는 모두 연약하다.

(c) 인간의 삶과 다른 생명체의 삶이 유사하다는 세 번째 특성은 자유 개념과 관계있다. 우리는 앞에서 자유 의지 및 자율과 관련하여 우리가 동식물과 다름을 보았다. 인간만이 고유의 선택 이유에 근거하여 여러 행동 과정 중에서 선택하고 결정하는 능력이 있으며, 인간만이 자기를 다스리고 주도하는 힘이 있어서 자신의 목표를 정하고 미래를 그리며 스스로 추구할 가치를 결정할 수 있다. 또한 인간에게만 정확히 해당되는 세 번째 종류의 자유가 있는데, 이는 인생의 어떤 상황을 즐기는 사람들에게만 해당된다. 이것을 '사회적' 또는 '정치적' 자유라고 부를 수 있다. 이것은 민주적 구조의 제도에 참여함으로써 삶의 기본 조건을 통제하는 힘을 가지는 것이다. 삶과 안녕에 영향을 미치는 사회적 실천과 정책에 영향력을 행사할 기회를 가지는 만큼 일종의 자유가 생긴다. 사회적인 힘을 형성하고 주도하는 데 아무런 역할을 하지 못하고 그 힘에 압도되는 사람은 그에 대한 자유가 없다.

자유 의지, 자율, 사회적 자유에 더해, 인간 존재가 자유롭다고(또는 자유롭지 못하다고) 말할 수 있는 네 번째 의미가 있다. 그 의미는 다른 것들과 달리 인간 이외 생명체에도 동등하게 적용된다. 이는 실현하려고 애쓰는 고유의 선이 있는 모든 생명체에게 가장 중요한 자유 개념이다. 이 의미에서 자유롭다는 것은 자신의 존재를 보존하고 고유의 선을 증진할 수 있는 지위에 있다는 것이고, 이 의미에서 자유롭지 못하다는 것은 그런 일들을 할 수 없다는 것이다. 모든 생명체에게 이 유형의 자유가 있고 이것이 매우 가치 있음을 인식하는 것은 인간과 인간 이외 존재들을 연결하는 주요한 고리 중 하나다.

이와 관련 있는 자유의 의미는 제약의 부재다. 어떤 존재가 이 의미에서 자유롭다고 단언하려면 첫째, 그 존재가 어떤 유형의 제약에서 자유로운지를 명시해야 한다. 둘째, 무엇을 자유롭게 하는지를 명시해야 한다. 예를 들어, 감옥에서 풀려난 사람은 수감에 의한 신체적 제약에 더해 죄수의 일상 생활을 지배하는 규칙과 규제로 인한 사회적 제약으로부터 자유롭다. 그 사람은 가고 싶은 대로 가고 감옥에서 금지되었던 많은 일들을 할 자유가 있다.

우선 사람에게 적용되는 이 유형의 자유를 살펴보자.[3] 사람이 자유롭다면 없어야 할 제약 유형은 편의상 두 가지 분류로, 하나는 외적 제약과 내적 제약이고, 또 하나는 양성적 제약과 음성적 제약으로 나눌 수 있는데, 둘은 서로 독립적이다. 외적 제약과 내적 제약의 구별은 제약이 가해지는 곳이 그 사람의 신체나 마음의 바깥이냐(외적 제약) 아니면 그 사람의 신체나 마음의 조건이냐(내적 제약)에 있다. 감옥의 자물쇠와 쇠창살 및 형벌로 가해지는 규칙은 외적 제약이다. 반면에 어떤 사람이 정서적이든 생리적이든 통제할 수 없는 충동으로 어떤 일에 사로잡힌다면, 그는 행동에 대해 내적 제약을 경험한다.

3. 인간에 적용하는 이런 식의 자유 분석은 Joel Feinberg, Social Philosophy (Englewood Cliffs, N.J.: Prentice-Hall, 1973), 1장에서 가져온 것이다. 이 개념의 원래 설명은 Gerald C. MacCallum, Jr. , "Negative and Positive Freedom," Philosophical Review 76/3 (July 1967): 312-324에 제시되었다.

양성적 제약과 음성적 제약은 명시할 수 있는 상황이 있는지 없는지에 따라 구별한다. 방금 언급한 외적 제약과 내적 제약은 둘 다 양성적이다. 관련자에게 가해지는 제약은 감옥 쇠창살과 통제의 존재이고, 내적 강제의 존재다. 음성적 제약의 예로는, 음식을 살 돈이 충분히 없고 일자리를 구하는 데 필요한 기술이 부족한 경우를 들 수 있다.

이 두 분류가 결합하여 다음과 같이 네 유형의 제약을 만들어낸다.

(i) 외적 양성 : 잠긴 문, 쇠창살 울타리, 최루 가스 발사, 결박과 재갈, 구타와 고문.

(ii) 내적 양성 : 강박적 생각과 감정, 통제할 수 없는 갈망과 욕망, 먹고 마시고 자고 배설하고 싶은 극심한 생리적 욕구.

(iii) 외적 음성 : 돈, 음식, 휴대용 식수, 의료 서비스, 난방 연료, 전기, 교통 수단, 도구 등이 없음(사람이 달성하고자 하는 목적에 따라 다름).

(iv) 내적 음성 : 지식과 기술의 부족, 건강하지 못함, 신체적 장애와 정신적 장애.

물론, 여러 경우에 제약의 유형을 나누는 분명한 선이 없을 수 있다. 따라서 음식이 없는 상태(영양이 결핍된 사람의 경우 외적 음성적 제약)는 배고픔(내적 양성적 제약)과 영양 실조에 따르는 다양한 불능 상태(내적 음성적 제약)와 상응한다. 한 가지에서 자유롭다는 것은 나머지에 대해서도 자유롭다는 것이다. 그럼에도 불구하고, 이런 경우에 각 제약 유형은 자유의 여러 측면 또는 자유의 결핍에 주목한다.

하고 싶은 일과 관련하여 제약을 받지(방해를 받거나 금지되지) 않는 조건이라는 자유의 일반 개념은 네 유형 모두 공통이다. 이 의미에서 자유롭다는 것은 제한, 장애물 또는 강압적 힘이 그 사람의 시도를 좌절시키지 않고(양성적 제약의 부재), 목표를 이루는 데 필요한 능력, 기회 그리고 수단이 있으므로(음성적 제약의 부재) 그 목적을 추구할 수 있다는 것이다. 이제 자유의 일반 개념을 사람에 더해 인간 이외 생명체에 적용해보자. 네 유형의 제약 각각에 대해 제시한 예는 인간의 경우 제약이 없는 자유가 어떤 의미인지가 분명하다. 인간 이외 존재의 경우 그런 자유는 어떤 의미일까?

이 질문에 대한 답의 열쇠는 유기체가 생물적으로 정상적인 방식으로 고유의 선을 실현할 수 있다는 개념에서 찾을 수 있다. 자기 본성의 법칙에 따라 고유의 선을 증진하고 보호할 능력과 기회가 있는 유기체는 자유롭다. 그 유기체가 고유의 선을 실현하는 것을 어렵거나 불가능하게 만드는 제약이 있으면 그만큼 그 유기체는 자유롭지 못하다.

관련 제약은 앞에서 고려한 네 유형 중 하나일 수 있다. 유기체는 때때로 어떤 환경 조건에 의해(외적 양성적 제약), 때로는 선의 증진과 보호에 필요한 수단이 없어서(외적 음성적 제약) 선의 실현에 방해를 받는다. 또 어떤 때는 자기 존재를 보존하거나 안녕을 증진할 능력의 부재가 적절한 기능을 막는, 즉 질병 같은 비정상적 신체 조건(내적 양성적 제약)에서 기인할 수 있으며, 또 다른 경우에는 무능력이 사고로 인한 실명처럼 자기 보존에 필수적인 능력의 부재(내적 음성적 제약)에서 기인할 수 있다. 이 제약의 전부 또는 일부가 없어서 유기체가 환경에 적응하는 데 성공하고 생명을 보존하고 안녕을 증진할 수 있다면, 그 유기체는 자유롭다. 그 자유는 단순히 제약의 부재다.

아마도 동물이 자유롭지 못한 순간을 가장 쉽게 인식할 수 있는 경우는 정상적으로 돌아다닐 수 없는 상황이다. 우리에 갇히거나 덫에 걸리거나 말뚝에 묶여 있는 상황이 예일 것이다. 그런 물리적 제약(외적 양성적 제약)에서 동물을 풀어준다는 통념이 이 자유의 전형적인 예다.

식물이 이 유형의 제약에서 자유로울 수 있는가? 실제로 이런 일도 일어날 수 있다. 뿌리가 작은 콘크리트 컨테이너에 들어 있어서 나무나 관목이 정상적으로 자랄 수 없다고 가정해보자. 땅에 옮겨 심음으로써 정상적인 발달을 막았던 제약(외적 양성적 제약)에서 그 나무를 자유롭게 할 수 있다. 유사한 경우는 야생에도 있다. 산사태로 나무의 몸통이 반쯤 묻히거나 덩굴 식물에 '휘감겨' 있기 때문에 나무가 적절히 자라지 못하는 경우다.

형벌을 받는 인간의 경우 감옥의 규칙이 구속하듯이 동물에게 가해지는 다른 유형의 외적 양성적 제약을 생각해보자. 사자와 호랑이가 서커스에서 동물 조련사가 지시하는 규율을 따를 때, 외적 제약(그보다는 일련의 외적 제약)이 그들에게 가해진다. 그들의 행동은 더 이상 정상적인 발달과 적응의 결과가 아니다. 이렇게 동물이 부자유한 또 다른 예는 코끼리에게 일을 시키고, 야생마를 '길들이고', 행동심리학자의 실험에서 원숭이, 개, 고양이, 쥐 등의 동물들로 하여금 인위적으로 조절된 상황에서 조건 반응을 유도할 때다.

이제 내적 양성적 제약으로 돌아가면, 동물이나 식물이 심한 배고픔, 부상, 또는 질병 같은 신체적 조건 때문에 건강하게 자라지 못하는 것이 적절한 사례다. 유기체의 상태가 약해지거나 죽을 정도가 되면 언제나 내적 양성적 제약이 있다. 물리적 조건이 고유의 선을 증진하는 방식으로 상황에 적응하는 것을 막는다.

세 번째 제약(외적 음성적 제약)의 예를 들면, 동물의 경우 물이나 먹이가 충분히 없을 때다. 식물의 경우는 영양분이 결핍된 토양과 수분 부족이 외적 음성적 제약의 예가 될 것이다.

마지막으로 내적 음성적 제약의 예는 영양 공급원의 결핍으로 인해 유기체의 화학적 균형이 적절히 유지되지 못하는 경우다. 화학적 불균형을 바로잡음으로써 유기체가 건강을 회복하는 경우, 동물이나 식물은 그 제약으로부터 자유롭게 된다. 그러면 유기체는 이제 자유롭게 정상적인 방식으로 자라고 생존 문제에 성공적으로 대처할 수 있다.

나는 '자유'라는 단어의 중요한 의미 한 가지는 인간에게 적용되는 것과 마찬가지로 동물과 식물에도 적용된다고 결론을 내린다. 제약의 부재라는 의미의 자유는 모든 생명체에게 도구적 선이다. 인간에게 소중하듯이, 동일한 이유로 인간 이외 존재들에게도 소중하다. 우리도 그들도 자유롭다는 것은 가능한 삶 중에서 최고의 삶을 살 수 있는 더 나은 기회를 가진다는 것이다.

그래서 이는 실존 조건에서 인간과 인간 이외 존재가 모두 공유하는 세 번째 현실이다. 모두 똑같이 각자 자유롭거나 자유롭지 않다는 개념이 앞에서 분석한 의미로 정확히 예측될 수 있는 존재다. 우리 인간은 이 자유 개념 아래 다른 생명체와 연합하고 있다. 우리의 선을 추구할 때 제약을 만나는 것은 실존 상황의 공통 특성이다. 그리고 우리 각자가 제약에서 자유롭다는 위대한 가치는 우리 모두 공유하는 가치다. 우리가 공동체를 형성하는 것은 이 가치를 공통으로 지니기 때문이기도 하다.

(d) 우리 인간이 지구 생명 공동체의 일원으로 확인되는 네 번째 측면은 다른 생명체들과 공통인 기원에 관한 것이다. 진화 이론의 관점에서 우리의 본성과 우리의 상황을 바라보면 유의미한 사항들이 드러난다. 우선, 우리를 세상에 있게 하고 다른 모든 종들을 존재하게 한 것은 진화 과정이라는 동일한 질서이며 그것은 자연 선택과 유전자 전달이라는 동일한 법칙의 지배를 받는다. 우리는 모두 근본적으로 동일한 방식으로, 동일한 기본적인 원인의 결과로 출현했다. 그에 따라 우리는 우리의 시작에 관한 한 다른 생명체와 마찬가지임을 인식한다. 생명과학이 이해하는 바에 따르면 진화는 인간과 인간 이외 생명체 모두에 대해 통일된 설명을 제공한다. 어떻게 다른 생명체가 존재하게 되었는지를 이해하는 것은 우리가 어떻게 세상에 오게 되었는지를 이해하는 것이다.

두 번째로, 1장에서 지적한 바와 같이, 진화의 관점에서 보면 호모 사피엔스라는 종의 출현은 지구 생명체의 역사에서 아주 최근에 일어난 일이다. 지질학적 시간상 바로 직전에 현장에 등장한 완전한 새내기다. 우리 종의 정확한 나이는 현재 논쟁 중이지만, 일반적으로 40만 년 내지 50만 년 사이로 추정된다. 따라서 우리 인간이 존재한 총 기간은 일부 식물과 동물이 이 행성에 존재한 기간과 비교하면 짧은 순간에 불과하다.

앞의 것과 밀접한 연관이 있는 진화 그림의 세 번째 측면은 우리가 지구에 출현하기 오래 전에 종들 사이의 관계 체계가 이미 확립되었는데, 그것은 상호 적응과 상호 의존에 기여했고 유전자의 전달과 변이를 가능하게 했으며 자연 선택 법칙에 따라 작동했다. 인간과 같은 존재가 출현하기 위해서는 그런 생명 체계가 먼저 그곳에 존재해야 했다. 우리가 등장하는 데 필요하고 또 충분한 조건은 수억 년을 거슬러 올라가는 사건들이 순서대로 일어난 결과였다. 이 관점에서 보면 우리 자신이 더 이상 특별한 피조물로 보이지 않는다. 우리는 다른 모든 종류의 생명체를 만들어낸 시스템의 산물이다.

우리는 출현 후 뇌를 사용하여 문명을 이루었고, 그 문명이 행성의 표면을 근본적으로 바꿔놓았음은 사실이다. 다른 종과 달리, 우리는 우리를 만들어낸 자연 자체의 질서 중 많은 부분을 어지럽혔다. 그러나 우리가 초래한 폐해를 제외하면, 우리의 원래 출현을 지배한 진화 요인은 다른 모든 생명체를 낳은 진화 요인과 다르지 않다. 우리와 그들이 공통된 기원으로 묶여 있다는 것은 이런 의미다.

이렇게 다양한 사실들을 고려하면, 진화 이론은 자연을 바라보는 생명 중심 관점의 바탕이 되는 사고 체계라고 생각할 수 있다. 이 이론에 따라 설정된 개념과 설명 체계 내에서 우리는 다른 모든 생명체를 설명하는 것과 동일한 현실 구조에 꼭 맞아들어가는 존재로 우리 자신을 이해한다. 이런 식으로 우리 자신을 보면 지구 전체 생물 군집의 일원이라는 생생한 감각을 가지게 된다. 그렇다면 인간이 꽤 자주 쉽게 접하는 주장, 즉 지구상 인간의 출현이 진화 과정의 최종 목표이자 정점이라는 주장을 어떻게 생각해야 할까? 우리는 그것을 단순히 인간의 허영이라고 있는 그대로 볼 것이다. 그 주장은 진화가 전체적인 방향성을 가지고 있고, 그 방향은 더 고등한 생명체를 향하고 있으며, 인간의 생명이 최고의 존재를 대표한다고 가정한다.[4] 나중에 나는 그 사고방식의 기본 대전제, 다시 말해 인간이 다른 생명체보다 본질적으로 우월하다(본래적 가치가 더 크다)는 대전제가 전적으로 근거 없는 가정이라고 주장할 것이다. 그것이 우리 자신을 선호하는 근거 없는 편견에 불과한 이유를 알게 될 것이다.

4. 진화가 한 방향인지 또는 전반적인 목적이 있는지에 관해 철저히 비판한 내용은 조지 게이로드 심슨의 고전적 연구, The Meaning of Evolution: A Study of the History of Life and Its Significance for Man (New Haven, Conn.: Yale University Press, 1949)에 있다. 과학적 관점에서 심슨은 진화가 초기의 하등한 생명체에서 나중의 고등한 생명체로

(e) 우리 종과 지구 생명 공동체의 다른 구성원들 사이의 관계에 관한 다섯 번째 현실을 마음에 떠올리면, 인간 우월성을 주장하고 싶은 허영이 강렬하게 일어난다. 그 현실은 생물적 관점에서 인간은 지구 생

물권의 건실하고 건강한 상태에 절대적으로 의존하지만, 그 건실하고 건강한 상태는 조금도 인간에게 의존하지 않는다는 사실이다. 실제로 지구 생물권은 인간이 현재까지 존재한 전체 기간의 만 배가 넘는 시간 동안 잘 발달하면서 자신을 유지했다. 다시 말하자면, 우리는 새내기일 뿐 아니라, 또한 (다른 모든 종들과 마찬가지로) 자연의 생명 질서의 도움 없이 자신을 유지할 수 없으며 궁핍하고 의존적이다. 지구 생물권 전체가 잘 기능하는 동안은 우리 자신의 존재도 지속될 수 있다. 그러나 생물권이 해체되거나 심각하게 무질서해지면, 우리는 더 이상 존재하지 못할 것이다. 우리는 생물권 전체의 일반적 온전성에 절대적으로 의존한다.

반면에, 반대의 관계를 생각해보자. (다른 모든 생명체와 함께 가는 것을 망각한 채!) 인간이 자신을 파괴했다고, 또는 통제할 수 없는 질병 같은 자연적 이유로 인간이 멸종했다고 가정해보자. 지구 생물권은 여전히 지속될 것이다. 생명은 우리 없이도 계속될 것이다. 우리의 종말은 다른 종에게 손실이 아닐 것이고, 자연 환경에 불리한 영향을 미치지도 않을 것이다. 그와 대조적으로 다른 생명체들이 더 크게 혜택을 받을 것이다. 지구의 물리적 환경은 크게 향상될 것이다. 이 점의 중요성은 아마도 좀 더 숙고해볼 가치가 있을 것이다.

현대 세계에서 호모 사피엔스의 멸종은 지구 생명 공동체 전체에는 이로울 것임이 꽤 분명해보인다. 주거지 개발, 산업 단지, 공항, 그 외 대규모 프로젝트로 인한 자연 서식지 파괴가 멈출 것이다. 토양과 하천의 오염도 멈출 것이다. 지구는 더 이상 생태계 파괴 및 현대 기술, 무제한적 인구 증가, 낭비적 소비로 인한 광범위한 환경 파괴에 시달릴 필요가 없을 것이다. 인간 종이 사라진 후, 자연 생태계의 생물 군집은 점차 이전의 건강한 상태를 회복할 것이다. 예를 들면, 열대림은 다시 행성 전체의 생명을 유지시키는 대기권에 온전히 기여할 것이다. 세계의 호수,

진행된다는 생각 전체를 공격한다. 그는 덜 완벽한 것부터 더 완벽한 것까지 생명체 유형의 서열이 있다는 (라마르크가 견지한) 견해도 비판한다. 심슨은 진보의 자기 중심적 기준만이 진화 과정의 최종 정점으로 호모 사피엔스에 도달하게 한다고 주장한다. 더 최근의 연구는 현대의 진화 해석을 비판하면서 진화적 변화에 전체적인 방향이 없으며 진보라는 개념이 진화적 변화에 적용되지 않는다는 강력한 증거를 내놓는다. 유전적 변이와 자연선택의 작용은 자연이 인간 출현을 지향했다는 의도적인 해석을 지지하지 않는다는 주장이다. Williams, Adaptation and Natural Selection, 특히 2장을 볼 것.

대양, 습지는 다시 서서히 깨끗해질 것이다. 수백 년 후에는 기름 유출, 플라스틱 폐기물, 심지어 방사성 폐기물이 결국 끔찍한 영향을 멈출지도 모른다. 동식물과 함께 생태계는 화산 폭발과 빙하 작용 같은 천재지변으로 인한 파괴만 겪을 것이다. 과거에 종종 그랬듯이 생물 군집은 그 재앙에서 회복할 것이다. 그러나 현재 인간의 손에서 비롯된 생태적 참사에서는 결코 회복하지 못할지도 모르는데, 그런 참사는 더 이상 일어나지 않을 것이다.

호모 사피엔스가 전부 완전히 최종적으로 사라진다면, 지구 생명 공동체는 지속될 뿐 아니라 십중팔구 안녕이 더 증진될 것이다. 요컨대, 우리 존재는 필요하지 않다. 그리고 생명 공동체의 진정한 이익을 대변한다면, 아마도 '속 시원하다!' 라고 기뻐하면서 지구상 인간 시대의 종말을 반길 것이다.

여기까지의 주장을 정리해보자. 다섯 가지 보편적인 경험적 사실을 고려했는데, 그 내용을 모두 명확히 인식한다면 우리는 다른 모든 생명체와 하나 되는 느낌이 들 것이고 우리 자신을 하나의 거대한 생명 공동체 일원으로 볼 것이다. 이렇게 인간 실존의 현실을 진실 그대로 직면하는 것은 우리의 지위를 지구 생명 공동체의 일원으로 인식하는 것이며, 우리는 그 지위를 다른 모든 종들과 공유하고 있다. 그것은 우리가 동물이라는 기본 사실을 그대로 온전히 인식하는 수준까지 우리의 의식을 끌어올리는 것이다. 이 인식은 자연을 바라보는 생명 중심 관점의 네 가지 기본 요소 중 첫 번째다. 이제 두 번째 요소를 다룬다.

3. 상호 의존 시스템인 자연계

생명 중심 관점을 받아들이고 우리 자신과 세계를 그 관점에서 생각하는 것은 자연의 생물권 전체와 그 환경을 서로 연결된 사물과 사건의 질서로 보는 것이다. 종-개체군들 사이, 그리고 개체군과 물리적 환경 사이의 상호 작용은 치밀하게 짜인 그물망을 이룬다. 개체군의 생존 조건이나 환경 상황에서 어떤 변화가 일어나면 구조 전체가 조정될 것이다.

자연계 내 상호 의존 체계를 보여주는 것으로 미국 플로리다주의 에버글레이즈 습지 생태를 고려해볼 수 있다. 이 생태계에서 악어 종류인 앨리게이터는 먹고 쉴 때 습지를 움푹 파이게 만든다. 그렇게 움푹 파인 곳에는 물이 고여 영구적인 웅덩이가 되고 앨리게이터의 먹이 부스러기와 배설물이 영양분이 되어 다양한 해양 생물이 그곳에 살게 된다. 한동안 건조한 시기가 계속될 때 이 웅덩이는 해양 생물이 생존할 수 있는 유일한 장소다. 비가 오면 그들은 에버글레이즈 전 지역으로 퍼져나가 본질적으로 초원 생태 전체에 기여한다.

앨리게이터 암컷은 특별한 방식으로 에버글레이즈 생태계에 필수적이다. 그들은 나뭇가지와 진흙을 크게 쌓아 보금자리를 만든다. 몇 해가 지나면 이것은 마른 흙으로 이루어진 작은 섬의 중심이 되고, 나무들이 그곳에 자라기 시작한다. 그 나무에는 그 지역의 물고기, 곤충, 양서류를 먹고 사는 새들이 둥지를 틀어 초원의 동물과 식물 사이에 균형이 유지된다. 가끔 앨리게이터가 둥지의 새들을 먹지만, 그들은 포식자로부터 새들을 보호하기도 한다.

앨리게이터가 덫에 걸려 죽으면(값비싼 구두와 가방을 제조하는 업자들에게 가죽을 제공하면), 에버글레이즈 습지의 생태계 전체가 시달리게 된다. 웅덩이는 말라붙고, 해양 생물은 사라지고, 습한 초원의 생물 균형이 파괴된다. 어떤 물고기 종은 하나씩 죽고, 우기에는 이전의 자연 포식자 앨리게이터의 견제를 받던 다른 종들이 다수 그 지역을 침범한다. 그 결과 전 지역이 생태 변화를 심하게 겪게 되고, 되돌려지지 않는다면 그로 인해 생태계 자체가 마법에 걸린 듯 종말을 맞을 것이다.

생명 중심 관점을 받아들이면, 생물권에는 각 생태계에서 발견되는 것과 유사한 매우 복잡한 상호 의존 관계가 있음이 이해된다. 지구 생물권을 구성하는 서로 다른 생태계는 모두 이런 방식으로 서로 조화를 이루고 있어서, 하나가 급격하게 변하거나 완전히 파괴되면 다른 생태계에서 조정이 일어나고 전체 구조가 변화를 겪는다. 행성의 생물적 질서는 과거 상태를 그대로 유지하지 않는다.

생태계와 연관된 어떤 생물 군집도 고립된 단위가 아니다. 직접 또는 간접적으로 다른 생물 군집과 연결되어 있다. 그리고 그들 사이의 연결은 생태계 내 개체군 사이의 연결과 유사하다. 한 생태계에서 일어나는 일은 다른 생태계에 영향을 미칠 것이다. 이 이유 때문에 우리 행성의 생물권 전체는 하나의 연합체를 이루는데, 나는 이 책에서 '자연계'라는 용어로 그것을 지칭한다.

따라서 생명 중심 관점이 인간의 생명을 바라보는 바탕이라면, 우리는 우리 자신을 자연이라는 시스템에 통합되어 있는 일부로 볼 것이다. 그렇다면 우리의 미래는 생명의 그물망에서 우리가 어떤 역할을 할 것인지 그 선택에 따라 크게 좌우됨을 알아차릴 것이다. 그 그물망과 우리의 연결을 끊으려고 하거나 서로 묶여 있는 연결 고리를 심각하게 훼손한다면, 우리 자신이 인간 특유의 가치를 추구할 기회를 잃게 될 것이다. 왜냐하면 우리가 자연이라는 체계 안에서 선택하여 차지하는 자리(이를테면, 우리의 '생태적 지위')는 생명과 건강이라는 일차적인 선의 실현에 필요한 조건을 설정하며, 그것 없이는 인간의 다른 모든 선을 성취할 수 없기 때문이다.

나는 이 시점에서 앞선 설명이 초래했을지도 모르는 오해를 불식하고자, 생명 중심 관점에 전체론 또는 유기체설의 환경 윤리 견해가 뒤따르지 않음을 강조하고 싶다. 지구 생물권을 일종의 초유기체로 보는 개념으로부터 자연계를 대하는 도덕 규칙을 끌어낼 수도, 그 초유기체 안녕의 증진 여부를 옳고 그름을 판단하는 궁극적 원칙으로 삼을 수도 없다.

전체론적 환경 윤리 이론에 따르면, 자연계를 대하는 우리의 행위는 생물 군집의 생태적 안정성, 온전성, 그리고 평형을 보존하는 경향이 있다면 옳은 것이고, 생태적 균형을 방해하거나 파괴하는 경향이 있다면 잘못된 것이다.[5] 전체 시스템의 선을 보존한다는 기준 자체가 가치를 지니는 궁극적 목표로 간주되므로, 이 이론은 인간 중심이 아니다. 인간이 도덕적 목표로 삼는 그 상태의 근거는 인간의 안녕에 얼마나 중요한지가 아니다. 그런데도 이 견해에 이의가 제기되는데, 그것은 전체 시스템의 안녕에 기여하는 것 외에 개별 유기체의 선을 위한 자리가 없기 때문이다. 이 견해는 개체들이 행위자들의 도덕적 배려를 받을 만한 선을 지니지 않는다면 자연 전체를 유기체로 보더라도 그것의 선을 보존할 도덕 행위자의 의무를 설명할 수 없다는 사실을 간과한다. 지구 생물권 자체가 유기체와 유사한 것이 사실이더라도, 어떤 이유로 그 실체의 안녕이 윤리적으로 중요한가? 생명 중심 관점의 세 번째 요소와 연결해서 지적하겠지만, 정체가 온전히 이해되고 인식되면 고유의 선을 지닌 것으로 확인되고 그 선이 다른 어떤 존재의 선으로도 환원될 수 없는 존재는 개별 유기체다(초유기체나 유사 유기체가 아니다). 일단 인간 중심 윤리를 배제하면, 우리의 행동으로 더 나아지거나 더 나빠지는 존재들의 특별한 삶에 대한 언급이 있어야, 자연계에 대한 배려가 도덕적으로 타당하다. 그런 존재들에게 돌아가는 혜택이 그들을 위한 목적으로 평가되지 않는다면, 인간 중심이 아닌 어떤 이유도 체계 전체의 질서를 유지할 이유가 될 수 없다. 그런데 이 주장을 온전히 논의하고 지지하려면

5. 현재의 전체론적 견해에서 영감을 준 사람은 A Sand County Almanac을 쓴 알도 레오폴드였다. 특히 Aldo Leopold, A Sand County Almanac (New York: Oxford University Press, 1949)에 실린 "The Land Ethic"을 볼 것. 현대의 전체론적 이론의 예는 다음에서 볼 수 있다. K. E. Goodpaster, K. M. Sayre 엮음, Ethics and Problems of the 21st Century (Notre Dame, Ind.: University of Notre Dame Press, 1979), pp. 21-35에 실린 Kenneth E. Goodpaster, "Egoism from Environmentalism". R. Elliot, A. Gare, 엮음, Environmental Philosophy: A Collection of Essays (University Park: Pennsylvania State University Press, 1983), pp. 182-197에 실린 Stephen R. L. Clark, "Gaia and the Forms of Life".

생명 중심 관점의 네 요소가 모두 정당하고 우리가 그 관점을 전부 받아들이는 것이 정당함을 완전히 설명해야 한다. 우리는 이 과제를 이 장에서 해결해야 한다.

4. 목적론적 삶의 중심으로서의 개별 유기체

지금까지 제시된 생명 중심 관점은 신념 체계로 우리 자신을 다른 종과의 관계 속에서 바라보고 우리와 그들이 똑같이 우리 행성의 자연 환경과 어떻게 조화를 이루는지를 이해하는 틀이 된다. 앞에서 본 두 요소와 달리 이 관점의 세 번째 요소는 개별 유기체의 삶에 주목한다. 생명 중심 관점에는 고유의 삶이 있는 각 개체를 바라보는 일정한 방식이 있다. 이 관점을 받아들이면 특정 생명체가 의미하는 바에 대한 인식이 더 선명해지고 깊어진다.

개별 유기체에 대한 지식은 지난 세기에 생물학과 물리학의 발전으로 빠르게 축적되었다. 유기화학과 미생물학 덕분에 우리는 유기체 몸의 물리적 구조를 구성하는 모든 세포와 모든 분자에 가까이 다가갈 수 있었다. 생명체가 물리적 그리고 화학적 시스템으로 기능하는 방식에 대한 이해도 크게 향상되었다. 우리는 유기체가 어떤 행동을 하는 이유를 더 정확하게 그리고 더 완전하게 설명하고 있다. 따라서 그들의 생활사, 그리고 다른 유기체 및 환경과 그들의 상호 작용에 대해 더 많이 알수록, 그들 각각이 어떻게 종 고유의 본성의 법칙에 따라 생명 기능을 수행하는지를 더 많이 이해하게 되었다. 그런데 그 외에도 우리의 지식과 이해가 향상됨에 따라 우리는 또한 각 유기체의 개체로서의 유익성을 파악할 수 있다. 특정 동식물을 주의 깊고 세밀하게 연구한 과학자들은 종종 관찰 대상을 개체마다 식별하여 알아본다. 실험실에서든 밖에서든 오랜 기간 동안 가까이서 관찰한 결과, 그들은 관찰 대상의 독특한 '개성'을 인정한다. 과학자는 자료를 수집하고 기록하는 동안 내내 엄격히 객관적 태도를 유지하면서도 때때로 특정 동물이나 식물에게 특별한 관심을 가지기도 한다.[6]

과학자가 아닌 사람도 마찬가지로 아마추어 자연주의자로서 식물이나 동물과 친밀한 사이가 되어 그들을 지속적으로 면밀히 관찰하다보면 이런 관심이 생기는 것을 경험한다. 관찰 대상인 유기체에 더 많이 익숙해질수록 그 유기체가 살아가는 특정한 방식을 예리하게 인식한다. 그 유기체에 매료되고 그 유기체의 행운과 불운에 관여하기까지 한다. 유기체는 그 사람에게 대체될 수 없는 유일한 개체라는 의미가 된다. 마지막으로, 사람이 유기체의 관점을 진정으로 이해하게 된다. 그렇게 되면 그 유기체의 상황에 놓인 자신을 상상하고 그 관점에서 세상을 바라볼 수 있다.

이렇게 객관적이고 무심한 지식에서 개체성의 인식으로, 또 개체성의 인식에서 유기체 관점에 대한 온전한 인식으로 발전하는 진보는 개체적 생명체라는 의미에 대한 인식을 높이는 과정이다. 우리는 유기체가 자신을 보존하고 자신만의 독특한 방식으로 고유의 선을 실현하려고 애쓰는 목적론적 삶의 중심이라고 생각한다.[7] 목적론적 삶의 중심이라는 것은 외적 활동뿐 아니라 내적 기능도 모두 목표 지향적이고, 시간이 지나도 유기체의 존재를 유지하며 같은 종을 재생산하고 변화하는 환경 조건과 사건에 끊임없이 적응하는 생물적 기능을 성공적으로 수행하는 지속적인 경향이 있다는 것이다. 유기체를 하나의 목적론적 활동의 중심으로 만드는 것은 이런 기능의 일관성과 통일성이며, 그 기능은 모두 유기체의 선의 실현을 지향한다. 물리적으로 그리고 화학적으로 활동이 일어나는 곳은 세포의 분자이지만, 환경에 반응하고 생명을 유지하는 목표를 달성하는(또는 달성하려는 경향이 있는) 단위는 유기

6. 현장에서 연구를 수행하는 생물학자들은 특정 개체를 식별하고자 할 때 자연적 차이를 관찰할 뿐 아니라 바로 알아볼 수 있도록 개체에 표시를 다는데 이는 오늘날 표준 관행이다.

7. 유기체가 자신을 보전하고 자신의 선을 실현하고자 노력한다는 개념은 생물학적 적합성이라는 더 제한적인 개념과 동일하지 않은데, 여기서 적합성이란 미래 개체에서 유전자의 존속을 보장하는 유기체의 능력을 의미한다. (1장을 볼 것.) 개체의 선과 미래 유기체에서 유전자가 존속하는 것이 구별되어야 하는 경우는 벌과 개미 같은 이른바 사회적 곤충에서 볼 수 있다.

체 전체다.[8]

개별 유기체를 목적론적 삶의 중심으로 이해한다고 해서 우리가 그릇되게 의인화하고 있는 것은 아니다. 그들을 인간의 특성으로 '읽어 들이는' 것이 아니다. 예를 들어, 우리는 그들에게 의식이 있다고 생각할 필요가 없다. 어떤 나무가 목적론적 삶의 중심이라고 해서 나무가 의도적으로 자기 존재를 지키려고 하거나, 죽음을 피하려고 노력하거나, 심지어 삶과 죽음에 관심을 가져야 하는 것은 아니다. 2장에서 보았듯이 나무와 단세포 원생동물 같은 유기체에게는 의식적인 삶이 없다. 그들은 그들 주변의 세계를 의식하지 못한다. 그들은 생각이나 감정이 없으므로 그들에게 일어나는 일에 관심이 없다. 그래도 그들에게는 고유의 선이 있고 그들의 행위는 그 선을 중심으로 조직된다. 의식이 있든 없든 모든 유기체는 자신의 존재를 지키고 유지하는 지속적인 경향이 있으며 목표 지향적으로 활동하는 통일되고 일관성 있고 질서 정연한 시스템이라는 의미에서 목적론적 삶의 중심이다.

개별 생명체에 대한 이 개념은 생명체마다 하나의 독특한 관점이 있다고 본다. 그 관점은 환경에 반응하고 다른 개별 유기체와 상호 작용하며 종 특유 생활사의 다양한 단계를 거치면서 규칙을 따르듯이 주기적으로 변신하는 유기체 고유의 방식에 의해 결정된다. 오랜 시간 존재를 유지하면서 그 종의 모든 기능과 활동을 자기 특유의 방식으로 드러낸다. 자세히 관찰하면, 그 유기체가 존재하는 방식은 같은 종을 포함하여 다른 어떤 유기체의 방식과도 다름을 알 수 있다. 이것이 하나의 삶의 중심일 뿐 아니라 특별한 삶의 중심임을 인식하는 것은 그 유기체의 유일성과 개체성을 인식하는 것이다. 유기체는 (반드시 의식적일 필요는 없으나) 고유의 선을 추구하면서 존재를 이어가는 자기만이 독특한 방식에 의해 정확히 개체가 된다.

한 개체를 이해하는 이런 방식은 무생물이 대상인 경우에는 가능하

이 경우 종-개체군에서 특정 기능이나 역할을 수행하는 개체는 (예를 들어, 침입자에 대항하여 자기 생명을 희생하면서 집을 지키는 개미처럼) 그 일이 자신의 안녕이나 생존을 증진하지 못하지만, 그럼에도 불구하고 자신의 형제가 생존할 수 있게 한다. 이 경우에 유기체의 생물학적 적합성은 유전자가 지속될 확률을 높인다. 그러나, 개체 자신의 안녕이 미래 개체에서 유전자를 보전하는 것보다 덜 중요할 때조차 건강하게 살아 있는 유기체만이 이 목적에 생물학적으로 적합할 수 있음에 유의해야 한다. 약하거나 병에 걸렸거나 부상을 입었거나 죽는 개체는 자손이나 형제의 생존을 잘 도울 수 없다. 따라서 개체가 자신의 방식으로 자신의 선을 추구한다는 목적론적 개념에는 개체가 생물학적 적합성을 유지하거나 향상시키는 경향이 포함된다. 인간의 경우 생물학적 적합성과 개체의 안녕 사이 관계의 또 다른 면을 고려해야 한다. (위에서 정의한) 생물학적 적합성은 개인의 선에 포함될 수도 있고 포함되지 않을 수도 있다. 어떤 사람들은 완벽히 자식을 가질 수 있지만 자식을 갖지 않는 것을 선호한다. 자녀를 갖는 것이 그들의 좋은 삶 개념에 단순히 포함되지 않는 반면, 다른 사람들은 그 반대다. 이것은 개인이

지 않다. 물리적 특성으로 보면 돌 두 개가 완전히 똑같지 않지만, 돌에는 관점이 없다. 물론 순수한 공상 세계에서 돌의 관점을 취하고 상상으로 연기를 하고 그 관점에서 세상을 바라볼 수 있다. 하지만 그렇게 하면 우리는 현실에 다가가는 것이 아니라 거기서 멀어지는 것이다. 돌이 존재하는 진짜 현실에는 관점이 없다. 이는 의식이 없기 때문이 아니다. 이미 보았듯이, 식물과 단순한 동물 또한 의식이 없지만 그런데도 관점이 있다. 근본적으로 하나의 돌에 대한 우리의 인식이 식물이나 동물에 대한 우리의 인식과 다른 것은, 식물이나 동물이 목적론적 삶의 중심인 반면에 돌은 그렇지 않다는 점이다. 돌에는 고유의 선이 없다. 우리는 돌의 안녕을 증진함으로써 돌에게 혜택을 주거나 그 반대로 행동함으로써 돌을 해칠 수 없으며, 그것은 단지 안녕이라는 개념이 적용되지 않기 때문이다.

이 요점은 (자기점검 기능이 있는 우주 위성, 바둑을 두는 컴퓨터, 조립 라인의 '로봇' 과 같이) 인간이 설계했고 특정한 목적을 달성하는 과정에서 준자율적이고 자체적으로 조절하는 복잡한 기계 장치에도 적용된다. 그 기계들은 목적이 있는 시스템으로 이해될 수 있지만, 실제로 그들은 여전히 무생물인 물체다. 그들이 달성하도록 프로그램화된 목적은 그들 자신의 목적이 아니며 인간이 의도한 인간의 목적과 독립적이지 않다. 어떤 상황에서는 그들에게 좋은 것과 나쁜 것에 대해 말하는 게 완벽히 적절함을 부정하는 것이 아니다. 그것은 기계가 만들어진 (인간의) 목적을 달성할 수단으로서의 효과성에 영향을 미치는 조건일 뿐이다. 그들을 생명체와 분리하는 것은 정확히 이 사실이다.

유기체의 목표 지향적 행위가 유기체에 고유한 것과 달리 기계의 목표 지향적 가동은 기계에 고유하지 않다. 다른 식으로 말하자면, 기계의 목표는 파생된 것인 반면에, 생명체의 목표는 원래의 것이다. 기계의 목표와 목적은 그것을 만든 인간이 설계해 넣은 것이다. 그 구조와 그에

자율적으로 선택한 가치 체계의 문제이며, 그 선택 시 자율성 행사는 인간선 실현의 한 부분이다. 자신의 유전자를 미래 개체에 확실히 남기려는 생물적 요구가 개인의 선택 방식을 지시하지 않는다. 이것은 다른 동물과 구별되는 인간의 특징 중 하나다. 인간의 삶을 자연선택과 적응으로 설명할 수 있는 데에는 개인의 자율적 선택으로 인해 (개념적 또는 논리적) 한계가 있다.

8. 최근 세 권의 책이 생물학에서 목적론적 개념과 설명을 사용하는 문제를 심층적으로 탐구했다. 그 개념과 설명의 정확한 분석에 관해서는 의견이 첨예하게 대립하고 있지만, 그 개념과 설명이 생명 과학에 필수적이라는 인식이 일반적이다. 다음 책을 볼 것. Michael Ruse, The Philosophy of Biology (London: J. M. Dent, 1973); Andrew Woodfield, Teleology (New York: Cambridge University Press, 1976); Larry Wright, Teleological Explanation (Los Angeles: University of California Press, 1976).

따른 목적론적 기능을 결정하는 것은 인간의 원래 목적이다. 기계는 목표 지향적인 활동을 보이지만, 독립적인 존재로서 고유의 선을 지니지 않는다. 그들의 '선'은 인간의 목적에 효과적인 수단이 되는 경우에 한해 '증진' 된다.

반면에 살아 있는 식물이나 동물은 인간 존재가 고유의 선을 지닌 것과 동일한 의미로 고유의 선을 지니고 있다. 우주의 다른 어떤 것과도 독립적으로, 그들 자체가 목표 지향적 활동의 중심이다. 그들에게 무엇이 좋고 무엇이 나쁜지는 그들 자체의 생존, 건강, 안녕을 참조하면 이해할 수 있다. 생명체로서 그들은 자체의 목적을 추구하는데, 목적에 맞게 구조화된 기계 장치는 그렇지 않다. 식물이나 동물이 하는 것은 그 개체가 왜 하는지를 그 개체의 목적 면에서 설명할 수 있다. 기계에 대해서는 그렇게 할 수 없는데, 그것은 궁극적으로 기계 생산자인 인간이 기계를 만들 때 품었던 목적을 언급해야 설명이 가능하기 때문이다.

나는 기계와 유기체의 이 차이가 현재 인공 지능이라는 이름으로 개발 중인 복잡한 전자 장치에 관한 한 더 이상 유지되지 못함을 주석으로 덧붙인다. 아마도 언젠가 컴퓨터 과학자와 기술자가 내부 과정 및 주변에 대한 전기 반응이 인간의 뇌와 신경계의 기능과 매우 유사한 존재를 만들어낼 것이다. 우리는 그런 존재가 설계자의 목적과 무관하게 고유의 선을 지닌다고 말하기 시작할지도 모른다. 그때가 되면 앞에서 말한 생물과 무생물 기계의 구별은 깨어질 것이다. 이에 대해서는 마음을 열어두는 것이 최선이라고 나는 생각한다. 그러나 현재 우리의 목적을 위해서는 이 문제를 파고들 필요가 없다. 인간과 자연계의 관계에 적용될 수 있는 생명 중심 환경 윤리 이론을 끌어내려는 실용적인 목적으로는 앞에서 한 것처럼 구별해도 좋을 것이다. 인공 지능 기계(유기체?)가 정말 만들어진다면 그 실체를 도덕 행위자가 어떻게 대해야 하는지에 대해서는 다른 윤리 체계가 적용되어야 할 것이다.

현재 개념에서 볼 때 (자연계에 속하는 존재로서의) 생명체와 목적론적 질서가 있는 기계 장치의 근본 차이는 자연을 바라보는 생명 중심 관점의 첫 번째 요소에 비추어 생각해보면 더 분명해질 수 있다. 개별 유기체의 관점을 이해하고 그 관점을 취할 수 있는 능력은 우리가 그들을 목적론적 삶의 중심으로 생각하는지 여부에 달려 있다. 이런 식의 생각은 우리 자신과 그들이 동등한 조건으로 생물 군집의 일원이라고 보기 때문이다. 우리 자신을 지구 생물권에 있는 다른 생명체와 함께 있는 일원으로 본다면, 그만큼 우리는 그들이 개별적 존재라는 현실을 온전히 이해하는 의식 수준에 이를 수 있다.

이제 개별 유기체를 목적론적 삶의 중심으로 인식하는 문제로 돌아가면, 그 인식의 두 가지 일반적인 특성이 주목할 만한다. 그 특성은 시각의 객관성과 전체성이다. 특정 유기체의 삶에 관한 현실 인식이 고양된 상태는 그 유기체의 온전한 존재와 본성에 대해 '열려 있기' 때문에 객관적이다. 우리는 그 유기체의 개체성이 우리의 호불호, 우리의 기대와 두려움, 우리의 이익, 필요와 욕구에 의해 뒤틀리지 않고 우리 앞에 다가오도록 내버려둘 준비가 되어 있다. 우리가 인간적으로 그렇게 할 수 있는 한, 우리는 우리가 바라는 대로가 아니라 그 자체로 유기체를 이해한다.

일상 대부분 상황에서, 인간은 동물과 식물을 자신의 감정과 욕망이라는 뒤틀린 렌즈를 통해 바라본다. 다른 존재에 대한 우리의 의식은 그 존재를 친구와 적 중 어느 쪽으로 받아들이는지에 따라 달라지는 경향이 있다. 이는 다른 사람들에 대한 반응에서도 사실이지만, 인간 이외 유기체에 관해서는 훨씬 더 확연하다. 그리하여 양을 키우는 목장 주인은 코요테를 죽여야 할 사납고 잔인한 짐승으로 본다. (심지어 코요테를 죽일 필요가 있다고 생각할 때조차) 코요테를 객관적으로 바라보고 그 관점을 완전히 이해할 수 있는 양모 생산자는 흔치 않다. 양을 키우는 사람이 코요테를 바라보는 것처럼 그렇게 정원사는 잡초를, 농부는 메뚜기를, 아파트 거주자는 바퀴벌레를 바라본다. '친숙한' 동물과 식물에 대한 견해도 마찬가지로 객관성이 없다. 애완 동물, 가장 좋아하는 야생화, 봄에 아침마다 지저귀는 귀여운 새들에 대한 우리의 이해는 왜곡되는 경향이 있다. 이런 경향성을 극복하려면 과학적 관찰 시 지적 분리와 정서적 중립이 필요하다. 분명히 어떤 종류의 동식물에 대한 과학 지식은 그 개체의 일상 생활을 객관적으로 이해하려고 할 때 크게 도움이 될 수 있다.

과학적 탐구 시의 지적 분리와 정서적 중립 외에도, 우리가 범하기 쉬운 왜곡을 알아차리고 그로부터 자유롭고자 의도적으로 노력함으로써 객관성을 높일 수 있다. 우리 사회 공동체가 특정 인간 집단에 대한 편향과 편견을 넘어 의식 수준을 높일 수 있는 것처럼, 때때로 우리는 주변의 동물과 식물에게 반응할 때 사려 깊지 못한 순간의 편파와 왜곡된 관점을 순수한 자기 훈련으로 극복할 수 있다. 우리가 그렇게 할 수 있는 만큼, 개별 생명체에 대한 우리의 현실 인식은 이상적인 상태에 더 가까이 이른다.

시각의 전체성은 이런 현실 인식의 두 번째 주요 특성이다. 동물이나 식물을 전체적으로 바라보고 이해함으로써 더 이상 그들이 인간의 생활에서 할 수 있는 역할이나 기능 면에서만 그들을 보지 않는 것이다. 예를 들어, 전형적인 사냥꾼이 꿩을 보는 방식을 생각해보라. 그는 항상 꿩을 사냥철에 총에 맞을 게임용 조류로 본다. 게임용 조류라는 상태와 관련이 없다면, 사냥철 외의 꿩의 삶에는 전혀 관심이 없다. 여기에는 시각의 전체성이 결여되어 있다. 목재상이 나무를 인식하고(수평방 피드의 판자), 모피를 얻기 위해 덫을 놓는 사냥꾼이 야생 너구리를 바라보고(시장에서 비싼 값에 팔릴 가죽), 연구원이 쥐를 생각하는(그의 실험에 적절한 대상) 경우에도 마찬가지로 전체성이 없다. 이 모든 경우에 동물이나 식물을 인간의 이익과 욕망 면에서만 바라본다. 그리하여 보는 사람의 의식에는 유기체의 일면만 들어간다.

이런 일면성에서 벗어나려면 모든 개별 특성 면에서 한 개체의 구체적인 특징을 인식하고 그 인식에 근거하여 전체 특성, 즉 '개성'을 이해해야 한다. 동물이나 식물을 인간의 이익이나 목적에 따라 부과된 추상적인 가림막, 범주 또는 정형화된 이미지를 통해 보지 않는다. 우리가 유기체의 유일성을 파악할 때 시각의 전체성을 달성할 수 있다면, 우리는 그 개체의 삶 자체를 알게 된다. 그러면 우리는 그 개체를 자신의 존재 방식으로 살아가고 직면한 상황을 자신의 방식으로 극복하는 다면적 존재로 생각한다. 개별 유기체의 삶을 바라보는 우리의 의식이 시각의 객관성과 전체성이라는 특성을 갖출 때, 인지로도 상상으로도 특정 개체가 어떤 존재인지를 가장 완전하게 알아차린다. 우리는 다른 존재의 삶이라는 실체를 우리 자신의 의식 세계로 들어오게 한 것이다. 그 존재가 알려질 수 있는 만큼 충분히 또 철저히 우리는 그 존재를 안다.

이것이 도덕 행위자로서 우리의 행위에 적절한 참조 틀이다. 다른 생명체의 존재에 대한 우리의 현실 인식이 높아짐에 따라, 우리는 그 존재의 관점에서 그 존재의 선에 근거하여 판단할 수 있는 진정한 능력이 생긴다. 인간 중심의 일반적인 경계를 벗어남으로써 우리의 도덕적 상상력이 활짝 열려 모든 생명체를 아우르게 된다. 우리 자신을 보듯이 그들을 볼 때, 우리는 그들 존재에 우리 자신과 동일한 가치를 둘 준비가 된 것이다. 우리 자신을 본래적 가치를 가진 존재로 본다면, 그들도 그런 존재로 볼 것이다.

이제 인간 윤리 면에서도 마찬가지로 생각할 수 있다. 다른 사람이 경험한 세계를 상상으로 인식할 수 있는 능력이 없다면, 그 다른 사람의 삶이 어떤 의미인지 온전히 생각할 수 없을 것이다. 반면에 우리가 다른 사람이 경험하는 세상이 어떤지 짐작할 수 있는 상상력을 개발하는 만큼, 우리는 우리 자신의 의식 속에서 다른 사람의 현실을 분명히 파악할 수 있다. 다른 사람의 존재를 지각함으로써 그들도 바로 우리 자신처럼 주관적 인식의 중심임을 깨닫는다. 이런 식으로 우리는 다른 사람의 개체성에 대한 인지적 이해에 이르며, 이런 인지적 이해는 다른 사람을 존중하는 태도에 수반되는 도덕적 약속에 필요하지만, 인지적 이해 자체에 도덕적 약속이 논리적으로 뒤따르는 것은 아니다.

이것이 생명 중심 관점의 세 번째 요소다. 각 유기체를 목적론적 삶의 중심으로 생각하는 것은 자신의 방식으로 고유의 선을 추구하는 유일한 개체로 그 존재의 실체를 인식하는 것이다. 특정 개체를 있는 그대로 인식하는 고양된 능력을 계발함으로써 그 존재의 선으로 규정되는 관점을 온전히 이해할 수 있다. 그렇게 되면 우리는 그 존재를 존중한다는 도덕적 약속에 필요한 능력을 갖춘 것이다. 그런 능력이 있다고 해서 반드시 도덕적 약속을 하는 것은 아니더라도 말이다.

5. 인간 우월성의 부정

자연 존중 태도를 취하는 문제에 관한 한, 생명 중심 관점을 구성하는 모든 요소 중에서 네 번째 요소가 가장 중요하다. 이 네 번째 요소는 인간이 다른 생명체보다 우월하다는 생각을 전적으로 거부하는 것이다. 서구 문명의 사람들이 대부분 자라온 배경의 신념 체계에 따르면 우리 인간은 '하등한' 생명체에는 없는 가치와 존엄성을 지니고 있다. 인간성 덕분에 우리는 동식물보다 고귀한 존재로 간주된다. 이성과 자유의지가 있어서 우리는 다른 생명체보다 더 높은 수준의 삶을 영위할 수 있기 때문에 우리에게는 특별한 가치가 부여된다고 본다. 이 확신은 우리 문화와 전통 구석구석에 깊이 새겨져 있는데, 생명 존중 관점의 네 번째 요소에서 문제를 제기하고 결국 전면적으로 부정하는 것은 바로 이 확신이다.

어떤 의미로 인간이 다른 동물보다 우월하다고 주장하는가? 우리는 실제로 그들에게 없는 특정 능력이 있다는 점에서 그들과 다르다. 하지만 그 능력이 우리가 그들보다 우월하다는 표시로 간주되는 이유는 무엇인가? 어떤 관점에서 그리고 어떤 근거로 그 능력이 우월성의 표시라고 판단하는가? 어쨌든, 인간 이외 많은 종들이 인간에게 없는 능력을 가지고 있다. 새들의 비행, 치타의 속도, 식물 잎의 광합성 능력, 거미줄을 치는 거미의 솜씨, 나무를 타는 원숭이의 민첩함이 있다. 왜 이 능력은 우리보다 그들이 우월하다는 표시로 간주되지 않는가?

즉시 떠오르는 대답은 동물과 식물의 이 능력은 우리를 우월하게 만드는 인간의 능력만큼 가치가 크지 않다는 것이다. 합리성, 미학적 창조성, 개인의 자율성과 자유 의지 같은 인간만의 특징은 동물과 식물의 어떤 능력보다 가치가 더 크다고 볼 수 있다. 그렇다면 질문을 던져야 한다. 누구에게 가치가 있으며 어떤 이유 때문인가?

위에서 언급한 인간의 특징은 모두 인간에게 가치가 있다. 그것들은 인간 문명의 보전과 발전 면에서 기본적으로 중요하다. 분명히 그 특징들이 바람직하고 좋다는 판단은 인간의 관점에서 본 것이다. 그렇다면 문제를 회피하고 있음을 어렵지 않게 알아차릴 수 있다. 인간은 철저히 인간의 관점, 즉 인간의 선을 판단의 기준으로 보는 관점에서 인간 이외 존재보다 인간이 우월하다고 주장하고 있다. 이제 우리가 해야 할 일은 우월성에 관한 반대 판단을 살피기 위해 동물과 식물의 능력을 그들의 선의 관점에서 바라보는 것이 전부다. 예를 들어, 치타의 속도는 치타의 선의 관점에서 생각하면 인간보다 치타가 우월하다는 표시다. 그리고 동물과 식물의 선을 증진하지만 인간에게는 없는 다른 모든 능력도 그렇다. 각각의 경우, 인간 이외 존재의 관점에서 보면 인간이 우월하다는 판단은 거부될 것이다.

우월성 주장을 이런 식으로 해석한다면, 그 주장의 근거는 장점에 관한 판단이다. 2장에서 보았듯이, 사람이나 유기체의 장점을 판단하려면 등급이나 순위를 매기는 기준을 적용해야 한다. 적용되는 기준을 충족하여 '좋아 보이는' 특성(장점)을 가지고 있는지 여부는 경험적 조사로 결정된다.

이 시점에 자연스럽게 떠오르는 질문이 있다. 인간의 가치에 근거한 기준이 장점 판단에서 유일하게 유효한 기준이고 그에 따라 우월성의 유일한 진짜 표시로 간주되는 이유는 무엇인가? 이 질문은 인간 이외 존재에 비해 인간이 장점 면에서 우월하다고 판단될 때 특히 절박하다. 인간이 원숭이보다 더 나은 수학자일 수 있음은 사실이지만, 원숭이는 사람보다 나무를 더 잘 오를 수 있다. 우리 인간이 나무 오르기보다 수학에 더 가치를 둔다면, 그것은 문명화된 삶에 관한 우리의 관념 때문에 나무를 오르는 것보다 수학적 능력의 개발이 더 바람직하다고 여기는 것이다. 하지만 인간 이외 존재를 그 종의 일원이 좋은 삶을 누리는 것과 관계있는 가치 대신 인간 문명의 가치로 판단하는 것은 비합리적이지 않은가? 모든 생명체가 자신의 선을 지니고 있다면, 적어도 인간 이외 존재의 장점은 그들의 선에서 끌어낸 기준으로 판단하는 것이 이치에 맞다. 인간의 선에 근거한 기준만 사용한다면 이미 인간의 선이 인간 이외 존재의 선보다 더 중요하거나 배려할 가치가 더 크다고 주장하는 격이 되며, 이것이 바로 문제의 핵심이다.

여기 논리적 결함이 더 있음에 유의해야 한다. 장점의 여러 기준은 인간 이외 유기체에 전혀 적용되지 않는다. 인간만이 과학자, 항공 기사, 드라마 비평가, 또는 대법원 판사로서 최우수, 우수, 보통, 또는 형편없음이라는 판단이 의미 있다. 그런데 그 기준을 인간 이외 존재보다 인간이 우월하다고 판단하는 데 사용하는 것은 범주를 오인하고 있음을 시사한다. 한 종류의 개체가 다른 종류의 개체보다 장점 면에서 우월하다는 판단이 의미 있으려면, 두 종류 모두 기준이 적용되는 범주에 적절히 포함되어야 한다. 그러므로 동물과 식물은 과학자, 항공 기사, 드라마 비평가 또는 대법원 판사로서 형편없다고 판단될 수 없다. 그 지위와 활동에 관한 한 그들은 좋지도 나쁘지도 않다. 더 정확히 말하자면 그들이 과학자. 항공 기사, 드라마 비평가 또는 대법원 판사로서 훌륭하거나 형편없다고 말하는 것은 터무니없다.

이제 인간 이외 존재보다 인간이 우월하다고 할 때 가장 자주 반복되는 관련 주장 하나를 생각해보자. 그것은 우리는 도덕 행위자의 지위가 부여되는 능력이 있지만 동물과 식물은 그 능력이 없기 때문에 우리 인간이 도덕적으로 우월하다는 주장이다. 자유 의지, 책임, 숙고, 실천이성 같은 능력이 있기 때문에 도덕적으로 책임 있는 존재만 지니는 존엄성과 고귀함이 우리에게 부여된다는 것이다. 인간이라는 존재는 이 도덕적 측면 때문에 도덕 관념이 없고 책임을 지지 않는 동물과 식물이라는 존재보다 등급이 더 높다. 전통적인 용어로 말하자면, 의지의 자유 및 그와 함께 가는 도덕적 책임이 인간을 짐승의 수준 위로 올려놓는다.

도출된 결론이 인간 이외 존재보다 인간이 도덕적으로 우월하다는 단언으로 이해된다면, 그 추론은 사고의 혼란이 심각하다. 인간은 도덕 행위자 능력이 있는 반면에 다른 존재는 그 능력이 없다고 해서 인간이 도덕적으로 우월한 존재라고 주장하는 것은 옳지 않다. 왜냐하면, 도덕적 기준에 관한 한, 도덕 행위자의 능력을 가진 존재만 도덕적으로 좋거나 나쁘다고 말하는 것이 의미 있기 때문이다. 도덕 행위자만이 다른 존재들보다 도덕적으로 더 좋거나 나쁘다고 판단될 수 있고, 나머지 고려 대상들도 도덕 행위자여야 한다. 도덕적 우월성의 판단은 판단 대상인 존재의 상대적 장점이나 단점에 근거하며, 이 장점과 단점은 모두 도덕적인 것, 즉 도덕적 기준으로 결정되는 것이다. 타당한 도덕적 기준이 두 개체에게 적용될 때 한 개체가 다른 개체보다 월등히 그 조건을 충족하는 경우라면, 전자가 후자보다 도덕적으로 우월하다는 판단이 옳다. 그러므로 두 개체 모두 도덕적 기준의 적용 범주 내에 있어야 한다. 그런데 인간이 동물과 식물보다 우월하다고 판단하는 이유가 후자가 도덕 행위자가 아니기 때문이라면, 그것은 사실이 아니다. 동물과 식물은 과학자, 항공 기사, 드라마 비평가 또는 대법원 판사로 훌륭할 수도 없고 형편없을 수도 없는 것처럼, 그들은 도덕 행위자로서 좋을 수도 없고 나쁠 수도 없다. 더 정확히 말하자면, 그들에 대해 도덕적으로 좋거나 나쁘다고 이야기하는 것은 의미 없다. 그런 이유로 그들이 인간보다 도덕적으로 열등하다고 말하거나 인간이 그들보다 도덕적으로 우월하다고 말하는 것은 의미 없다. 나는 인간이 동물과 식물보다 도덕적으로 우월한 존재라는 주장은 거짓이기보다는 단순한 혼동이라고 결론짓는다.

지금까지 나는 인간이 다른 생명체보다 우월하다는 주장을 인간과 인간 이외 존재의 상대적 장점에 관한 판단으로 해석했다. 그런데 인간의 우월성 개념을 이해하는 또 다른 방식이 있다. 그 설명에 따르면 인간은 장점보다 본래적 가치 때문에 인간 이외 존재보다 우월하다. 이 주장은 모든 인간이 단지 인간이라는 이유로 동식물보다 본래적 가치가 더 크다는 단언이다.

동물과 식물을 이런 식으로 본다면 우리는 그들을 완전히 착취하는 태도를 취하지 않을 것이다. 왜냐하면 그들이 본래적 가치를 어느 정도 가지고 있으므로 인간이 원하는 방식으로 이용되어서는 안 된다고 여전히 인정할 수 있기 때문이다. 그러나 그들을 본질적으로 열등한 존재로 생각한다는 것은 그들의 안녕과 인간의 이익이 상충할 때마다 인간의 이익이 자동으로 우선한다는 뜻이다. 인간과 인간 이외 존재가 모두 도덕적 배려를 받을 자격이 있더라도, 둘은 동등하게 배려받을 자격이 있지는 않을 것이다. 인간의 선은 단지 그것이 인간의 선이기 때문에 항상 동물이나 식물의 선보다 우선이다.

소위 '하등한' 생명체보다 인간이 우월하다는 관념은 서구 문화에 침투해 있으며, 자연계를 바라보는 우리의 관점 전체를 형성한다. 인간의 선천적 우월성 신조에 합리적인 기반이 없음이 밝혀진다면, 그리고 그 신조를 배격하는 논리적으로 건실한 이유가 입증된다면, 구조 전체가 붕괴될 것이다. 다른 생명체와, 심지어 우리를 해칠 수도 있는 생명체와 우리의 진정한 관계가, 본래적 가치가 동등한 존재들 사이의 관계이며, 우월하고 우수한 존재와 열등하고 하등한 존재의 관계가 아닐 수 있음을 직면해야 할 것이다. 그러면 동물이나 식물을 얕보거나 한 인간이 어떤 '하찮은' 동물이나 식물보다 선천적으로 생존권이 더 크다는 생각이 더 이상 옳지 않을 수 있다. 우리는 우리 자신과 자연계 내 우리의 위치를 새로운 시각으로 볼 것이다. 전반적인 윤리적 방향은 깊고도 광범위한 변화를 겪을 것이고, 우리가 지구와 생물 군집을 대하는 방식이 대대적으로 바뀔 것이다. 자연 '세계'에 대한 우리의 존중 의무는 인간 문화와 문명 '세계'에 대한 우리의 존중 의무와의 균형을 요구하는 것으로 보일 것이다. 우리는 더 이상 단순히 인간의 관점을 취하거나 다른 생명체를 대하는 우리 행동의 영향을 단지 또는 일차적으로 우리의 선을 증진하려는 관점에서 생각하지 않을 것이다.

자연계 및 다른 생명체와 우리의 적절한 윤리적 관계를 보는 견해가 이렇게 근본적으로 바뀌는 것은 우리가 생명 중심 관점을 받아들인 결과일 뿐이다. 이 관점의 네 번째 요소는 다름 아니라 인간이 우월성을 타고난다는 신조를 부정하는 것이다. 앞으로 보게 되듯이, 생명 중심 관점의 수용이 자연 존중 태도 채택을 뒷받침하고 지지하는 이유를 이해하는 열쇠는 인간 우월성의 부정이다.

인간 우월성의 부정은 2단계 추론의 논리적 결과인데, 하나는 부정 단계이고 다른 하나는 긍정 단계다. 부정 단계는 인간 우월성 신조를 받아들일 좋은 이유가 없음을 보이는 것이고, 긍정 단계는 그것을 거부하는 좋은 이유가 있음을 보이는 것이다. 첫 번째 단계의 결론은 그 신조가 전혀 근거 없으며 어떤 합리적인 기반도 없다는 것이다. 이 주장을 확립하려면 신조를 정당화하는 논거가 모두 심각한 결함이 있음을 보여야 한다. 그 논거가 의도한 바를 입증하지 못함을 보이는 것이다. 두 번째 단계는 그 신조가 거짓이거나 합리적으로 받아들일 수 없으며 따라서 우리가 그 신조를 배격하는 것이 전적으로 정당하다는 건실한 논거를 제시하는 것이다. (추론의 두 번째 단계를 제시하는 나의 전략은 생명중심 관점의 첫 세 요소가 받아들여지면 인간 우월성이라는 신조는 부정되어야 함을 논증하고, 첫 세 요소를 받아들일 좋은 이유가 실제로 있음을 보이는 것이다.)

이제, 첫 단계로 인간이 다른 생명체보다 본질적으로 우월하거나 더 큰 본래적 가치를 지닌다는 생각을 지지하면서 제시한 주요 논거를 검토하고, 그 논거들이(그리고 유사한 다른 논거들도) 오류가 있음을 보이고자 한다. 우선 나는 서양 철학사에서 지대한 영향을 미친 주장 세 가지를 살펴볼 것이다. 이 세 주장에 담긴 중심 개념은 우리 문화의 가치 체계와 세계관의 기본으로 앞의 신조를 널리 받아들이는 역사적 뿌리다. 그 다음에 현대의 주장 하나를 살펴볼 것이다.

역사적인 세 주장은 다음에 근거를 두고 있다: (a) 그리스의 고전적 인본주의에서 발견된 인간의 본성에 대한 본질주의적 견해, (b) 전통적 기독교 유일신 사상이라는 형이상학에서 발견된 존재의 대사슬이라는 개념, (c) 인간에게는 신체에 더해 마음이 있지만, 마음이 없는 동물은 자동 장치에 불과하다고 보는 르네 데카르트 철학의 이원론.

(a) 본질주의적 견해

다른 종보다 인간이 선천적으로 우월하다는 생각은 인간을 합리적인 동물로 보는 그리스의 고전적 정의에 내포되어 있다. 그 정의는 인간이라는 실체의 일반적인 종류(동물)와, 인간을 다른 모든 동물과 구별하는 특징(이성)을 명시함으로써 인간 본성의 본질을 기술하려던 것이었다. 이성이라는 능력은 인간 본성에서 본질적이고 고유한 것을 규정할 뿐 아니라 특별한 가치의 표시라고 보았다. 이성은 이성이 없는 생명체에는 없는 일종의 고귀함과 존엄성을 인간에게 부여한다. 더욱이 인간 본성의 동물적 측면인 격정과 욕망을 통제하고 명령을 내려야 하는 것은 이성이다. 바로 이 기능 때문에 이성은 동물적 본성의 적절한 주인이 되어 더 높은 위치에 오르고, 그에 따라 우리는 다른 동물보다 더 높은 차원에서 살 수 있다. 이성적인 삶을 살 수 없는 존재는 위대함이나 고귀함이라는 특성을 계발할 수 없다. 그들은 인간이 성취할 수 있는 덕을 성취할 수 없다.

고전적인 그리스 인본주의의 철학적 관점에서는 인간선이라는 개념과, 인간을 이성적 동물로 보는 본질주의적 정의를 연결했다. 우리가 진정으로 인간의 잠재력을 실현하고 그렇게 함으로써 우리의 진정한 선을 성취하는 것은 완전히 이성적인 삶을 사는 데 있다. 인간의 행복이나 안녕은 이성의 삶에 있으며, 수단이나 목적을 선택할 때 이성으로 우리의 행동을 이끄는 것은 생명체에게 가능한 가장 높은 수준으로 존재하는 것이다. 이성적인 선을 추구하는 것은 우리의 본성이다. 따라서 비이성적인 존재보다 우리가 우월함은 우리의 본질, 즉 우리를 인간으로 만드는 바로 그것에 내재되어 있다.

인간을 다른 종과 비교하는 이 방식은 의심의 여지 없이 우리에게 매우 익숙할 것이다. 이는 서구의 철학적 관점에 깊이 새겨져 있다. 여기서 생각해야 할 점은 이 견해가 인간 우월성에 대한 논거를 제공하지 못한다는 것이다. 그보다는, 단순히 그 우월성을 상상하는 특정 방법을 설명하고 분명히 밝힐 뿐이다. 이 견해는 인간이 다른 생명체보다 본래적 가치가 더 크다는 주장이 참임을 조리 정연하게 옹호하는 것이 아니라, 대신 그 단언이 의미하는 바(또는 의미한다고 보아야 하는 바)를 체계적으로 설명하는 것이다. 이것은 위에서 제시한 견해가 모두 인간이라는 본질이 우리에게 그 본질을 결여한 존재에게는 없는 일종의 가치, 존엄성, 또는 고귀함을 부여한다고 추정한다는 걸 알아차린다면 명백해진다. 왜 인간이라는 본질이 우리에게 더 큰 본래적 가치를 부여하느냐는 질문에는 어떤 대답도 준비되어 있지 않다. 우리가 고귀한 것은 우리의 이성 덕분에 우리에게 부여되는 특별한 가치 때문이며, 그것이 우리를 인간으로 만든다는 주장이 반복될 뿐이다. 이 점을 더 면밀히 살펴보자.

우선 고전적인 그리스 방식으로 인간 존재를 바라보면, 확실히 우리는 이성의 지배를 받는 모든 존재를 그렇지 않은 존재보다 더 높은 본래적 가치를 지닌다고 간주할 것이다. 그러나 이성적인 존재를 보는 이 방식은 인간 이외 존재보다 인간이 우월하다는 주장을 정당화하지 않는다. 그 이유는 이성 능력이 '동물' 본성을 적절히 다스린다고 간주하는 맥락을 고려할 때 명백해진다. 그리스인에게 이성이 대단히 중요한 것은 이성이 인간의 삶을 이끌게 함으로써만 인간선의 실현이 가능하다는 사실에 있다. 우리의 이성이 우리의 동물성보다 우위에 있지 않으면 우리는 온전한 인간이 될 수 없고 따라서 행복한 상태에 이를 수 없다. 그러나 이성적인 존재로서 우리는 모두 그 상태를 추구한다. 그것은 인간의 삶의 진정한 목표 또는 목적이며, 그것이 우리의 삶을 살 가치가 있는 것으로 만든다. 인간의 행복, 즉 본질적인 인간 본성에 적합한 유형의 안녕이 가장 높은 선(최고선)이다. 그러나 이 최고의 가치는 인간의 삶에만 적용된다. 이성 능력이 없는 생명체의 삶의 맥락에서는 가치가 아니다. 바로 이 점 때문에 그리스인의 견해는 인간 이외 존재보다 인간이 우월함을 확고히 하지 못한다. 인간선을 실현하려면 삶을 이끄는 데 이성을 적절히 사용해야 한다는 것은 인간선이 목표가 아닌 생명체의 삶의 가치에 관해 아무것도 말해주지 못한다.

나는 여기서 인간선이 이성의 삶으로 이루어진다는 그리스인의 견해도, 그 선이 인간의 특징이며 다른 종으로부터 우리를 떼어놓는 능력과 잠재력을 온전히 구현한다는 생각도 문제 삼지 않는다. 왜냐하면 인간의 본성과 안녕에 관한 본질주의적 개념을 받아들이더라도, 거기에 다른 유기체에 관한 내용은 아무것도 없기 때문이다. 특히 인간에게 가장 적합한 유형의 삶이 다른 동물에게 가장 적합한 유형의 삶보다 더 큰 가치가 있다고 주장할 이유가 없다. 결국 그리스인들은 각 생명체가 자신의 선을 추구함을 부정하지 않았다. 실제로 그들은 각 동물이나 식물의 선을 그 종의 일원으로서 자신의 본성을 따르는 상태나 조건으로 생각했다. 사자의 안녕은 사자가 살기에 가장 적합한 유형의 삶이다. 그 삶에는 (인간이 인간의 선을 실현하려면 합리적이어야 한다는 의미에서) 합리성이 필요하지 않다. 인간의 본성을 완전히 실현하는 인간이 보이는 합리성이 사자에게 없다는 사실이 사자의 본성을 실현하는 사자가 인간보다 본래적 가치가 작음을 암시하지 않는다.

이 비판과 관련하여 더욱 유의해야 할 점이 하나 있다. 동물과 식물이 그들의 종에 가장 적합한 유형의 선을 실현하는 데 이성이 필요하지 않을 뿐 아니라 인간에게 없는 능력을 사용할 필요가 있음을 고려한다면, 그들보다 인간이 우월하다는 주장이 정당화될 수 없음이 더욱 명확해진다. 예를 들어, 독수리의 시력과 비행 능력이 인간보다 그들이 본질적으로 우월하다는 증거가 아닌 것처럼, 인간의 지적 능력과 합리성이 그들보다 인간이 우월하다는 증거가 아님이 분명하다. 후자의 주장은 전자와 마찬가지로 근거가 없다.

이 숙고의 결론은 고전적인 인본주의의 윤리적 이상이 인간 생활의 표준으로 아무리 고무적이고 감탄스럽더라도 그 관점은 인간 이외 존재보다 인간의 본래적 가치가 더 크다는 판단을 전혀 뒷받침하지 못한다는 것이다. 우리는 합리성이 특정 생명체 부류의 한 가지 능력이며 그들의 안녕이 그 능력의 발현에 달려 있을 뿐임을 알아차려야 한다. 다른 부류의 생명체는 그 능력 없이 고유의 선을 성취하지만, 종종 인간의 역량 범주를 훨씬 넘어서는 능력을 발휘한다. 그런 부류 중 하나가 나머지보다 본질적으로 우월함을 보여야 할 때, 그들의 유일한 능력을 기반으로 그렇게 할 수는 없다. 고전적인 그리스 사상의 인본주의적 관점은 인간 우월성 신조의 객관적 근거를 제공하지 않는다.

(b) 존재의 대사슬이라는 개념

인간이 본질적으로 다른 모든 생명체보다 우월하다는 관념의 주요한 역사적 뿌리 중 두 번째는 존재의 대사슬이라는 개념에서 발견되는데, 이 개념은 중세의 형이상학적 관점을 형성하였고 여전히 많은 사람들이 세상을 상상하는 그림의 바탕이 되고 있다. 존재의 대사슬은 현존하는 모든 것이 가장 진실되고 완벽한 것부터 최소한의 진실이자 가장 불완전한 것까지 이어지는 존재의 무한한 위계 내 특정 위치가 있다는 견해다. 이 위계 질서는 맨 위에 있는 신에서 시작하여 다양한 차원의 천사와 천사장을 거쳐 인간으로 이어지며, 그 뒤를 (그들 자체가 위계적으로 배열되어 있는) 동물과 식물이 따르고 맨 아래에 있는 단순한 물질로 끝난다. 이것은 가치 평가의 순서일 뿐 아니라 형이상학적 혹은 존재론적 순서다. 현실 구조를 반영하는 본래적 가치 수준도 연속체를 이루며, 모든 것이 거기 속한다. 창조된 세상 안에서 신은 가능한 모든 등급의 존재와 가치를 창조했다. 우주는 존재로 충만하며, 존재의 속성과 가치는 무한히 다양하다.[9]

9. 존재의 대사슬 개념에 관한 이 분석은 Arthur O. Lovejoy, The Great Chain of Being: A Study of the History of an Idea (Cambridge, Mass.: Harvard University Press, 1936)에 있다.

수세기 동안 존재의 영역을 바라보는 이 방식은 기독교 유일신주의의 핵심이었다. 신학자들은 이성을 기초로 이 방식을 정교하게 만들고 옹호하였으며, 일반 신자들은 신앙을 바탕으로 그것을 받아들였다. 믿음 중 가장 근본적인 생각은 세상과 신이 함께 존재 전체를 이루며 가장 낮은 존재부터 가장 높은 존재까지 하나의 거대한 위계를 형성한다는 것이다.

이 존재론적 순서는 인간이 자신의 본성과 목적을 이해해야 하는 형이상학적 배경이다. 인간은 천사와 짐승들 사이에 들어맞는다. 천사는 (비물질적이고 몸이 없는) 영적 존재이며 불멸의 존재이다. 위계 구조에서 신과 가장 가까이 있으므로, 유한하고 우연한 존재로서는 가장 완벽하다. 성서 신학에서 그들은 신과 인간 사이의 메신저 역할을 한다. 인간은 양면적 존재로 천사와 짐승의 본성을 모두 가지고 있다. 천사처럼 인간은 불멸의 영혼이 있고, 짐승처럼 동물의 몸을 가지고 있다. 따라서 인간은 영적이기도 하고 물질적이기도 하다. 영적 존재로서 인간은 '신의 모습으로 창조' 되었고 신의 도덕률의 지배를 받는다. 우연한 존재이며 덕이 제한적이어서 신보다 열등하지만 그런데도 인간은 신이 지구에 보낸 다른 모든 피조물보다 우월하다. 신은 인간에게 지구의 다른 모든 살아 있는 피조물의 영주이자 주인이라는 특별한 지위를 부여했다. 인간은 신의 모습으로 창조되었기 때문에 존재의 계층 구조에서 다른 생명체보다 높은 위치를 차지하며 다른 생명체들을 다스릴 통치권을 받았다. 인간의 목적은 다른 생명체들을 '정복' 함으로써 자기 고유의 선을 증진하는 것이지만, 인간은 또한 지구의 훌륭한 관리인이어야 하고 책임 있는 방식으로 자연의 하사품을 이용해야 한다. 인간이 받은 통치권은 자신의 안녕에 필요하지 않은 것을 파괴할 수 있을 만큼 자유롭지 않다.

인식론에 근거하여 많은 철학자들이 이 현실의 위계 그림 전체를 지지할 수 없다고 주장할지라도, 나는 여기서 전체를 비판하지 않을 것이다. 대신 인간이 다른 생명체보다 본래적 가치가 더 크다는 주장과 직접 관련된 부분에 집중할 것이다. 내가 의도하는 논증을 위해, 적어도 필요한 존재라는 식의 신의 존재에 의문을 제기할 필요가 없다. 내가 관심을 기울이는 믿음은 이 형이상학적 사고가 전통 방식으로 이해될 때 존재의 대사슬 상의 위치에 따라 생명체의 본래적 가치가 다르다는 주장이다.

유의해야 할 주요 요점은 우월한 존재나 열등한 존재의 가치가 모든 존재와 가치의 근원인 신이 부여한 지위에 따라 정해진다는 것이다. 신이 한 종류의 존재를 다른 종류보다 더 높은 위치에 둔다면, 전자는 후자보다 본래적 가치가 더 크다. 그것은 전자가 후자보다 신의 절대적 완벽성과 더 유사하거나, 신 자신이 후자보다 전자를 더 높이 평가하기 때문이다. 그런데 이 두 견해 중 어느 쪽을 취하든, 지위를 부여하는 존재의 (절대적 완벽성은 아니더라도) 도덕적 선이 전제가 된다. 그 존재가 도덕적으로 악하다면, 그 악한 본성과 더 유사하다는 것이 본래적 가치가 더 큰 근거가 될 수 없음이 확실하기 때문이다. 또 그런 악한 존재가 한 존재를 다른 존재보다 더 높이 평가한다는 사실도 전자가 후자보다 본래적 가치가 더 크다고 생각하는 이유가 되지 못한다. 그렇다면, 진짜 근거가 무엇이든 간에 본래적 가치는 도덕적으로 악한 존재의 행동이나 가치 평가에 달려 있는 어떤 것일 수 없다. 창조주가 존재의 대사슬에서 부여한 다른 지위에 근거하여 인간 이외 존재보다 인간이 우월함을 확고히 하기 위해서는 창조주가 그런 지위를 부여하는 일에서 도덕적으로 선함을 보여주어야 한다. 그것을 어떻게 보여줄 수 있을까?

만물의 창조주가 도덕적으로 선함은 그가 창조주라는 단순한 사실 때문이 아니다. 우리가 어떤 식으로 신의 창조 활동을 상상하든, 우주 창조주라는 역할로 인해 그 역할을 하는 존재의 성품이 선한 것은 아니다.

신학자들은 때때로 자비로움, 공정함, 자애로움 같은 창조주의 도덕적 속성 일부를 언급함으로써 그의 선함을 확고히 할 수 있다고 주장한다. 그러나 이런 식의 사고는 문제가 심각하다. 비록 창조주가 존재하고 그런 속성이 있다고 알려져 있을지라도, 그렇다고 해서 우리 인간이 자비, 공정함, 자애가 진정한 덕목임을 이미 알지 못한다면 우리는 창조주가 선함을 알지 못할 것이다. 우리는 그 속성이 훌륭한 성품의 올바른 기준을 충족함을 아는 경우에만 창조주가 선한 것을 알 수 있을 것이다. 그런데 사랑과 자비와 정의는 실제로 인간 윤리 체계의 유효한 규범일 수 있다. 1장에서 논의했듯이, 그 규범들은 사람 존중이라는 기본 원칙을 구현하는 한 인간 윤리에서 유효한 기준이다. 이는 그 규범의 정확한 적용 범위가 사람들 사이의 관계라는 뜻이다. 따라서 그 규범이 인간 윤리에서 유효하다고 해서 인간이 동식물보다 우월함을 결정하는 데 쓰이는 것을 정당화하지 않는다. 인간과 동물과 식물의 창조주가 위계 순서로 그들을 배열하고 그렇게 하면서 사랑과 자비와 정의를 보여준 것이 사실일지라도, 이를 근거로 그렇게 배열된 존재들의 상대적인 본래적 가치에 대해 어떤 결론도 내릴 수 없다. 사랑과 자비와 정의가 인간 윤리 영역 내에서는 선함의 표시지만, 인간 권역을 넘어서는 관계의 영역에서도 반드시 그런 것은 아니다.

그렇다면, 신의 사랑, 자비, 정의가 인간 및 다른 생명체를 창조하고 그들에게 존재의 대사슬 상의 위치를 부여하면서 신의 선함을 드러내는 것이라는 주장은 어떨까? 이 주장의 기본적인 문제는 이렇다. 우리가 동물이나 식물의 관점을 취한다면, 그 존재를 열등한 존재로 만들고 인간에게 지배권을 부여한 신이 자애롭거나 자비롭거나 공정하다고 간주되지 않을 것이다. 그와 반대로 신이 편견을 가지고 있어서 한 종류의 생명체를 다른 종류보다 지지하는 것으로 보일 것이다. 동물이나 식물은 인간만큼 본래적 가치를 지니지 않으며 따라서 인간과 동등하게 배려 받을 자격이 없으므로 편견이 아니라고 답하는 것은 분명히 문제의 핵심을 회피하는 것이다. 최소한 창조주가 이렇게 동물과 식물을 격하한다면 모든 피조물에 대한 그의 사랑이 절대적이고 완벽하다는 생각에 의심이 생길 것이다. 다시 문제 전체를 회피하지 않고는 인간의 관점으로 보는 창조주의 선함에 호소하더라도 이 의심을 피할 수 없다. 먹을 식물과 우리를 위해 일할 동물을 우리에게 주신 신에게 감사하는 것은 그 피조물이 우리의 이익을 위해 지구에 있다고 가정하는 것이다. 동식물의 관점에서 보면 이는 신의 완전한 사랑도, 신의 자비도, 신의 정의도 확증하는 것이 아니다. 나는 존재의 대사슬이라는 형이상학적 그림이 근본적으로 인간 중심적이며 결과적으로 인간이 다른 생명체보다 본래적 가치가 더 크다는 주장을 정당화하는 데 쓰일 수밖에 없다고 결론짓는다.

(c) 르네 데카르트 철학의 이원론

인간이 본질적으로 우월하다는 관념의 세 번째 주요 역사적 기원은 르네 데카르트의 형이상학적 이원론이다. 이 견해에 따르면 동물과 식물은 몸만 있지만 인간은 몸에 더해 영혼이나 마음이 있기 때문에 동물과 식물보다 우월하다. 우리에게 이성과 자유 의지를 제공하는 것은 인간의 마음이며, 마음이 없다면 우리는 자동 장치, 즉 물리적 기계에 불과할 것이다. 실제로 동물이 정확히 그렇다. 그들의 실체가 오직 물질이기 때문에 그들은 우주 공간의 확장, 운동과 정지, 크기, 모양, 화합물 구성 등 물질의 속성만을 가진다. 그러므로 동물은 기본적으로 무생물 물체와 다르지 않다. 식물도 마찬가지다. 그들이 살아 있는 것은 (물질대사, 번식, 성장 등) 어떤 복잡한 과정이 그들 안에서 일어난다는 뜻일 뿐이다. 그들은 물리적인 것으로 의식을 경험하지 못한다. 데카르트는 말과 개 같은 동물이 고통을 느끼지 못하며 따라서 마취 없이 수술 받아도 고통이 없다고 생각하기까지 했다. 그들은 기계처럼 취급될 수 있다.

인간은 완전히 다른 범주의 존재에 속한다. 사람은 물리적인 몸에 더해 마음이 있다. 마음은 사람이 의도적 행동을 할 때마다 몸에 지시를 내린다. 마음은 또한 생각하고 상상하고 도덕적 판단을 내리는 능력이 있다. 사실, 마음에는 생각과 이미지를 떠올리고, 기쁨과 고통을 느끼고, 감정과 욕망을 가지며, 색깔을 인식하고, 소리를 듣고, 과거 사건을 기억하는 등등 우리가 즉각적으로 알아차리는 다양한 의식 경험이 모두 포함된다. 우리를 다른 모든 생명체와 구별하는 것은 우리의 마음이다. 동시에 우리가 의식적 인식 수준, 즉 짐승의 무의식적이고 기계적이며 단순히 물리적인 존재보다 뚜렷이 더 고상한 수준으로 존재하는 것은 마음 덕분이다. 그러므로 우리가 동물과 식물보다 본질적으로 우월함을 설명하는 것은 우리가 몸뿐 아니라 마음도 있다는 사실이다.

이 입장에는 주요한 문제가 세 가지 있는데, 나는 이들을 차례로 살펴볼 것이다. 가장 중요한 첫 번째 문제는 인간을 두 실체로 보는 견해에 관한 것이다. 사람의 마음과 몸이 두 가지 실체, 즉 완전히 다른 종류의 속성을 가지며 뚜렷이 구분되는 것인가? 데카르트의 형이상학에 따르면 마음은 어떤 공간도 차지하지 않으며 그렇기 때문에 어디에도 위치가 없는 생각하는 실체다. 그것을 몸 안에 존재하는 어떤 것으로도, 몸 밖에서 발견되는 것으로도 그려서는 안 된다. 그것은 공간과 전혀 관계 없다. 반면에 몸은 생각과 의식이 없는 삼차원의 고체다. 이런 식으로 사람의 마음과 몸을 생각한다면 두 실체가 어떻게 서로 연결되어 한 사람을 형성하는지 풀지 못할 문제에 부딪힌다. 어떤 사람이 무엇인가를 하기로 결정한 다음에 그 일을 한다면, 데카르트의 관점에서는 그 사람의 마음이 같은 사람의 몸에서 일어나는 특정 움직임을 야기한다고 본다. 하지만 어떻게 비물리적, 비공간적 실체가 우주 공간에 있는 어떤 것의 물리적 상태에 변화를 일으킬 수 있을까? 데카르트는 마음이 몸의 변화를 직접 일으키는 곳이 뇌의 어떤 지점이라고 생각했다. 이것은 마음이 공간에 위치를 갖지 않는다는 생각과 모순일 뿐 아니라, 화학적 속성이 없는 어떤 것의 직접적인 결과로 사람의 뇌에서 화학적 변화가 일어나야 하기 때문에 마음과 몸 사이의 연결을 이해 불가로 만든다. 그런데 사람이 무엇인가를 결정하고 그 일을 하는 것은 매일 일어나는 일이다. 마음과 물질이라는 형이상학적 이원론은 이렇게 흔히 일어나는 일에 대해 분명하고 일관되게 설명하지 못하기 때문에, 현대 철학자들은 대부분 사람이 물질적 실체와 어떤 식으로든 연결된 비물질적 실체라는 데카르트의 개념을 거부했다.

두 번째 문제는 인간과 다른 동물을 구별하는 데카르트의 방식과 관련이 있다. 동물은 오직 육체적 존재인 반면에 인간은 육체적 존재이자 정신적 존재이기 때문에 둘 사이에 절대적인 형이상학적 격차가 있다. 둘은 완전히 구별되고 전혀 다른 종류의 실체다. 그런데 이렇게 인간을 동물과 완전히 분리하는 것은 인간과, 영장류같이 유연 관계가 가까운 포유류에 대한 최근의 생물학적 지식에 역행하는 것 같다. 그런 포유류는 기쁨과 고통을 느낄 수 있다는 증거를 모두 보일 뿐 아니라, 그들의 외적 행동과 두뇌 및 신경계의 내부 구조는 모두 두려움, 분노, 흥분, 불안, 심지어 집단 내 다른 구성원에 대한 관심 등을 포함하여 여러 종류의 감정을 경험할 수 있음을 보여준다. 그들은 지능과 사고 능력도 있는 것으로 보인다. 수화를 가르치면 고릴라와 침팬지는 어휘를 어느 정도 습득하고 그들과 가까이 지내는 인간에게 자신의 의도와 원하는 바를 전할 수 있음이 밝혀졌다. 그들은 자기 정체성 감각까지 계발할 수 있는데, 이는 마음이 있다는 확실한 표시 중 하나로 여겨진다! 인간과 동물 세포에서 일어나는 분자 수준의 변화에 대한 생화학적 발견뿐 아니라 우리의 유전자 구성과 인간의 진화론적 기원에 대해 얻은 추가적인 지식을 고려에 넣으면, 우리 자신과 다른 동물 사이의 유사성은 부정할 수가 없다. 차이가 있지만, 차이는 종류의 문제가 아니라 정도의 문제로 보인다. 적어도 그 차이가 우리와 그들이 속한 두 존재론적 범주가 절대적으로 나뉘어 우리 자신이 동물로부터 철저히 근본적으로 분리된다는 데카르트의 견해를 뒷받침하는 것 같지는 않다. 데카르트의 이원론은 인간을 생물적 존재로 이해하는 최근 과학계 전반의 경향을 수용할 수 없다.

세 번째 문제는 우리 인간이 몸뿐 아니라 마음도 가지고 있기 때문에 동물보다 본래적 가치가 더 크다는 주장과 관련된 것이다. 비록 마음과 몸이라는 형이상학적 이원론에 문제를 제기하지 않더라도, 여전히 다음 문제는 직면해야 한다. 몸에 마음이 추가된다고 해서 본래적 가치 면에서 인간이 몸만 있는 존재보다 우월한 이유는 무엇인가?

마음 같은 것이 있다고 가정한다면, 인간이 마음 없이는 인간이 아닐 것이라는 말도 꽤 일리 있다. 마음은 인간의 특성을 가지는 데 필요하고 따라서 인간이 지닌 종류의 가치를 가지는 데도 필요하다. 하지만 마음은 인간 이외 동물에게는 필요하지 않다. 예를 들어, 데카르트의 견해에서 곰은 곰일 수 있고 마음이 없다. 곰은 마음이 필요하지 않다. 곰은 살아갈 수 있고 곰의 잠재력을 온전히 실현할 수 있다. 그렇다면 왜 곰은 잠재력을 실현하는 데 마음이 필요한 인간과 동일한 본래적 가치를 가지지 못할까?

생각 자체가 본질적으로든 도구적으로든 가치 있을 경우에만, 비물질 또는 생각하는 비물리적인 무엇인가가 생각하지 않는 어떤 물질에 가치를 더한다. 그런데 생각은 인간에게만 본질적으로 가치가 있어서 인간은 생각을 그 자체로 목적이라고 평가하고, 또한 생각은 생각을 이용하는 능력으로 혜택을 보는 자에게만 도구적으로 가치가 있는데 그들 또한 (데카르트의 견해에서) 인간뿐이다. 자신을 위해 생각을 즐기지도 않고 자신에게 가장 적합한 유형의 삶을 사는 데 생각이 필요하지도 않은 동물에게는 생각이 가치가 없다. 비록 모든 형태의 의식적 인식까지 포함하도록 '사고'의 범위를 넓히더라도, 생각하지 않고도 살아나갈 수 있고 그 종에 맞는 선한 삶을 살 수 있는 종이 모든 식물뿐 아니라 동물 중에도 많다.

우리는 다시 우리가 가지고 있고 다른 유기체에는 없는 어떤 것을 근거로 우월한 가치를 주장하는 것은 단지 인간 중심적 편견일 뿐이라고 결론지을 수밖에 없다. 이 여분의 것이 다른 유기체에게는 아무런 혜택을 주지 않음을 인정해야 한다. 고전적인 그리스 인본주의와 존재의 대사슬 개념보다 마음과 물질이라는 데카르트 이원론과, 인간과 다른 형태의 생명체를 구별하는 이 방식에서 인간 우월성 주장을 받아들여야 할 더 좋은 이유를 찾을 수 없다.

(d) 인간이 우월하다는 현대의 변론들

이제 나는 동물과 식물보다 인간이 우월하다는 관념에 대한 현대의 변론을 살펴볼 것이다. 루이 G. 롬바르디 교수는 동물과 식물에게 본래적 가치가 조금 있지만 인간보다 그 가치가 작다고 주장했다.[10] 그는 동물과 식물이 인간의 목적을 위한 수단으로서 도구적 가치만 있는 것처럼 그들을 대하는 것은 잘못이라고 주장한다. 그것은 그들의 본래적 가치를 무시하는 것이다. 그럼에도 불구하고 그는 동식물이 인간과 동등하게 배려받을 자격이 없다고 주장한다. 그들은 본래적 가치가 낮기 때문에 갈등이 있을 때 인간의 선을 인간 이외 존재의 선보다 중요시하고 우선하는 것이 옳다. 인간은 고등한 유형의 존재여서 선의 증진을 누릴 자격이 더 있다.

10. Louis G. Lombardi, "Inherent Worth, Respect, and Rights," Environmental Ethics 5/3 (Fall 1983): 257–270.

롬바르디 논문의 중심 주장은 다음과 같다. (1) 동물, 식물, 인간은 서로 다른 유형의 생명체다. (2) 이 유형은 능력의 범위에 따라 구별된다. (3) 개체의 능력 범위가 클수록 본래적 가치가 높다. 이 주장들과 (4) 인간이 동식물보다 역량의 범위가 더 넓다는 추가 주장을 기초로, 인간은 동식물에 비해 본래적 가치 면에서 우월하다고 결론을 내린다.

'범위'가 추상적 추론, 도덕적 판단, 심미적 창조성의 발휘처럼 다양한 종류의 능력을 말한다면, 인간의 능력 범위는 의심의 여지 없이 동식물의 능력을 넘어선다. 이 능력은 모두 생물적 능력(번식, 성장, 환경 적응 및 모든 생명체에 공통되는 다른 기능)이나 운동 및 휴식 같은 단순한 신체적 능력과 대조될 수 있다. 인간은 이런 생물적 능력과 신체적 능력에 더해 특별한 심리적, 도덕적, 인지적, 문화적 능력도 가지고 있다.

그런데 중요한 쟁점은 이것이다. 능력의 범위가 더 넓은 것이 본래적 가치가 더 큰 것과 관련이 있거나 그 근거가 되는 이유는 무엇인가? 이 연관성이 분명히 밝혀지지 않는 한, 인간에게 다른 종에서 발견되는 능력에 더해 추가적 능력이 있다는 단순한 사실에서 인간 우월성이라는 결론이 나올 수 없다.

본래적 가치의 수준을 결정하는 일반 원칙에 대해 롬바르디는 다음과 같이 말한다. (1) 다른 존재의 능력을 가지고 있고 (2) 다른 존재의 능력과 종류가 다른 능력이 더 있는 "어떤 유형의 존재"는 본래적 가치가 더 커야 한다.[11] 이 원칙이 타당하다고 옹호하면서 롬바르디는 "…이것은 본래적 가치의 근거를 밝히는 데 사용한 전략을 확장한 것일 뿐이다."라고 주장한다.[12] 생명체에는 무생물에 없는 능력이 있어서 본래적 가치가 부여되는 것과 마찬가지로, 서로 다른 종류의 생명체는 본래적 가치의 '수준'이 다른데, 여기서 생명체 종류를 구분하는 근거는 능력 범위의 차이다.

11. 같은 책, pp. 263-264

12. 같은 책, p. 264.

이 추론은 모든 생명체에서 (본래적 가치가 있는 존재라면) 본래적 가치의 근거가 무엇인지를 간과하고 있다. 그것은 그들이 지닌 능력이 아니다. 그보다는 능력이 특정 방식으로 조직화되어 있다는 사실이다. 능력이 기능적으로 서로 연결되어 있어서 유기체 전체가 고유의 선을 가지고 있으며 그 유기체는 고유의 선의 실현을 추구한다고 말할 수 있다. 이로운 것과 해로운 것, 좋은 것과 나쁜 것, 잘 살고 못 사는 것 등등의 개념이 그 존재에게 적용될 수 있어야 한다. 왜냐하면 그 존재가 고유의 선을 지님으로 인해 그 존재의 선이 도덕적 관심과 배려를 받을 가치가 있으며, 그 존재를 위해 그 선의 실현이 증진되고 보호되어야 한다고 의미 있게 말할 수 있기 때문이다. 모든 생명체가 어느 정도 본래적 가치가 있는 한, 각자 그 가치의 충분한 근거로 간주되는 고유의 선을 가지는 것은 단순한 사실이다. 롬바르디 자신도 생명체의 본래적 가치에 대한 충분한 근거를 이렇게 본다. 본래적 가치가 의미하는 바는 나와 마찬가지로 그에게도 이것이며, 이것은 (가치 있는 것으로 평가되기 때문에) 어떤 사람 혹은 집단에게 고유한 가치가 있는 것과 구별된다.

본래적 가치의 수준이 다른 근거로 생명체의 능력의 차이를 들 수 있는 추론은 찾아볼 수 없다. 어떤 사람들이 다른 사람들보다 본래적 가치가 더 크다는 것은 어떤 사람들의 선이 다른 사람들의 선보다 실현될 가치가 더 있다는 것이다. 유기체가 서로 다른 능력 범위에 따라 다양한 유형으로 분류될 수 있다는 사실이 결코 그런 차등적 가치 판단의 이유가 될 수 없다. 롬바르디가 말한 것처럼 존재의 본래적 가치는 인간의 평가가 조건이 되는 어떤 것이 아니라 그 존재가 추구하는 선이 있다는 사실에만 달려 있다고 추정하는 한, 능력 범위의 차이가 본래적 가치의 차이를 낳음을 보여줄 수 없다면, 어떤 존재의 능력 범위가 다른 존재들보다 넓다는 것은 이 문제와 아무런 관련이 없다. (예를 들어 식물과 단세포 원생동물처럼) 비교적 좁은 범위의 능력을 가진 생명체는 우호적인 환경 조건에서 그 능력을 구현함으로써 최적 수준으로 고유의 선을 실현할 수 있다. 그들은 그들 종의 생명체에게 좋은 삶을 살아가는 데 어떤 능력도 추가로 필요하지 않다. 단순히 (고유의 선을 실현하는 데 필요한 능력의 범위가 넓은) 사람들만큼 능력의 범위가 넓지 않기 때문에 그 능력이 경시되거나 낮은 등급을 받아야 하는 이유는 무엇인가?

롬바르디는 "…미국에서 자라는 아이의 안녕에 대한 관심에는 그 아이에게 글을 가르치는 것이 필요하고, 돼지의 안녕에 대한 관심에는 먹이가 적당히 있고 자유롭게 뛰어다닐 공간이 있는 곳에 다른 돼지와 함께 그들을 내버려두는 것만 필요하다."[13]라는 피터 싱어의 말을 인용한다. 우리에게 아이와 돼지의 안녕을 똑같이 배려해야 할 도덕적 의무가 있다면 요구되는 것은 바로 이것이다. 그들이 마땅히 받을 대우 방식의 차이는 아이의 선을 증진하는 것이 돼지의 선을 증진하지 않는다는 사실에서 비롯되며, 그 반대도 마찬가지다. 이는 아이와 돼지의 본래적 가치의 차이와 아무런 관련이 없다.

13. 같은 책, p. 265. 인용문의 출처는 다음 책이다. Peter Singer, Animal Liberation: A New Ethics for Our Treatment of Animals (New York: A New York Review Book, 1975), p. 6.

롬바르디가 제기한 두 번째 고려 사항은 그가 인간과 인간 이외 동물들 사이의 중요하고 유의미한 차이로 간주한 것과 관련이 있다. 그것은 인간이 도덕 행위자가 될 수 있는 일련의 능력이다.[14] 그는 동물이 그 능력 없이도 그들의 선을 실현할 수 있기 때문에 그 능력은 동물의 능력보다 (도구적 의미에서) 가치가 더 크지 않다고 인정한다. 그러나 그는 이 능력이 본래적 가치가 더 큰 근거라고 주장한다.

14. Lombardi, "Inherent Worth," pp. 265–266.

도덕 행위자라는 능력이 그 능력이 없는 존재에 비해 그 능력을 지닌 존재에게 본래적 가치를 더 크게 부여하는 이유는 무엇인가? 이 질문에 대한 대답에서 롬바르디는 인간은 도덕 행위자이기 때문에 권리를 가지는 반면, 동물과 식물은 그렇지 않다고 언급한다. (5장에서 동의하는 이유를 제시할 것인데) 비록 우리가 이 생각에 동의한다 해도, 인간이 동식물보다 가치가 더 크다는 결론이 뒤따르지 않는다. 그 이유는 다음과 같다.

롬바르디는 이렇게 설명한다. 도덕적 권리가 있다는 것은 생명과 자유 같은 확실한 것에 대해 유효한 도덕적 주장을 하는 것이다. 다른 사람들의 이익을 위해 또는 다른 사람들의 안녕을 증진하기 위해 이 도덕적 주장을 무시하는 것은 정당화될 수 없다. 최우선인 이 상태는 도덕 체계에서 권리가 수행하는 역할이다. 따라서 단지 동물이나 식물이 선을 실현하도록 돕고자 인간의 권리를 침해하는 일은 결코 정당화될 수 없다. 이 추론을 받아들인다면, 도덕적 권리를 가진 사람들의 이익을 그런 권리가 없는 존재들의 이익보다 더 중시하는 것이기 때문에 전자가 후자보다 본질적으로 우월함을 인정하는 것 아닌가? 이것이 롬바르디의 주장이다.

이 주장의 문제점은, 인간 윤리 체계 내에서 도덕적 권리 주장이 다른 모든 도덕적 고려 사항보다 우선하는데 불합리하게도 그런 권리가 인간과 인간 이외 존재의 관계에서도 비슷한 역할을 한다고 보는 점이다. 다른 도덕 행위자가 인정하고 존중할 의무가 있는 유효한 도덕적 권리가 나에게 있다는 사실이 내가 동물과 식물을 어떻게 대해야 하거나 그들로부터 어떤 대우를 받아야 하는지에 대한 어떤 규칙을 수반하지는 않는다. 동식물은 도덕 행위자가 아니기 때문에 그들이 나의 권리를 존중한다고 말하거나 존중하지 않는다고 말하는 것은 터무니없다. 인간의 권리는 동식물의 행동과 관련하여 어떤 역할도 하지 않을 뿐이다. 인간의 권리가 인간의 행동에 가하는 것처럼 동식물에 가하는 제약은 전혀 없다.

예를 들어, 인간의 생명권은 권리자가 다른 인간에 대해 가지는 유효한 도덕적 권리다. 이것은 다른 사람의 생명을 빼앗지 않을 부작위(하지 말아야 할—역자주) 의무와, 생명이 위협을 받는 경우 그 생명을 보호해야 하는 작위(해야 할—역자주) 의무가 뒤따르는 권리다. 도덕 행위자만 도덕 원칙과 규칙의 요구를 받기 때문에, 그 의무가 있는 존재는 마땅히 도덕 행위자여야 한다. 동물과 식물은 그런 의무가 있는 종류의 존재가 아니고, 따라서 잘못을 저지를 수도 없다. 그러므로 만약 그들이 어떤 경위로 사람이 죽게 된 원인이더라도, 그들이 사람의 생명권을 침해하는 잘못을 저질렀다고 판단하지 않는다. 이런 경우는 다른 사람의 죽음을 야기하면 도덕적인 면에서 희생자의 생명권을 침해한 것으로 보는 인간사의 살해 행위와 유사하지 않다.

그래서 인간의 권리는 동물에게 유효하게 주장할 수 있는 것이 아니다. 동식물은 비록 권리가 없더라도 여전히 인간과 동등하게 본래적 가치를 가질 수 있다. 동식물이 우리와 동등한 가치를 지닌다는 것은 일단 동료 인간에 대한 의무만큼 엄격한 의무를 동식물에 대해 진다는 의미다. 이는 다른 조건이 동등한 경우에 우리 자신의 선과 마찬가지로 동식물의 선에 도덕적 고려의 무게를 둔다는 뜻이다. 동식물의 선을 증진하는 것과 우리의 권리를 존중하는 것 사이에 피할 수 없는 충돌이 있을 때, 이것 자체가 모든 것을 고려하여 어떻게 해야 하는지를 알려주지는 않는다. (예를 들어, 종이 제품을 사용하는 우리의 자유권이 항상 종이 생산을 위해 잘리는 나무의 안녕을 무시하는 것인지는 내 생각에 분명하지 않다.) 언뜻 보기에 똑같이 엄격하고 유효한 구속력이 있는 의무가 상충한다면, 충돌을 해결하기 위한 공정한 방법을 찾기 위해 어떤 원칙에 호소해야 한다. 항상 동식물의 선을 희생하여 인간의 권리를 이행하는 것이 공정한 길임을 보여주지 않는 한, 어느 쪽이 권리를 가지고 어느 쪽이 권리를 가지지 못하는지에 대해 미리 결정된 원칙은 없다. 그러면, 인간 이외 존재의 선보다 인간의 권리를 항상 선호하는 원칙에 인간 이외 존재보다 인간의 본래적 가치가 더 크다는 명제가 수반될 것이다. 그러나 롬바르디는 권리 개념을 참조하여 이 명제가 참임을 입증하지 못했다.

지금까지 나는 다른 어떤 종류의 생명체보다 인간의 본래적 가치가 더 크다는 생각에 대해 주요한 역사적 출처 세 가지와 현대의 변론 한 가지를 검토했다. 의심의 여지 없이 서구 지성사에서 다른 출처와 주장을 찾아볼 수 있겠지만, 적어도 이 네 가지 예에 관한 한 개념적 혼란과 추론의 오류 때문에 이들을 받아들일 수 없음을 보여주었기를 바란다. 다른 시도가 더 낫지 않을 것이라고 추정한다면,[15] 본래적 가치에 관한 인간 우월성 주장은 널리 받아들여지지만 전적으로 근거 없는 우리 문화의 신념이라는 결론이 남는다. 주장을 확증하는 설득력 있는 이유 없이, (수백만 종 중에서 종 하나를 정의하는) 유전 체계 하나를 골라내고 그 장점이나 다른 것과의 관계를 무시한 채, 그것이 다른 어떤 유전 체계보다 가치 면에서 월등하다고 말하는 것은 독단에 가깝다.

그런데 어떤 주장에 근거가 없음을 보인다고 해서 그것이 거짓임을 증명하는 것은 아니다. 어떤 진술을 단언할 좋은 이유가 없다고 해서 그것을 부정할 좋은 이유가 있다는 뜻은 아니다. 따라서 인간 우월성 주장을 지지하는 논거를 비판한 것만으로 그 주장의 부정을 정당화하지 못한다. 그런데 자연을 바라보는 생명 중심 관점의 네 번째 요소는 인간 우월성을 부정하는 것이지 단순히 그 주장이 근거 없다고 단언하는 것이 아니다. 그렇다면 이 네 번째 요소를 어떻게 확립할 수 있을까?

내가 여기서 옹호할 명제는 이 장의 앞 부분에서 분석한 생명 중심 관점의 첫 번째 세 요소—인간이 지구 생명 공동체의 일원이라는 개념; 자연은 우리와 다른 모든 생명체가 함께 구성하는 상호 의존적인 시스템이라는 견해; 개별 유기체를 목적론적 삶의 중심으로 보는 현실 인식—를 받아들임으로써 인간 우월성 단언이 근거 없다는 것에서 그 부정으로 넘어간다는 것이다. 인간 우월성이 근거 없음을 인정하고 또한 생명 중심 관점의 이 세 가지 요소를 받아들인다면, 그 주장이 정당하지 않음을 알게 된다. 더 나아가 첫 세 요소를 받아들일 좋은 이유가 있음을 보일 수 있다면, 합리적이고 사실 정보에 깨어 있는 사람은 누구나 인간 우월성 주장을 거부해야 한다고 올바르게 결론지을 수 있다.

나는 엄격히 격식을 갖춘 연역으로 그 결론을 끌어낼 수 있다고 주장하지 않는다. 생명 중심 관점의 처음 첫 세 요소와 네 번째 요소 사이에

15. 인간이 우월하다는 신조는 나와 꽤 다른 주장을 펴는 세 가지 현대 연구의 강력한 공격을 받았다. "종 차별주의"에 반대하는 공리주의 사례는 Singer, Animal Liberation에서 찾아볼 수 있다. "종 차별주의"는 자신과 같은 종인 구성원의 이익을 위하고 다른 종인 구성원의 이익에 반대하는 편향된 태도나 편견"으로 정의된다. (같은 책, p. 7). 다른 철학적 맥락에서, 발 루틀리와 리처드 루틀리는 '인간 우월주의'를 지지하는 주장의 여러 실수와 혼동을 지적했다. K. E. Godpaster, K. M. Sayre, 엮음, Ethics and Problems of the 21st Century (Notre Dame, Ind.: University of Notre Dame Press, 1979), pp. 36–59에 실린 R. Routley, V. Routley, "Against the Inevitability of Human Chauvinism." 동물보다 인간이 우월하다는 관념에 대한 세 번째 비판은 Regan, The Case for Animal Rights, 7장과 8장에 있다.

논리적 함의 관계가 있음을 보여줄 수 있다고 믿지 않는다. ‘인간은 지구 생명 공동체의 일원이다’, ‘모든 생명체는 상호 의존이라는 질서로 서로 연관되어 있다’, ‘각 생명체는 목적론적 삶의 중심이다’ 라는 전제 세 가지에서 ‘인간은 다른 형태의 생명체보다 우월하다는 것은 사실이 아니다.’ 라는 부정적 진술이 논리적 필연으로 나오지 않는다. 내가 제안하는 논거는 비공식적인 것이다. 나는 다른 종보다 인간이 우월하다는 생각이 생명 중심 관점의 첫 세 요소에 담긴 자연과 생명에 대한 견해와 일관되게 들어맞지 않기 때문에 인간 우월성을 부정하는 것이 타당하다고 제안한다. 나는 개별 유기체의 삶에 대한 현실 인식 능력이 계발되어 있고 합리적이며 사실 정보에 깨어 있는 사람은 누구나 이 요소들을 모두 함께 총체적인 세계관으로 받아들일 만하다고 생각할 것이라고 본다. (이 점은 이 장의 다음 절에서 완전히 옹호될 것이다.)

그렇다면, 인간 우월성 부정은 결국 다음과 같이 정당화된다. 생명 중심 관점의 첫 세 요소의 시각으로 자연과 생명체를 본다면, 우리는 우리 자신을 다른 모든 생명체와 연대감을 깊이 느끼고, 그들과 공통 특성을 여럿 공유하며, 그들과 마찬가지로 우리 행성에 있는 자연의 생명 질서를 모두 아우르는 하나의 거대한 전체에 통합되어 있는 부분으로 볼 것이다. 그들 개별 삶의 현실에 초점을 맞출 때 우리는 그들 각각을 자기 고유의 방식으로 환경 상황에 반응하고 고유의 선의 실현을 추구하며 여러 면에서 우리 자신과 비슷한 존재로 본다. 이 개념 체계의 틀 안에서 인간이 우월하다는 생각은 불합리함을 발견한다. 이 개념 틀이 자연계를 바라보는 우리 자신의 방식이 되고, 인간이 우월하다는 생각이 근거 없음이 분명하다면, 우리는 그 생각에 대해 지적으로 중립적일 수 없으며, 우리의 총체적인 세계관과 근본적으로 모순인 그 생각을 거부할 것이다. 인간이 다른 모든 생명체보다 우월하다는 생각은 그것을 받아들일 만한 타당한 이유가 없다면 단순히 우리 자신에게 유리한 비합리적인 편향으로 보일 것이다. 그리고 한 종이 본질적으로 다른 종보다 우월하다는 주장에도 같은 방식으로 적용될 것이다. 그 주장은 생명 중심 관점의 첫 세 요소의 관점에서 보면 완전히 자의적이고 불합리해 보일 것이다.

인간 우월성 관념과, 더 넓게는 어떤 종이 다른 종보다 본질적으로 우월(또는 열등)하다는 생각을 거부하면, 그에 대응되는 긍정적 개념, 즉 종-공정성 원칙을 받아들이게 된다. 그것은 생명체가 속하는 종과 상관없이 일단 도덕 행위자의 동등한 관심과 배려를 받을 가치가 있다고 간주한다는 의미에서 모든 생명체는 동일한 가치를 지닌다고 여기는 원칙이다. 생명체의 선은 그 자체로 그리고 그 존재를 위해 보존되고 보호될 가치가 있다고 본다. 종-공정성 원칙을 지지하는 것은 고유의 선을 지닌 모든 존재가 본래적 가치를 가지며, 다른 존재보다 우월한 존재가 없으므로 본래적 가치가 동일하다고 간주하는 것이다.

3장에서 우리는 유기체가 본래적 가치를 지닌다고 보는 한 그 유기체는 도덕적 존중 태도의 적절한 대상으로 여겨지며, 그 태도는 행위자가 문제의 존재에 대해 취할 수 있는 유일하게 적절한 태도로 간주됨을 보았다. 따라서 인간 우월성을 (그리고 다른 어떤 종의 우월성도) 부정하고 종-공정성 원칙을 긍정할 때 생명 중심 관점은 자연 존중 태도와 연결된다.

자연 존중 태도를 합리적으로 정당화하는 내 주장 전체에서 결정적인 요인이 이제 밝혀졌다. 생명 중심 관점으로 볼 때 이 태도는 이해될 뿐 아니라 특별한 방식으로 지지를 받는다. 관점이 수용되면 이 태도는 사람이 지구 생명 공동체의 모든 야생 생명체에 대해 취할 수 있는 유일하게 적절한 태도임이 이해된다. 따라서 생명 중심 관점을 받아들여야 하는 훌륭한 이유를 보여줄 수 있다면, 그렇게 함으로써 자연 존중 태도를 취하는 것이 합리적 근거 위에 있음을 보일 수 있을 것이다. 다음 절에서는 생명 중심 관점을 받아들여야 하는 이유로 어떤 것이 있는지 명시하고, 그것들이 왜 좋은(건실한, 적절한) 이유인지를 밝히는 것을 목표로 삼는다.

6. 생명 중심 관점의 논거

생명 중심 관점을 구성하는 네 요소는 내적으로 일관된 방식으로 서로 잘 맞아서 우리 행성의 자연과 생명 전 영역을 총체적으로 바라보는 관점을 형성한다. 지구의 생물권 전체와 그 안에 있는 인간의 역할이 하나의 통일된 비전으로 망라된다. 생명 중심 관점은 자연계에 대한 일반 '지도'를 제공하고, 우리가 어디쯤 있으며 전체 계획과 어떻게 들어맞는지를 볼 수 있게 한다. 이 관점은 자연과 생명이라는 영역을 인간 존재의 무대로 제시한다. 우리의 역사, 문화, 생활 방식, 개인적 가치를 자연 환경과 진화론적 변화라는 더 넓은 배경에 비추어보게 한다. 우리는 인간 존재에 의미를 부여하는 모든 것이 자연과 생명의 주변 조건 덕분에 가능함을 알게 된다.

생명 중심 관점에서 보면 우리는 우리 자신을 생물적 존재로 본다. 우리의 특별한 능력이나 독특한 특성을 부정하지 않으면서도 우리가 동물의 한 종임을 온전히 인식한다. 인간 존재의 이 생물적 측면은 지구의 물리적 환경 및 그곳의 살아 있는 거주자들과 관련하여 우리의 행동 방식에 요구 조건을 붙이고 제약을 가한다. 거대한 생명 공동체의 다른 모든 구성원들과 일체임이 인정되고 확인된다.

생명 중심 관점은 또한 생태적 상황의 중요성을 알려준다. 우리는 우리와 지구를 공유하는 모든 종들과 함께 우리가 세계 질서에 통합된 부분임을 이해한다. 각 개별 유기체, 각 종-개체군, 각 생물 군집은 전체를 구성하는 요소이며, 자연계 질서의 모든 살아 있는 구성 요소들은 기능적으로 독립된 단위로서 서로 관계를 맺고 있다. 이 점에서 인간도 다른 생명체들과 전혀 다르지 않다.

게다가 우리가 생명 중심 관점을 받아들일 때, 그리고 우리가 그 관점에서 자연계와 생명을 볼 때, 우리는 각 생명체의 매순간 존재를 예리하고 명확하게 인식한다. 특정 유기체에 주의를 집중하면 우리가 개체로서 그 유기체와 공유하는 어떤 특징이 드러난다. 우리 자신과 마찬가지로 다른 생명체도 목적론적 삶의 중심이다. 그들의 행동과 내적 과정은 그들의 선의 실현을 중심으로 어떤 경향성을 끊임없이 형성한다. 우리의 선의 내용과 우리가 선을 추구하는 수단이 그들과 다르더라도, 우리의 삶과 그들의 삶에서 실증되는 목적론적 질서는 우리 모두에게 공통되는 근본적인 현실을 의미한다. 더욱이 인간이든 아니든 각 유기체의 특이성은 주어진 상황에서 일상을 살아가는 특정한 방식에서 분명히 드러난다.

마지막으로, 우리 자신 및 다른 생명체에 관해 앞에서 말한 모든 신념이 형성되는 개념 틀 안에서 우리는 모든 동물 종을 공정하게 본다. 그러면 어떤 존재도 다른 존재보다 더 가치 있다고 간주하지 않는다. 그리고 우리 인간이 우리 자신의 이익을 추구하는 기회에 내재적 가치를 부여하는 것과 마찬가지로, 우리는 동식물의 선의 실현도 그 자체로 가치 있다고 간주한다. 도덕 행위자로서 인간이든 아니든 마찬가지로 고유의 선을 지닌 모든 존재의 선을 동등하게 배려해야 하는 도덕적 의무가 우리 자신에게 있다고 본다. 한 존재의 선이 다른 존재의 선과 상충할 때, 우리는 그 갈등을 해결하기 위한 길을 찾는 초기 단계에서 편견을 버려야 하는 의무를 인식한다. 모두 동일한 본래적 가치를 지닌다고 간주하므로, 우리는 각 존재를 마땅히 동등하게 도덕적으로 존중해야 한다.

이 설명은 자연을 바라보는 생명 중심 관점을 받아들이는 것이 어떤 의미인지를 요약한 것이다. 어떤 추론으로 그 관점의 합리적 수용 가능성을 보여줄 수 있을까? 이 질문에 대답하고자 나는 다음과 같은 논거를 제안한다. 우선 생명 중심 관점이 철학적 세계관을 받아들이는 잘 정립된 기준에 합당함을 보여줄 것이다. 그 다음에 도덕 행위자는 합리적이고 사실 정보에 깨어 있으며 현실 인식 능력이 계발되어 있는 한, 자연을 바라보는 자신의 관점을 정하는 근거로 그 기준을 채택할 것이라고 주장할 것이다. 따라서 추론은 뚜렷이 구별되는 두 단계로 진행되는데, 첫 단계에서는 일단 도덕 행위자가 받아들일 만한 것으로 만드는 생명 중심 관점의 특성을 지적하고, 그 다음에 그 특성이 도덕 행위자가 그 관점을 받아들이는 것을 실제로 정당화하는 이유를 보여줄 것이다.

전체적으로 살펴보면, 생명 중심 관점에는 철학적 세계관의 수용 가능성을 판단하기 위한, 잘 정립된 고전적 기준을 충족하는 일련의 특성이 있다. 그 기준은 철학사에서 발견되는 전통적 기준이다. 그 기준은 다음과 같다.

(a) 포괄성과 완전성

(b) 체계적 질서, 일관성, 내적 일치

(c) 모호함, 개념적 혼란, 의미의 공허함이 없음

(d) 알려진 모든 경험적 사실과 일치함

이 기준은 세계관의 전반적인 적절성과 충족도를 점검하는 기능을 한다. 나는 이를 생명 중심 관점에 적용하면 이 기준이 완전히 충족됨을 알 수 있다고 제안한다.

(a) 포괄성과 완전성

생명 중심 관점의 범위는 우리 행성의 자연 생태계, 생물 군집, 그리고 이들 생태계 및 생물 군집과 인간의 관계로 제한되지만, 이 관점은 중요하거나 관련 있는 것을 남김 없이 망라하여 포괄적인 시각을 제공한다. 지구상 자연과 생명 영역에 대해 전반적인 철학적 시각을 제공한다. 그 시각에서 보면 우리는 그 세계의 모든 핵심적인 특징에 대해 통일된 전망을 얻는다. 더 나아가 그 세계의 구조는 유기체들 사이의 관계 및 유기체들과 환경의 관계 패턴으로 분명히 표현된다. 따라서 우리는 그 세계의 질서 전체를 파악하고 그 안에 있는 우리의 '위치'를 알 수 있다. 마지막으로, 우리가 이해하기에 생명 중심 관점에서 제시되는 자연과 생명에 관한 그림에는 심각한 간극이 전혀 없다. 이 관점은 다루어야 할 현실 영역에 관한 충분히 적절한 세계관이다

(b) 체계적 질서, 일관성, 내적 일치

전체적으로 생명 중심 관점의 내적 일관성은 이 장에서 다룬 네 가지 구성 요소에 대한 설명과 각 구성 요소 사이의 관계에서 분명해야 한다. 논의가 계속됨에 따라 모든 요소가 요소들 내 불일치점이 없을 뿐 아니라, 서로 강화하는 방식으로 서로 잘 맞음이 분명해졌다. 논리적으로 공식적인 체계는 아니지만, 일련의 생각들을 모아서 체계화하며, 그렇게 연결된 생각들은 의미가 통한다. 이런 이유로 나는 종종 이 관점을 신념 체계로 언급했다. 이 관점은 잘 정리된 일련의 개념과 명제로 구성된다. 특히 주목할 점은 네 번째 요소(인간 우월성 부정)가 다른 세 가지와 연결되고 지지를 받는 방식이다. 그러나 각 요소는 전체 체계 속에서 적절히 조화를 이루어 결과적인 사고 체계는 우리 행성의 자연과 생명 영역에 대해 일관성 있고 통일된 설명을 제시한다.

(c) 모호함, 개념적 혼란, 의미의 공허함이 없음

생명 중심 관점의 신념 체계에는 여러 추상적 개념과 (어떤 철학적 세계관에서도 발견되는) 광범위한 일반화가 있지만, 이 생각과 신념은

상당히 명쾌하고 정확히 서술될 수 있다. 관점 전체가 물리학과 생물학의 과학적 발견에 확고히 뿌리를 두고 있기 때문에, 모호한 개념과 막연한 추상화라는 결함이 없다. 인간 우월성에 관한 논의처럼 가치 판단과 규범 원칙이 도입될 때는, 명료하게 또 모호하지 않게 표현된다. 현실과 존재에 대한 진술은 공허하거나 중복적인 주장을 하지 않는다. 불명확한 용어, 혼란스러운 이미지 또는 도움이 되지 않고 오해의 소지가 있는 비유에 부딪히지 않는다. 오히려 이 관점은 자연계와 우리의 위치에 대한 이해를 증진하고 우리의 초점을 예리하게 만든다.

(d) 알려진 모든 경험적 사실과 일치함

생명 중심 관점과 과학 지식의 관계는 이 장에서 자주 제기되었다. 이 관계에는 부정 측면과 긍정 측면이 있다. 부정 측면은 물리학과 생물학의 현재 지식을 기반으로 확인할 수 있는 한 이 관점의 신념 체계에 경험적으로 거짓인 명제가 없다는 점이다. 긍정 측면은 과학 지식이 이 관점의 신념 체계에 '정보를 제공'한다고 할 수 있다는 점이다. 이것은 신념 체계의 경험적 또는 사실적 내용이 물리학과 생물학에서 계속 진행 중인 발견에 달려 있으며, 그에 따라 형성된다는 의미다. 과학이 발전함에 따라 생명 중심 관점도 수정된다. 경험적 내용은 새로운 관측, 새롭게 확립된 가설, 새롭게 설명하는 이론을 수용하여 끊임없이 확장된다. 과학에서 혁명이 일어난다면, 생명 중심 관점에서도 혁명이 일어날 것이다. 따라서 이 관점은 항상 과학적으로 깨어 있으면서 자연계를 이해하는 방식을 제시할 것이다. 경험적 세계의 질서와 사물에 대한 설명에서 생명 중심 관점은 과학계 자체뿐 아니라 과학 정보를 잘 아는 사람들도 모두 받아들일 것이다.

생명 중심 관점에 대한 앞선 설명이 정확하다고 가정하면, 지적한 특성들은 그 관점의 수용을 정당화하는가? 그 관점을 추천하며 우리의 동의를 구하는가? 처음에는 그런 것처럼 보일 수 있다. 그러나 실제로 보여준 것은 그 관점이 표준, 즉 철학적 세계관으로 수용 가능성을 판단하는 데 필요한 확립된 기준을 충족한다는 것이다. 이제 분명히 밝혀야 할 것은 그 표준, 즉 확립된 기준이, 이상적인 조건에서 세계관을 받아들이는 도덕 행위자가 하나의 특정 세계관을 자신의 것으로 채택할 때 사용된다는 점이다. 바꿔 말하면, 세계관 선택의 이상적 조건은 도덕 행위자가 행위자로서 행동할 현실 영역을 이해하는 자신의 방식으로 하나의 세계관, 즉 다른 것이 아니라 그것을 선택할 때 가능한 최선의 위치에 놓이는 것이다.

문제의 이상적 조건에는 세 가지, 즉 사고와 판단의 합리성, 사실에 대해 깨어 있는 상태, 현실 인식 능력의 계발이 있다. 이제 각 조건을 간략히 살펴본 다음 그 조건이 왜 도덕 행위자를 이상적으로 역량 있는 평가자로 만드는 특징인지를 제시할 것이다. 논증은 이상적으로 역량 있는 평가자라는 개념과 위에서 말한 세계관 수용 가능성에 대해 확립된 네 가지 기준 사이의 연관성을 보여줌으로써 결론을 내릴 것이다.[16]

사고와 판단의 합리성은 꽤 밀접하게 서로 관련된 여러 능력과 성향을 다룬다. 우선 객관성, 즉 내려야 할 결정과 관련 있는 근거와 모든 탐구자들이 참작할 수 있게 열려 있는 근거만 고려하는 능력과 성향이 있다. 객관성은 논증의 장점을 누가 제공하든 제공자의 동기가 무엇이든 관계없이 논증의 장점만을 고려하는 성향을 의미한다. 어떤 세계관에 대해서든 찬성 이유와 반대 이유를 검토할 때 객관적 평가자는 감정에 호소하는 일을 모두 피한다. 객관성은 무심함 또는 판단할 때 공평무사한 성향과 유사하나. 평가자는 어떤 세계관을 받아들이는 것이 자신이나 가족, 친구, 사회 집단, 인종, 성별 또는 다른 특정 계층의 이익에 유리하다는 사실에 흔들리지 않는다.

16. 완벽히 합리적이고 깨어 있고 현실을 인식하지 못하는 사람들은 왜 그들이 이상적으로 합리적이고 깨어 있고 현실을 인식한다면 전념하게 될 일을 해야 하는가? 이 질문에 대한 답은 사람들이 그런 이상적인 조건에서 받아들일 것에 실제로 전념함을 보여주는 데 있다. 이 문제는 David Zimmerman, "The Force of Hypothetical Commitment," Ethics 93/1 (April 1983): 467-483에서 잘 논증하고 있다.

이상적으로 합리적인 평가자의 다른 특성은 이른바 논리성(유효한 추론의 규칙에 따라 연역적으로 추론하는 능력과 성향)과 '신념의 합리성'(좋은 증거가 있을 때만 그 증거가 보증하는 개연성 수준에 비례하는 정도의 확신으로 사실에 기반한 신념을 지키는 능력과 성향)이다. 합리적인 평가자는 또한 사고가 명쾌하고 예리하며, 평가하는 세계관의 내용을 이해할 때 명료한 개념을 강조하는 성향이 있다.

합리성에는 이런 능력과 성향뿐 아니라 다른 두 가지, 즉 비판적 숙고와 판단의 독립성이 포함된다. 이상적으로 합리적인 평가자는 어떤 세계관의 장점을 판단할 때 심사숙고하며 비판할 것이고, 대상과 사건 영역을 설명하는 의미와 적절성에 대해 끊임없이 의심하고 의문을 제기할 것이다. 판단의 독립성은 스스로 생각하고 추론자로서 충분히 자율성을 발휘하는 능력과 성향이다. 합리적인 평가자는 다른 사람이 제안한 추론을 단순히 받아들이지 않을 것이고, (권위자가 모든 탐구자들이 스스로 검토하고 평가할 수 있게 열려 있는 상태로 이유를 제시하지 않는 한) 권위자의 어떤 호소도 거부할 것이다.

합리성의 이런 다양한 특성들은 철학적 세계관의 수용을 어떻게 정당화하느냐는 문제와 모두 관련이 있다. 이미 보았듯이 세계관은 광범위한 영역, 즉 대상과 사건의 '세계'를 포괄하는 현실이라는 일반 개념을 제공하는 신념 체계이다. (일부는 존재 전체, 존재하는 영역 전체를 포괄한다.) 어떤 세계관을 받아들이는 것은 사람이 존재하고 행동하는 세상을 특정 방식으로 이해하는 것이다. 이 이해에는 인간 삶의 경험과 상황을 포함하여 대상과 사건의 구조와 질서에 대한 전반적인 그림, 즉 '지도'가 포함된다. 그런데 그 신념 체계를 받아들일 좋은 근거가 있는지 여부를 결정하려면, 역량 있는 평가자가 되는 것이 필요하다. 위에서 말한 여러 의미에서 합리적이라는 것은 그 의사 결정 분야에 필요한 역량의 한 측면이다. 왜냐하면 평가되는 신념 체계의 내용을 구성하는 모든 개념과 명제, 이유와 원칙을 명확히 그리고 완전히 파악해야 하기 때문이다. 그렇게 파악하려면 객관적으로, 공평무사하게, 논리적으로, 정보를 근거로, 명쾌하게, 비판적으로, 그리고 자율적으로 생각할 능력이 있고 그렇게 하는 성향이 있어야 한다. 완벽하게 유능한 세계관 평가자가 되려면 그런 역량과 성향이 합리적으로 사고하고 판단할 수 있는 이상적인 수준이어야 한다.

이상적으로 유능한 평가자의 일반적인 두 번째 조건은 단순히 모든 관련 사실에 대한 경험적 지식이 잘 정립되어 있는 것이다. 주어진 상황에서 관련 사실은 수용 가능성을 판단하고 있는 세계관을 구성하는 신념 체계의 일부이거나 그 전제이며 경험적으로 확인 가능한 사실이다. 경험적 지식을 가지는 것은 정도의 문제이기 때문에, 고려 중인 모든 대안적 세계관의 경험적 내용에 관한 가능한 모든 증거에 기초하여 충분히 견문이 넓고 사실에 깨어 있는 이상적인 조건을 생각할 수 있다.

이 조건이 세계관의 수용 가능성 평가에서 이상적으로 유능한 평가자의 자격 요건인 이유는 꽤 분명하다. 사람은 자신이 무엇을 판단하고 있는지를 철저히 아는 경우에만 적절히 판단할 수 있으며, 이 경우 결정을 내리는 세계관의 내용이거나 그 전제가 되는 것은 무엇이든 다 알아야 한다.

세 번째 이상적인 조건은 도덕 행위자가 개별 유기체 삶에 대한 현실 인식을 강화하는 능력을 말한다. 문제의 유기체는 세계관이 단언하는 대상 모두다. 또한 그들은 도덕 행위자의 세계관 수용 여부에 따라 삶의 조건이 좋아지거나 나빠지는 쪽으로 영향을 받는 모든 유기체다. 행위자가 세계관을 받아들이는 순간 그들의 실제 삶은 직접 영향을 받는다. 그 신념 체계는 근본 태도의 바탕을 이루고 그 태도를 지지하며, 태도는 다시 행위자의 선택과 행동을 이끄는 규범 원칙으로 표현된다. 이런 식으로 세계관은 생명체를 위하는 결과를 낳는다.

이상적으로 유능한 평가자의 한 가지 요건인 개별 유기체의 현실 인식 문제는 생명 중심 관점의 세 번째 구성 요소와 관련하여 앞에서 설명했다. 각 생명체의 개체성 인식이 강화되는 상태가 그 개체의 행동과 환경 상황을 가까이서 관찰함으로써 어떻게 계발되는지를 보았다. 그것은 그 특정 삶의 중심이 되는 것의 의미를 더욱 충분히 그리고 더 깊이 인식하는 것이다. 그리하여 그 개체의 관점을 취하고 그 관점에서 세상을 상상으로 바라볼 수 있다. 그렇게 되면 그 능력을 바탕으로 그 개체의 선의 실현에 무엇이 이롭고 무엇이 해로운지 정확히 판단할 수 있다.

이상적으로 유능한 평가자에게 이런 인식 능력이 필요한 이유는 무엇인가? 그것은 이런 현실 인식이 평가 대상인 세계관의 수용과 관련된 모든 것에 대해 평가자의 이해를 높이기 때문이다. 그리하여 두 번째 조건인 사실에 깨어 있는 상태를 넘어서는 지식을 갖추게 한다. 유기체의 실제 삶은 세계관의 신념 체계에서 직접 언급되거나 그 수용으로 영향을 받을 것이기 때문에, 세계관 평가와 관련된 모든 것을 알려면 유기체 삶의 현실에 관해 이렇게 특별한 종류의 지식이 필요하다.

이제 논증의 두 번째 단계를 진행할 순서다. 이번에는 완전히 합리적이고, 깨어 있고, 현실을 인식하며, 따라서 세계관 수용 가능성의 유능한 평가자인 도덕 행위자가 앞에서 논의한 다음 기준을 평가의 기본으로 사용할 것임을 보여주어야 한다. (a) 포괄성과 완전성; (b) 체계적 질서, 일관성, 내적 일치; (c) 모호함, 개념적 혼란, 의미의 공허함이 없음; 그리고 (d) 알려진 모든 경험적 사실과 일치함.

이상적으로 유능한 평가자가 이 기준을 세계관의 전반적인 적절성 평가에 사용하는 이유를 알려면 다음 질문을 우리 자신에게 던져볼 필요가 있다. 평가자는 세계관의 수용 가능성을 결정하기 위해 그 세계관에서 무엇을 확인할 것인가? 그들은 분명히 그 세계관이 다루게 되어 있는 현실의 중요한 모든 측면을 완전히 설명하는지, 아니면 부분적인 전망만 제시할 뿐인지 알고자 할 것이다. 또한 그 세계관이 전체 체계에서 차지하는 인간 존재의 역할이나 위치를 파악할 수 있게 세계 질서에 대한 해석을 제공하는지 알고자 할 것이다. 이 문제에서 포괄성과 완전성은 수용 가능성의 주요 기준에 포함될 것이다.

다음으로는, 논리를 근거로 삼는 합리적인 평가자는 내적으로 일치하지 않는 신념 체계를 즉시 거부할 것이다. 그러나 신념 체계의 여러 명제와 원칙이 일관된 방식으로 서로 지지하며 명확히 설명되고 통일된 전망을 구성한다면, 일관되고 질서 잡힌 구조가 없는 세계관보다 이 세계관을 선호할 것이다. 일관성, 체계적 질서, 내적 일치는 유능한 평가자가 적용할 기준이다.

모호함, 개념적 혼란, 의미의 공허함이 없는 조건은 명료하게 생각하며 자신의 생각을 명쾌하고 정확하게 표현하려는 성향이 확고한 사람들의 판단에서 자연스럽게 주요 요소가 될 것이다. 신념 체계의 개념을 명확히 밝히고 신중히 설명하며 유용하게 구별해내고 이해를 돕는 방식으로 적용하는 만큼, 그 세계관은 유능한 평가자의 호평을 받을 것이다.

마지막으로, 세계관이 경험적으로 알려진 모든 사실과 일치할 뿐 아니라 과학적 발견과 진보에 의해 사실 정보가 풍부한 점에 대해, 유능한 평가자는 자신들이 사실에 대해 깨어 있고 현실 인식 능력이 계발되어 있기 때문에 이 특성이 적절하다고 볼 것이다. 거짓된 신념을 포함하거나 개별 유기체의 삶에 관해 부적절하게 설명하는 세계관은 그들에 의해 어떤 것도 수용 불가능한 것으로 밝혀질 것이다.

나는 이상적으로 유능한 세계관 평가자라면 앞에서 열거한 확립된 기준을 실제로 사용할 것이라고 결론짓는다. 이것이 인정된다면 우리는 우리 행성의 자연과 생명 영역에 대한 세계관으로 생명 중심 관점을 받아들이는 것이 정당함을 완전히 논증한 것이다. 왜냐하면 생명 중심 관점이 문제의 기준을 높은 수준으로 충족하고 있음을 보았기 때문이다. 그 기준이 다름아닌 이상적인 유능한 평가자들이 세계관을 받아들이는 바로 그 조건이기 때문에, 생명 중심 관점은 그 문제를 다룰 최선의 위치에 있는 사람들에 의해 수용 가능하다고 판단될 것이다. 그러므로 내가 보기에 자연을 바라보는 생명 중심 관점은 철학적 관점에서 볼 때 그 영역에서 받아들일 수 있는 세계관이라고 단언하는 것이 타당하다.

여기서 생명 중심 관점이 증명되지 않았다는 점을 강조해야 한다. 그것은 증명할 수가 없다. 나는 그 정당성을 입증하기 위해 사용할 수 있는 유일한 종류의 추론이 이 절에서 보여준 것이라고 생각한다. 세계관은 공식적인 연역 체계도 아니고, 설명하는 과학 이론도 아니기 때문에 순수한 논리도 경험적 확인 절차도 적절한 방법이 아니다. 우리는 세계관의 전반적 적절성을 판단하는 데 연역적 타당성과 귀납적 개연성 평가가 적용되는 것을 보았다. 그런데 이것은 합리적 정당화라는 더 긴 과정의 일부다. 내가 논증에서 설명하고 적용하려고 시도한 것은 그렇게 더 긴 과정이다. 이 주장이 지지를 받는다면, 우리는 적어도 합리적으로 확신을 가지고 도덕 행위자가 자연을 바라보는 생명 중심 관점을 받아들일 만한 좋은 이유가 있다고 단언할 수 있다.

생명 중심 관점은 자연 존중 태도를 뒷받침하고 지지하며 명료한 이해를 돕기 때문에, 앞의 주장은 지구 자연 생태계의 모든 야생 생명체에 대해 그런 태도를 취하는 것도 정당화한다. 우리 행성의 생물권 전체 및 생물권과 인간의 관계를 생명 중심 관점의 네 요소 측면에서 이해할 때, 존중 태도는 자연계와 그곳의 살아 있는 거주자들에 대해 도덕 행위자가 취할 수 있는 유일하게 적절한 태도임을 앞에서 보았다. 따라서 도덕 행위자가 생명 중심 관점에 담긴 세계관을 받아들일 만한 근거가 있다면, 마찬가지로 도덕 행위자가 자연 존중 태도를 취할 만한 근거도 있다. 이것이 내가 옹호하는 환경 윤리 체계 전체의 기초가 명백하고 그 체계가 철학적으로 건실함이 밝혀지는 방식이다.

4장

윤리 체계

1. 행위의 기본 규칙

이 책에서 옹호하는 환경 윤리 이론의 세 요소 중 둘, 즉 생명 중심 관점과 자연 존중 태도는 상세히 검토되었다. 우리에게 남은 것은 세 번째 구성 요소로, 도덕 행위자가 생명 중심 관점을 받아들이고 자연 존중 태도를 취한다면 그를 이끌 기준과 규칙 체계를 살펴보는 것이다.

2장에서 보았듯이, 도덕 행위자는 자연 존중 태도를 지녔을 때 일련의 규범적 원칙에 동의하고 그것을 따르며 책임을 진다. 원칙에는 훌륭한 성품의 기준 및 올바른 행위의 규칙이 모두 포함된다. 성품이 기준을 충족하고 행위가 규칙에 부합하는 만큼 성품과 행위에서 존중 태도가 구현되거나 표현된다. 실제로 그런 기준과 규칙이 부과하는 윤리적 요구 사항을 인정하고 그것을 책임감을 갖고 준수하는지 여부에 따라 그 사람의 진실성과 도덕적 헌신의 깊이가 드러난다.

규칙과 기준은 질서 정연한 원칙 체계를 구성하는데, 나는 이 장에서 그 내용에 대해 상세히 설명할 것이다. 편의상 먼저 행위의 규칙과 우선순위 원칙을 논의할 것이다. 그 다음에 좋은 성품의 기준과, 다양한 행위 규칙과 관련된 덕목의 유형을 살펴볼 것이다.

우선 주목해야 할 것은 제시하는 규칙이 서로 다른 유형의 의무를 명시하는 원칙이라는 점이다. 이 원칙들 자체가 도덕 행위자가 특정 상황에서 해야 할 바를 항상 결정하는 것은 아니며, 모든 것이 고려되어야 한다. 다시 말하자면, 의무의 규칙은 우리가 수행하거나 자제하도록 도덕적 요구를 받는 행동의 일반적인 유형을 다룬다. 반대되는 의무가 없나면 그 규칙은 특정 상황에서 우리가 하거나 하지 말아야 할 도덕적 요구 사항을 결정한다.

둘이나 그 이상의 상반되는 규칙이 적용되는 상황에서 우리는 의무의 충돌에 직면한다. 그렇게 되면 우리는 모든 것을 고려해도 무엇을 해야 할지 알지 못한다. 그 상황에서 해야 할 행동을 결정하려면, 우리는 선택의 여지가 있는 대안 중에서 어느 쪽의 도덕적 이유가 가장 중요한지 밝혀야, 다시 말하자면, 상충하는 의무 중에서 어느 것이 다른 모든 것보다 우선인지를 알아야 한다. 그것은 우선순위 원칙에 따라 규칙을 정리해보면 알 수 있다. 그 원칙에 기초하여 정당한 사유를 근거로 주어진 상황에서 어떤 의무가 다른 의무보다 더 중요한지 판단할 수 있다. 이 절에서는 의무의 기본 규칙만 논의할 것이며, 우선순위 원칙은 다음 절에서 다룰 때까지 미뤄둘 것이다.

의무가 충돌하는 또 다른 상황은 유효한 환경 윤리 체계의 규칙이 유효한 인간 윤리 체계의 규칙과 맞설 때다. 이 경우 자연 생태계의 동식물에 대한 의무를 수행하면 동료 인간에 대한 의무를 다하지 못하게 되고, 후자를 수행하면 인간 이외 존재에 대해 요구되는 것을 행하지 못한다. 심지어 자연 존중 윤리의 규칙에 대해 받아들일 만한 우선순위를 정했다고 해도 우리는 여전히 그 체계와 인간 윤리 영역에서 우리를 구속하는 규칙들 사이에서 우선순위를 결정해야 한다. 나는 6장에서 이 문제를 길게 분석하고 인간 윤리와 환경 윤리 사이의 충돌을 해결하고자 몇 가지 제안을 할 것이다. 따라서 어떤 상황에서는 아래에 열거하는 의무보다 도덕 행위자의 인간에 대한 의무가 더 중요시될 수 있음을 논의에서 잊지 말아야 한다. 자연 생태계에서 동식물을 파괴하거나 해치지 않을 의무가 있다는 사실은 모든 것을 고려하더라도 어떤 상황에서도 그런 행동을 결코 해서는 안 된다는 의미는 아니다. 그것은 우리의 의무를 무시하는 행동을 정당화하는 타당한 도덕적 이유 없이 그런 행동을 해서는 안 된다는 뜻이다. 그 이유는 환경 윤리 및 인간 윤리 범위를 넘어서는 더 일반적인 우선순위 원칙뿐 아니라 환경 윤리 체계 내의 우선순위 원칙에서도 도출될 수 있다.

이제 환경 윤리 영역의 의무 네 가지를 제시하고 검토할 것이다. 이는 자연 존중 윤리에서 유효한 모든 의무에 대해 철저히 설명하려는 것이 아니다. 이 분야의 의무를 완벽히 명시하는 것이 가능한지도 의심스럽다. 아무리 그렇다 하더라도 여기 의무를 열거함으로써 일상 생활에서 전형적으로 발생하는 더 중요한 일들을 다루려고 한다. 나는 나중에 우선순위 원칙에 대한 논의와 연결하여, 이 규칙이 명시적으로 또는 명쾌하게 다루지 않는 상황에서는 체계 전체의 바탕이자 핵심인 자연 존중 태도와 생명 중심 관점에 의거해야 한다고 제안할 것이다. 올바른 행동은 네 가지 규칙에서 다루든 다루지 않든 항상 자연 존중 태도를 표현하는 행동이다. 또한 생명 중심 관점의 다양한 구성 요소에 비추어 우리가 승인할 수 있는 행동이어야 한다. (이 주제는 이 장의 다음 절에서 계속 다룰 것이다.)

네 가지 규칙은 (a) 무해의 규칙, (b) 불간섭의 규칙, (c) 신의의 규칙, 그리고 (d) 보상적 정의의 규칙이라고 부를 것이다.

(a) 무해의 규칙

이것은 고유의 선을 지닌 자연 환경 속 존재를 해치지 않을 의무다. 여기에는 유기체, 종-개체군, 또는 생물 군집의 선을 심각하게 해치는 행동을 자제할 의무뿐 아니라, 유기체를 죽이지 않고 종-개체군이나 생물 군집을 파괴하지 않을 의무도 포함된다. 아마도 자연 존중 윤리에서 가장 큰 잘못은 우리를 해치지 않는 어떤 존재에게 해를 입히는 것이다. (우리에게 해로운 유기체를 다루는 윤리 문제는 자기 방어 원칙이라는 주제로 6장에서 고려할 것이다.)

여기서 무해의 개념은 이행하지 않거나 의도적으로 자제하는 것이다. 이 규칙은 부작위 의무를 정의하며, 도덕 행위자가 어떤 종류의 행동을 자제할 것을 요구한다. 유기체에게 닥칠 해를 방지하거나 유기체가 겪는 고통의 완화를 돕는 등 어떤 행동의 이행을 요구하는 것이 아니다. 그런 행동은 유기체의 선을 보호하거나 증진함으로써 그 개체를 이롭게 한다는 주제에 더 적합하다. (이것은 보상적 정의의 규칙에서 논의할 것이다.)

무해의 규칙은 도덕 행위자가 행하는 해롭고 파괴적인 행동을 금지한다. 이는 다른 생명체에게 해를 입히거나 죽음을 초래할 수 있는, 인간 이외 동물의 행동이나 식물의 활동에는 적용되지 않는다. 예를 들어 털발말똥가리가 들쥐를 덮쳐서 죽인다고 가정해보자. 여기 도덕적 잘못은 없다. 매의 행동은 의도적인 것으로 생각될 수 있지만, 그것은 도덕 행위자의 행동이 아니다. 따라서 무해 규칙의 범주에 속하지 않는다. 털발말똥가리는 어떤 의무도 지지 않기 때문에 어떤 의무도 어기지 않는다. 다음으로, 수년에 걸쳐 서서히 나무를 덮고 마침내 죽이는 덩굴식물을 생각해보자. 목표 지향적 움직임이 있지만 물론 의도적 행동이 아닌 덩굴 식물의 활동에는 도덕적 잘못이 없다. 덩굴 식물은 도덕 행위자가 아니므로 나무를 죽인 것에 도덕적 속성이 전혀 없다.

이제 대조적인 다음의 경우를 생각해보자. 매를 부리는 사람이 야생에서 잡은 송골매를 훈련시켜 그의 지시에 따라 야생 조류를 쫓고 잡고 죽이게 한다고 치자. 이 경우에는 다른 야생 유기체를 해치면서 스포츠를 즐기기 위해 유기체를 통제하고 조작하는 인간의 행위가 있다. 인간이 행위를 한 것이다. 비록 실제로 죽이는 행동은 송골매가 해도, 그리고 송골매가 죽이는 새들이 자연의 먹잇감일지라도, 잘못은 행해지고 있고 송골매에 의한 것이 아니다. 의무 규칙을 어긴 것은 송골매의 행동이 아니라, 애초에 송골매를 포획하고 훈련시키고 자신의 즐거움을 위해 지금 송골매를 이용하는 사람의 행동이다. 송골매가 야생 상태에서 멀어졌기 때문에 이 행동은 불간섭 규칙도 어겼다고 덧붙일 수 있다. 이제 의무의 두 번째 규칙으로 넘어가보자.

(b) 불간섭의 규칙

이 규칙에는 두 종류의 부작위 의무가 있는데, 하나는 개별 유기체의 자유를 제한하지 않는 것이고, 다른 하나는 개별 유기체뿐 아니라 생태계 전체와 생물 군집에 대해 '손 떼고 있기' 정책을 요구하는 것이다.

첫 번째 의무에 관해 말하자면, 이와 관련된 개별 유기체의 자유 개념은 3 장에서 어느 정도 상세히 분석했다. 그 분석에 따르면, 자유는 제약이 없는 것이고, 제약은 동물이나 식물의 정상적인 활동과 건강한 발달을 막거나 방해하는 조건이다. 이 의미로 본다면, 환경에 성공적으로 적응할 수 있는 능력을 약화하거나 손상하거나 파괴할 수 있는 네 가지 유형의 제약 중 어느 것도 존재 자체와 주변 상황에 없을 때 그 존재는 자유롭다. 자유롭다는 것은 이런 제약으로부터 자유로운 것이고 본성의 법칙에 따라 자신의 선의 실현을 추구할 자유가 있다는 것이다. 제약의 유형 네 가지는 다음과 같으며 각각에 대해 몇 가지 예를 든다.

(i) 외적 양성 (우리, 덫)

(ii) 외적 음성 (물이나 먹을 것이 없음)

(iii) 내적 양성 (질병, 섭취된 독, 흡수된 독성 화합물)

(iv) 내적 음성 (손상된 기관이나 조직으로 인해 약하고 불능인 상태)

우리 인간은 이런 제약 일부를 직접 가하거나 그들에게 제약으로 작용하게 될 환경 변화를 야기함으로써 동식물의 자유를 제한할 수 있다. 어느 쪽이든, 알고도 그 일을 한다면 우리는 불간섭 규칙을 어기는 죄를 범하는 것이다.

이 규칙에 속하는 두 번째 의무는 야생 생물들로 하여금 그들의 삶을 자유롭게 살게 할 의무이다. 여기서 자유의 의미는 제약이 없는 것이 아니라 단순히 야생 상태로 존재하도록 허용되는 것이다. 개별 유기체에 대해 우리는 그들을 얼마나 잘 대하든 상관없이 그들을 포획하거나 자연 서식처에서 떼어놓지 말아야 할 의무가 있다. 심지어 자연의 위험에서 꺼내주거나 야생에서 병든 후에 건강을 회복시켜줌으로써 그들을 '구한다' 하더라도 우리는 불간섭 의무를 위반한 것이다. (그렇지만 그 생명체를 가능한 한 빨리 야생으로 되돌려놓을 의도로 그런 일을 하고, 그 의도를 충분히 이행한다면 의무를 위반한 것이 아니다.) 예를 들어, 자연 생태계에서 어린 나무나 야생화를 가져가 조경한 땅에 이식한다면, 그들을 잘 돌보고 그리하여 야생에서 사는 것보다 더 오래 더 건강하게 살게 했든 그렇지 않든 우리는 불간섭 규칙을 어긴 것이다. 그들이 자유롭게 살게 내버려두지 않음으로써 잘못을 저지른 것이다. 이와 같은 모든 상황에서 우리가 자연계에 침투하여 유기체의 야생 생물로서의 존재에 마침표를 찍는다. 우리의 조치가 그들을 강하게 만들고 성장을 촉진하며 오래 건강하게 살 기회를 높인다고 해도 그것은 중요하지 않다. 야생 동물이나 야생 식물로서의 지위를 파괴함으로써 그들의 삶에 대한 우리의 간섭은 그들이 자연에서 누리는 자유를 완전히 부정하기에 이른다. 따라서 아무리 우리의 행동이 '친절' 해 보이더라도, 우리는 불간섭 규칙이 금지하는 것을 행하는 것이다.

더욱 중요한 것은 불간섭 규칙이 종-개체군 전체와 생물 군집의 자유에 적용될 때이다. 이들에 대한 간섭 금지는 자연 생태계를 조작, 통제, 변형 또는 '관리' 하려고 해서는 안 되며, 그 외 정상 기능에 개입해서도 안 된다는 의미다.[1] 종-개체군의 자유는 개체군이 세대에서 세대로 자신을 보존하는 자연의 법칙과 같은 과정에 인간이 전혀 개입하지 않는 상태다. 생물 군집 전체의 자유는 시간이 지남에 따라 생물 군집을 구성하는 모든 종-개체군이 생태적 관계의 변화를 겪는 자연의 법칙과 같은 과정에 인간이 전혀 개입하지 않는 상태이다. 불간섭 의무는 개입을 자제함으로써 생물적으로 생태적으로 조직된 야생 유기체 집단의 자유를 존중하는 것이다. 다시 말하자면, 개입의 동기가 종-개체군의 생존을

1. 톰 레건은 그의 에세이 "환경 윤리의 본질과 가능성"에서 윤리 체계를 제시하지 않았지만 다음과 같은 규칙을 내놓았는데, 그 규칙은 나의 무해의 규칙보다 다소 광범위하지만 본질을 꿰뚫는다. 그는 그것을 "보전 원칙"이라고 부르며 다음과 같이 설명한다. "*자연에서 본질적으로 가치 있는 것을 칭송하는*

'도우려는' 열망이나 생물 군집의 '자연적 불균형을 바로잡으려는' 열망에서 비롯된 경우에도 이 의무는 유효하다. (과거에 인간이 자연을 침입한 탓에 거의 멸종 위기에 처한 종을 보호하려는 시도와, 과거에 인간이 활동한 결과로 해를 입은 생태계의 생태적 안정성과 균형을 되돌리려는 시도는 보상적 정의의 규칙에 해당되는 경우이고, 윤리적으로 올바른 것일 수 있다. 이 경우는 해당 규칙에서 다룰 것이다.)

불간섭 의무는 무해의 의무와 마찬가지로 순수하게 부작위 의무다. 개별 유기체나 유기체 집단에 대해 어떤 행동을 수행할 것을 요구하지 않는다. 우리는 그들을 내버려둠으로써 야생의 자유를 존중하라는 요구를 받을 뿐이다. 물론 그들 중 일부는 자연의 경쟁자와의 싸움에서 질 것이고, 또 다른 일부는 자연적 원인들로부터 오는 피해에 시달릴 것이다. 그러나 도덕 행위자로서 우리의 적절한 역할에 관한 한, 우리는 '손을 떼고' 있어야 한다. 불간섭 규칙을 엄격히 지키는 행위를 통해 우리는 자연계가 온전하다는 심오한 생각을 드러내는 것이다. 심지어 (지진, 번개로 인한 화재, 화산 폭발, 홍수, 극심한 가뭄 등) 자연 재해 때문에 생태계 전체가 심각하게 교란된 경우에도 우리는 의무를 지켜야 하며 손상을 복구하려는 시도로 개입해서는 안 된다. 결국 우리 행성의 오랜 생명 역사에서 자연 재해 (일부 특정 유기체나 유기체 집단의 관점에서 볼 때 '재해')는 항상 많은 생명체를 죽음에 이르게 하고 해를 입혔다. 실제로 자연 선택이라는 바로 그 과정이 계속해서 멸종을 야기한다. 재해 후에는 항상 재조정이 서서히 진행되어 종-개체군 사이에 새로운 관계가 생겨난다. 이 질서에 대한 개입을 자제하는 것은 자연 존중 태도를 표현하는 방식인데, 우리는 그렇게 함으로써 애초부터 지구 생명의 '이야기' 였던 신화적 변화 과정을 인정하는 것이며 그 인정은 당연하다.

이 일반적인 불간섭 규칙은 공평무사한 원칙의 문제다. 우리는 특정 종-개체군을 좋아하기 때문에 또는 그들이 우리에게 혜택을 주기 때문

존중에서 보전 원칙이 나온다. '보전 원칙'은 비파괴, 무해, 그리고 일반적으로 불간섭 원칙을 의미한다. 게다가 나는 그 특성을 원칙 면에서 분석함으로써, 보전(그대로 둠)이 도덕적 명령으로 간주되어야 한다고 강조한다." (이탤릭체는 레건의 표시임.) Regan, "The Nature and Possibility of an Environmental Ethic." *Environmental Ethics* 3:1 (Spring 1981): 31–32을 볼 것. 레건은 다음을 예로 든다. "따라서 내가 야생의 콜로라도 강 줄기를 본질적으로 가치 있다고 간주하고 각 구역에 감탄하고 강을 존중한다면 나는 그 구역을 파괴하는 것이 잘못이라고 생각한다. 나는 강 문제에 간섭해서는 안 된다고 생각한다." (32쪽) 레건은 나아가 보전 원칙이 인간 이익을 고려하여 무시될 수 있다면 환경 윤리 원칙이 아닐 것이라고 말한다. 따라서 레건은 "환경 윤리가 어떠해야 하는지를 설명하면서 인간 중심주의에 반대하는 입장을 취한다.

에 그들을 돕고 싶을 수 있다. 그러나 불간섭 규칙은 우리가 그들을 어떻게 대하느냐는 방식의 문제에서 개인적 선호와 인간적인 관심사를 옆으로 제쳐 둘 것을 요구한다. 자연 존중은 자연계가 생명 영역 전체에 걸쳐 적절한 질서를 충분히 유지할 수 있음을 인정한다는 의미다. 이는 자연을 우리가 적합하다고 보는 대로 사용할 수 있는 거대한 소유물로 보는 인간 중심 견해와 정반대다.

어떤 의미에서 자연 생태계, 야생의 생명체, 진화의 전 과정에 대해 존중 태도를 지니는 것은 자연에서 잘못되는 것이 아무것도 없다고 믿는 것이다. 심지어 생물 군집 전체가 파괴되거나 한 종이 멸종되는 것도 무엇인가 잘못되었다는 증거가 아니다. 그 사건의 원인이 자연계 자체 내에서 발생했다면, 부적절한 일이 일어난 것이 아니다. 특히 유기체가 고통을 겪고 죽는다는 사실 자체는 인간이 고통과 죽음의 원인과 전혀 관련이 없는 경우라면 인간의 시정 조치를 요구하지 않는다. 고통과 죽음은 자연 질서의 한 부분이다. 그러므로 현 상황에서 곧 닥칠 한 종 전체의 멸종이 자연적인 원인에서 기인했다면 우리는 그 종을 보존하기 위해 자연에서 일어나는 일련의 현상을 막으려고 해서는 안 된다. 그런 일련의 사건은 우리 행성의 생물 군집을 현재의 상태로 만든 법칙의 지배를 받는다. 생물 군집을 존중하는 것은 그것을 낳은 법칙을 존중하는 것이다.

자연 질서가 충분하고 온전함을 이렇게 존중하는 것에 더해, 불간섭 원칙에 내포된 두 번째 윤리 원칙이 있다. 그것은 종-공정성 원칙으로, 특정 종을 다른 종보다 선호하고 자신이 선호하는 종을 대신하여 개입하고 싶어하는 성향의 사람들에 대해 균형추로 작용한다. 상황은 여러 방식으로 드러난다. 첫째, 야생 생물 사이의 포식자-먹이 관계에 대한 사람들의 반응을 생각해보자. 아프리카 평원의 들개가 영양을 쓰러뜨리고 살아 있는 상태에서 복부부터 먹기 시작하는 것을 보면 사람들은 먹이에게는 연민을, 포식자에게는 반감을 느낀다. 사람은 도덕적 판단을 내리는 경향이 있어서 들개는 사납고 잔인하며, 영양은 무고한 희생자라고 생각한다. 또는 뱀이 둥지에 있는 새끼 새를 죽이려고 하는 상황을 생각해보자. 뱀은 사악하다고 인식되고, 어린 새는 그런 운명에 처할 이유가 없어 보인다. 식물의 삶도 이렇게 편향된 방식으로 본다. 사람들은 덩굴 식물에 '칭칭 감긴' 거대한 나무를 보면 마음이 불편하다. 그리고 세균이 원인인 질병의 경우, 거의 모든 사람들이 유기체 안에서 살고 있는 세균의 관점에서 상황을 보기보다는 병에 걸린 유기체의 편에 서는 경향이 있다. 그러나 우리가 생명 중심 관점을 받아들이고 진정으로 자연을 존중한다면, 우리는 포식자와 먹이, 기생체와 숙주, 질병 원인균과 병든 생명체 사이에서 엄격히 중립을 유지하게 된다. 이 싸움에서 한쪽 편을 들어, 도덕적 입장에서 사악한 동물과 못된 식물이 무고한 희생자를 학대하는 경우로 생각한다면, 야생의 모든 생명체를 존중하는 태도를 포기하는 것이다. 이는 어떤 생명체의 선을 다른 생명체보다 가치가 더 큰 것으로 중요시하는 것이다. 이는 자연계 모든 생명체의 본래적 가치가 동일하다는 존중 태도의 기본 전제와 어긋난다.

종-공정성 원칙은 논리적으로 불간섭 규칙과 연결된다. 그에 따라 우리는 특정 유기체의 선을 증진하기 위해 다른 유기체를 희생시키는 등, 자연의 일련의 사건에 개입해서는 안 된다. 실질적인 고려 면에서 특별히 중요한 것으로, 우리에게 혜택을 주는 생명체를 대신하여 개입해서는 안 된다는 의무가 있다. 생명 중심 관점을 수용함으로써 자연의 질서 전체를 객관적으로 바라볼 때, 우리는 인간의 이익과 인간의 가치를 관심의 중심에 두는 관점을 포기하게 된다. 자연 존중은 종과 상관없이 기써의 각 유기체의 관점을 취하고 그 선의 관점에서 세상을 바라보는 것이다. 이렇게 생각하면 불간섭 규칙은 자연 존중이라는 도덕적 태도를 구현한다고 볼 수 있다.

(c) 신의의 규칙

이 규칙은 도덕 행위자에 의해 속거나 배신당할 수 있는 야생 상태의 개별 동물과 관련된 인간의 행위에만 적용된다. 신의의 규칙이 부과하는 임무는 범위가 한정적이지만 매우 많은 사람들이 어기는 경우가 잦으므로, 자연 존중 윤리의 기본 원칙 중 하나로 이 규칙을 따로 연구할 필요가 있다.

이 규칙에는 야생 동물이 (행동에서 보여지듯이) 우리에게 가지는 믿음을 깨지 않고, 속거나 오도될 수 있는 동물을 속이거나 오도하지 않고, 사람의 과거 행동을 기초로 형성된 동물의 기대에 부응해야 하며, 동물이 사람을 믿게 되었을 때 동물에게 알려진 사람의 의도에 충실해야 한다는 의무가 포함된다. 우리는 야생 동물과 서로 합의에 이를 수는 없지만, 우리에 대한 그들의 신뢰를 불러일으킬 수 있는 방식으로 행동할 수 있다. 신의의 규칙이 부과하는 기본적인 도덕적 요구는 우리가 그 신뢰에 계속 충실해야 한다는 것이다.

규칙을 위반하는 가장 명백하고 흔한 예는 사냥, 덫 놓기, 낚시에서 찾아볼 수 있다. 실제로 사냥, 덫 놓기, 낚시를 잘하는 (즉, 좋은 결과를 얻는) 열쇠는 신뢰를 깨는 것이다. 해칠 의도로 속이는 것이 핵심이다. 그러므로 그런 활동에 참여해야 할 중대한 도덕적 이유가 없다면, 그 행동은 자연 존중 윤리에 따라 비난을 받아야 한다. 그 행동 자체가 유효한 도덕 규칙을 위반하는 것이므로, 그런 잘못을 정당화하는 중대한 도덕적 이유의 근거는 공평무사한 원칙에 기초한 것이어야 한다. 모든 위반 경우와 마찬가지로, 규칙 위반의 정당화는 도덕적으로 유효한 우선순위 원칙에 따라 수립된 신의의 규칙보다 확고히 우선하는 상위의 더 엄격한 의무에 호소함으로써만 가능하다.

곰이나 사슴 사냥을 가는 사람은 가능한 한 조용히 드러나지 않게 삼림 지대를 걸어갈 것이다. 오리 사냥꾼이라면 안 보이게 숨어서 미끼를 던지고 흉내 내는 소리를 이용할 것이다. 물론 어느 경우든 목적은 포유동물이나 새의 사정 거리 안으로 들어가는 것이다. 동물이 접근해오면 사냥꾼은 가만히 기다리다가 소총을 들어 조심스럽게 겨냥할 것이다. 첫째, 야생 동물은 위험을 모른 채 행동하고, 둘째, 사냥꾼은 계획적으로 동물을 슬쩍 오도하여 동물이 위험을 눈치채지 못하게 하고, 셋째, 사냥꾼은 즉시 동물을 죽일 목적으로 이렇게 하는 명백한 상황이다. 전 과정이 동물을 함정에 빠뜨리고 배신하는 행위다. 동물은 의심하지 않도록 조종된다. 자신의 선의 관점에서 보면 매우 중요한 환경 내 무엇인가를 인식하지 못한다. 사냥꾼의 행위 패턴 전체의 목적은 동물의 신뢰를 이용하는 것이다. 동물은 위험을 인식할 수 있지만 본능적으로 부상 당한 동료를 도우러 가는 상황에서 때때로 이용 당한다. 사냥꾼은 이를 알고 동물을 배신하는 데 이용한다. 그리하여 도요새 사냥이 한동안 법적으로 허용되었을 때 사냥꾼은 새 한 마리를 다치게 만들고 내버려두어 동료 새 수백 마리를 유인하곤 했다. 이런 식으로 사냥꾼은 수많은 도요새를 쉽게 '습득' 했다. 오늘날까지도 비슷한 수법이 새들을 속이는 데 이용된다. 까마귀 사냥꾼은 까마귀의 신음 소리를 녹음해서 들판에서 울리게 한다. 녹음 소리에 이끌린 까마귀들은 쉽게 사냥의 표적이 된다. 사냥의 이런 측면은 일부의 지엽적인 일탈이 아님이 재차 강조되어야 한다. 스포츠 사냥의 짜릿함과 즐거움은 대부분 동물을 의심하지 않게 만드는 기술에 도전하는 것이다. 속임수가 똑똑할수록 사냥꾼의 기술은 올라간다.

다음으로 덫의 경우를 생각해보자. 덫은 '표적' 동물이 지나갈 것으로 예상되는 위치에 놓이고 은폐된 상태로 동물의 주의를 끈다. 대부분의 덫에는 미끼가 달려 있어 동물들을 안으로 유인한다. 이 상황에서 사용되는 '미끼' 와 '유인' 이라는 바로 이 용어는 신뢰의 배신을 함의하고 있다. 동물을 덫으로 유인하기 위해 미끼를 놓는 것은 목적을 갖고 고의로 생명체와의 신뢰를 저버리는 것(신의 없음)이다. 합법적인 덫으로 인해 오늘날 미국에서 야생 생물이 얼마나 많이 죽고 있는지 알리고자 여기 메모를 추가한다. (대부분 동물의 다리 하나를 붙잡는 철제 덫을 사용한다. 어떤 동물은 고통과 공포로 자신의 다리를 물어뜯고 도망쳤다.) 다음의 수치는 미국 애리조나주의 조류와 사냥감 관리국이 한 시즌(1980-81) 동안 덫에 걸린 털 있는 종의 총 수를 발표한 것이다. 코요테 14,871, 회색 여우 26,150, 키트 여우 2,897, 보브캣 9,696, 호랑이꼬리고양이 3,289, 오소리 1,127, 너구리 839, 스컹크 4,063, 비버 83, 사향쥐 2,939마리.[2] 때로는 식량을 구하거나 농작물과 가축을 보호하기 위해 덫을 놓기도 하지만, 최근에는 거의 전적으로 모피 시장에 팔아서 재빨리 이윤을 남기기 위한 일이었다.

2. Defenders (Magazine of Defenders of Wildlife) 56/5 (October 1981): 45.

신의의 규칙을 위반하는 것이 사냥과 덫 사용에서 핵심이듯이 낚시에서도 그렇다. 낚시꾼이 쓰는 유인용 먹이, '낚시용 미끼' 와, 심지어 단순히 낚시줄을 흔들거나 확 잡아당기는 행동의 목적은 물고기를 끌어들이고 낚아채는 것이다. 숙련된 낚시꾼은 ('낚시꾼의 운' 을 제외하면) 물고기를 가장 효과적으로 속여서 그들을 배신할 수 있는 사람이다. 육지의 포유동물과 공중의 새가 야생 동물인 것과 마찬가지로 물고기가 야생 동물임을 간과해서는 안 된다. 물고기는 자연 생태계에 존재하기 때문에 그리고 (조류, 포유류, 파충류, 양서류, 갑각류, 곤충 및 기타 생명체와 함께) 동물계에 속하기 때문에 야생 동물이다. 일반적으로 낚시를 사냥과 같은 방식으로 보지 않는 것은 주로 물고기의 생태계가 수면 아래에 숨겨져 있기 때문이다. 그러나 스쿠버다이빙이나 스노클링을 해본 적이 있다면 해저 환경이 어떤지 보았을 것이다. 지구의 육지 표면에 있는 생명체들과 마찬가지로 온갖 종류의 해양생물, 동물과 식물이 모두 함께 자연 생태계에서 살고 있다. 종들은 각각 자신의 '생태적 지위'와 특정한 서식지가 있다. 먹이 사슬, 이동 패턴 및 복잡하게 기능하는 생태계의 여러 측면이 모두 수면 아래에 있다. 육지가 기반인 인간이 호수나 강이나 바다의 수면을 응시하면서 물밑 세계의 이미지를 마음 속에 분명히 그릴 수 있다면, 아마도 낚시의 윤리적 측면이 더 진실되게 분명히 보일 것이다.

이는 사냥, 덫, 낚시의 대상인 동물에게 속임을 당하지 않을 권리가 있는지 여부의 문제가 아니다. 동물은 속이는 자가 유리하도록 속임을 당하는 것이고, 이 자체가 속이는 자가 동물의 본래적 가치가 없거나 자신보다 낮은 것으로 간주한다는 표시다. 어느 쪽이든 자연 존중 태도와 양립할 수 없다. 물론 사냥꾼, 덫 놓는 사람, 낚시꾼도 종종 자신들이 동물을 매우 존중한다고 말한다. (커다란 물고기가 낚시 바늘에 걸린 뒤 낚시줄을 잡고 그 물고기를 끌어들이기 위해 몇 시간씩 요트에서 '분투'하는 사람을 생각해보라. 그들은 물고기의 '투쟁 정신'을 칭송할 것이고 물고기를 매우 존중한다고 주장할 것이다.) 그러나 동물을 존중한다는 그 주장의 의미는 모두 인식적 존중이 아니라 평가적 존중이 분명하다. 동물은 다양한 탁월함이나 장점 때문에 칭송받고 높이 존중되는데, 그 특성 덕분에 사냥과 덫 놓기와 낚시가 흥미진진한 도전이 된다. 그러나 평가적 존중은 어떤 것이 그것의 장점 때문에 얼마나 존중되느냐는 문제다. 2장에서 보았듯이, 본래적 가치와 그에 적절한 인식적 존중은 장점의 크기에 따라 평가적 존중의 정도가 다르다는 생각과 선명하게 대조된다.

사냥, 덫 놓기, 낚시는 신의의 규칙 외에도 무해와 불간섭의 규칙 또한 중대하게 위반한다. 그런 관행이 도덕적 근거로 정당화될 수 있는지 여부는 6장에서 다룰 쟁점인데, 환경 윤리 의무와 인간 윤리 의무의 충돌 문제는 6장에서 분석하고 해결할 것이다. 인간 생존에 필수적인 식량이나 의복을 구할 수 있는 유일한 수단이 사냥이나 덫이나 낚시인 상황이라면, 그 행동이 도덕적으로 허용될 수 있다. 그 행동을 정당화하는 윤리 원칙은 사람 존중에 기초한 인간 윤리 체계와, 인간 이외 존재에 대한 무해, 불간섭, 신의의 의무보다 인간을 부양할 의무가 중요하다고 보는 우선순위 원칙에서 나올 수 있다. 그러나 사냥과 낚시가 스포츠나 오락을 위해 행해진다면 그 행동은 동일한 근거로 정당화될 수 없다. 나는 생존형 사냥 및 낚시를 스포츠 사냥 및 낚시와 분리하는 문제를 6장에서 계속 다룰 것이다.

그런데 동물의 신뢰를 깨고 속이지만 환경 윤리 체계 안에서 정당화되는 경우가 있다. 이 경우는 동물의 선을 증진하는 폭넓은 행동에 속임수를 써야 하는 단계가 필요할 때이고, 그 폭넓은 행동은 보상적 정의의 의무를 수행한다. 신뢰를 깨는 것이 더 큰 고통을 줄이거나 동물에게 닥칠 심각한 해를 방지하는 데 절대적으로 필요한 일시적 조치라면, 그 행동이 보상적 정의의 사례로 필수적일 수 있다. 환경 윤리에 적용되는 보상적 정의라는 개념에 대한 고려는 잠시 제쳐두고, 몇몇 사례를 살펴보는 것이 도움이 될 것이다.

회색곰이 인간 거주지와 가까운 곳에서 배회한다고 가정해보자. 사람뿐 아니라 (곰을 죽여달라는 사람들의 요구로 인해) 곰에게도 닥칠 해를 막기 위해, 곰을 속이고 무해한 진정제 화살을 쏜 다음에 의식이 없는 동안 곰을 멀리 떨어진 자연 보호 구역으로 옮길 수 있다. 다른 예는 아프거나 부상당한 동물을 살아 있는 상태로 포획하고 동물병원으로 데려가 치료한 다음 완전히 회복되었을 때 동물을 야생으로 돌려보내는 사례다. 또 다른 예는 멸종 위기에 처한 몇몇 종의 새들이 잡혔을 때 그들이 가둬진 상태에서 새끼를 키울 수 있게 하는 경우다. 이는 그 종의 멸종을 방지하려는 노력으로 이후에 어린 새들을 자연 서식지에 풀어주는 것이다.

인간이 포유류와 조류의 야생 상태를 침해하는 이 행동은 불간섭 규칙과 신의의 규칙을 모두 어기는 것이다. 그러나 이들 생명체에 대한 대우는 전체적으로 존중 태도와 일치한다. 그들은 이용되지 않으며, 오히려 야생 생물로서 존재를 유지할 기회를 얻는다.

신의의 규칙이 절대적으로 금지하는 것은 동물을 해치면서 윤리와 관계없는 인간의 이익을 증진하기 위한 수단으로 계획적으로 동물의 신뢰를 유도하거나 동물이 위험을 인식하지 못하는 상황을 이용하는 것이다. 인간과 동물 사이에 합의가 필요없었음을 재차 밝힌다. 동물은 상황이 위협적이거나 위험하다고 의심하지 않기 때문에 특정 방식으로 행동하고, 인간은 그것을 안다. 실제로 인간은 최선을 다해 그가 꾸미는 위협이나 위험을 동물에게 숨길 수 있다. 그리하여 동물이 그런 속임수에 이용될 때, 그 동물은 인간의 목적을 위한 수단으로 취급되는 것이다.

우리는 여기서 자연 존중이 명백히 부정되는 것을 쉽게 볼 수 있다. 사냥꾼과 낚시꾼은 종종 야생의 종-개체군과 생물 군집에 혜택을 주는 자연 보호 구역을 지지(하고 비용을 지불)하기 때문에 자신들이 진정으로 자연을 존중한다고 주장한다. 사실 공공이든 민간이든 '야생 생물 은신처'를 많이 확보한 것도 노력한 결과다. 야생의 동식물들이 혜택을 입었다. 이 주장에서 간과되는 것은 자신에게 이익이 되고 우연히 다른 존재에게도 도움이 되는 어떤 일을 하는 것과, 다른 존재를 이롭게 하는 것이 행동의 궁극적인 목적인 어떤 일을 하는 것의 차이다. 사냥꾼과 낚시꾼은 자연 환경에서 게임용으로 물고기와 새와 포유동물을 끊임없이 공급해줄 영역만 보호되기를 원한다. 실제로 스포츠맨은 종종 '그들의(스포츠맨의)' 동물을 잡아먹고 사는, 게임용이 아닌 동물을 죽이기를 촉구한다. 예를 들어, 그들은 알래스카에서 사냥용으로 많은 수의 말코손바닥사슴을 확보할 수 있도록 늑대를 '관리'해 달라고(방법은 헬리콥터에서 총을 쏘는 것임) 주 정부 공무원을 설득했다. 사냥꾼과 낚시꾼이 야생 생물의 진정한 보호론자라는 주장은 우리가 보호(미래 소비를 위해 현재 아끼는 것)와 보존(미래와 현재의 소비를 모두 막는 것)을 선명하게 구분할 때에만 유효할 것이다. 보호 프로그램의 궁극적인 목적이 미래에 야외 스포츠와 오락을 즐기기 위해 야생 생물을 착취하는 것이라면, 어떤 혜택이 부수적으로 일부 야생 생물에게 돌아간다 해도 그런 보호 활동은 자연 존중과 일치하지 않는다. 내가 2장에서 지적했듯이, 자연 존중 태도에는 행동뿐 아니라 행동의 이유 또한 관계 있다. 야생 생물에게 좋은 결과를 가져오는 행동도 그 행동의 동기에 따라 자연 존중을 표현하는 것이 아닐 수 있다. 야생 생물의 선을 증진하고 보호하려는 의도 자체가 목적이고 그들을 위해 행동한 경우라야 한다. 스포츠맨의 보호 활동에는 그런 동기가 분명히 없다.

(d) 보상적 정의의 규칙

이 규칙은 가장 일반적인 용어로 도덕 주체가 도덕 행위자에게 부당한 대우를 받았을 때 도덕 행위자와 도덕 주체 사이에 정의의 균형을 회복시킬 의무를 부과한다. 보상적 정의 의무가 발생하는 모든 경우에 공통적으로, 행위자가 유효한 도덕 규칙을 위반함으로써 도덕 행위자와 도덕 주체 사이의 정의의 균형이 깨지는 상황이 발생한다. 도덕 행위자가 그 행위에 대해 책임을 지는 길은 그 잘못으로 인해 자신에게 부과되는 특별한 의무를 인정하는 것이다. 이 특별한 의무가 보상적 정의의 의무다. 이 의무는 도덕 주체에게 어떤 형태로 보상이나 배상을 할 것을 요구한다. 이것은 규칙이 위반되기 전에 자신과 도덕 주체 사이에 유지되던 정의의 균형을 회복하는 길이다.

유효한 윤리 체계를 구성하는 규칙은 행위자와 주체 사이의 진정한 도덕적 관계를 규정한다. 모든 행위자가 각 주체에 대한 의무를 이행하고 그에 따라 각 주체가 적절한 대우를 받으면, 부당한 대우를 받는 이는 없다. 규칙을 의도적으로 위반하는 순간, 정의의 균형은 주체에게 유리하고 행위자에게 불리하게 기운다. 즉 잘못된 행동 때문에 행위자에게는 받을 자격이 없는 혜택이 주체에게는 불공정한 부담이 돌아갔으므로, 이제 행위자는 특별한 부담을 안고 희생자는 특별한 혜택을 받는다. 한쪽으로 기운 정의의 저울을 균형 상태로 되돌리려면, 행위자가 주체에게 배상을 하거나 어떤 형태의 보상을 지불해야 한다.

지금까지 이 절에서 논의한 의무 규칙 세 가지는 인간과 지구 자연 생태계 내 야생 생물 사이의 정의라는 도덕적 관계를 규정한다고 이해할 수 있다. 이 관계는 인간이 야생 생물을 해치거나 그들의 서식지를 파괴하거나 환경을 망치지 않는 한, 야생의 동물이나 식물의 자유 또는 전체적인 생태적 독립성의 작동을 간섭하지 않는 한, 그리고 인간이 야생 동물을 이용하기 위해 그들의 신뢰를 배신하지 하지 않는 한 유지된다. 세 가지 규칙은 모두 인간이 자신의 행동으로 자연 존중을 표현할 수 있는 방법이므로, 동시에 각 생명체가 본래적 가치를 지닌 존재로서 마땅히 받아야 할 인정이다. 모든 도덕 주체가 단지 수단이 아니라 목적 자체로 대우를 받도록 종-공정성과 동등한 배려라는 원칙이 지켜져야 한다.

그런데 도덕 행위자가 세 가지 규칙 중 어느 하나라도 위반한다면, 그는 자연계의 어떤 존재에게 부정 행위를 하는 것이다. 그 행위는 인간과 자연 사이의 균형을 무너뜨리므로, 특별한 의무가 관련 행위자에게 생긴다. 이것은 환경 윤리의 네 번째 규칙인 보상적 정의의 규칙이 부과하는 의무다.

이 의무에서는 구체적으로 무엇을 요구하는가? 어떤 종류의 보상적 행위가 요구되는지를 최종적으로 판단하려면 행위자가 부정 행위를 한 각 상황의 세부적인 사실을 알아야 하지만, 그럼에도 불구하고 일반적으로 적용되는 정의의 중간 원칙을 공식화할 수 있다. 이 원칙은 세 가지 규칙 중 어느 하나라도 위반한 경우에 요구되는 보상을 명시하는 것으로 이해해야 한다. 모든 경우에 보상의 기준은 어떤 식으로든 자연 생태계 생명체의 선을 증진하거나 보호하는 형태일 것이다.

이 중간 원칙을 수립할 때, 부당한 대우를 받은 도덕 주체의 유형에 따라 사례를 구분하는 것이 편리할 것이다. 여기에 세 가지 가능성이 있다. 무해, 불간섭 또는 신의의 규칙을 위반한 행동은 개별 유기체, 종-개체군 전체 또는 생물 군집 전체를 부당하게 대우했을 수 있다. 개체군이나 생물 군집에 해를 입히는 것은 오직 그에 속하는 개별 유기체에게 해를 입힘으로써(그리하여 개체군이나 공동체 전체에서 개별 유기체의 안녕을 나타내는 분포의 중간값을 낮춤으로써) 가능하므로, 규칙 위반은 모두 궁극적으로 개체에게 잘못을 저지른 것이다.

첫 번째 가능성은 해를 입은 개체들에게 따로따로 초점을 맞춘다. 유기체가 해를 입었지만 죽지 않았다면, 보상적 정의의 원칙은 부정 행위가 행해지기 전처럼 그 유기체가 자기 고유의 선을 추구할 수 있는 상태로 그 유기체를 되돌려놓는 배상을 행위자에게 요구한다. 전적으로 그렇게 할 수 없다면, 행위자는 그들의 안녕을 지속하는 데 더 유리하게 물리적 환경을 조성하는 등 다른 방법으로 유기체의 선을 더욱 증진해야 한다. 다른 한편으로 유기체가 죽었다고 가정해보자. 그렇다면 보상적 정의의 원칙은 유기체가 속하는 종-개체군과 생물 군집 양쪽 다 또는 어느 한쪽에 보상을 해야 한다고 명시한다. 이것은 존중 대상을 개체에서 유전적 친척과 생태적 동료로 자연스럽게 확장하는 것이다. 보상은 문제의 종-개체군이나 생물 군집의 선을 증진하거나 보호함으로써 이루어질 것이다.

무해 또는 불간섭 원칙의 위반으로 종-개체군 전체가 부당한 대우를 받은 두 번째 가능성을 생각해보자. 전형적인 상황은 제한된 지역에서 과도한 사냥, 낚시 또는 덫에 의해 '표적' 종인 동물 대부분이 죽은 경우다. 저질러진 잘못을 바로잡고자 노력하는 한 가지 적절한 방법은 잘못한 행위자에게 그 개체군의 남아 있는 구성원 모두의 영구적인 보호를 보장할 것을 요구하는 것이다. 아마도 행위자는 토지를 확보하기 위한 특별 기금에 기부할 수도 있고, 인간의 침해가 더 이상 일어나지 않도록 그 지역을 순찰하는 책임을 질 수도 있다.

마지막으로 인간이 생물 군집 전체를 파괴한 상황을 고려해보자. 이 경우 두 가지 경우가 있는데, 둘 다 어떤 형태의 배상을 요구한다. 첫 번째는 파괴 행동이 무해와 불간섭의 의무를 위반했기 때문에 그 자체가 잘못일 뿐 아니라 모든 것을 고려해도 잘못인 경우다. 이 경우는 환경 윤리 규칙이나 인간 윤리 규칙에 의해 정당화되지 않는다. 두 번째는 유효한 환경 윤리 규칙을 위반하지만 유효한 인간 윤리 규칙에 의해 요구되는 경우다. 심지어 인간 윤리 규칙이 도덕적으로 더 중요하다고 간주되어 행동이 정당화될 때에도, 본래적 가치를 지닌 모든 존재에 대한 정의를 바탕으로 모든 것을 고려하면 그 행동에는 여전히 어떤 형태의 보상 요구가 뒤따른다. 이것은 인간 윤리 영역에서도 마찬가지다.

인간 윤리에서 유효한 규칙 중 하나가 위반될 때는 언제나 (호혜주의 원칙에 따라) 보상적 정의의 의무가 생긴다. 보다 엄격한 의무에 의해 그 행동이 필요하더라도, 부당한 대우를 받은 사람이 생겼으므로 마땅히 그는 보상을 받아야 한다. 모든 것을 고려할 때 어떤 행동이 도덕적으로 정당화되더라도 누군가가 잘못된 대우를 받았다는 사실은 간과할 수 없다. 따라서 보상 요구는 적절하다. (다음 장에서 이 원칙이 인권을 침해한 경우에 어떻게 적용되는지도 볼 것이다.) 따라서 현재의 관심사에서, 생물 군집의 파괴가 환경 윤리의 규칙보다 우선인 인간 윤리의 의무를 따른 결과일지라도 파괴된 것이 본래적 가치를 인정하여 보상적 정의의 조치를 요구한다.

인간의 관행이 자연 생태계에서 생물 군집을 완전히 말살하는 경우가 많다. 그런 관행은 유효한 인간 윤리 규칙에 의한 정당화 여부와 관계없이, 모두 보상적 정의 규칙이 적용된다. 호숫가에 휴양지를 만들기 위해 북부의 침엽수림이 베어진다. 선인장 사막의 깨끗한 황야 지역이었던 곳이 개발되어 주택이 들어선다. 수많은 연체동물, 갑각류, 곤충류, 조류, 어류, 파충류, 포유동물이 먹이를 구하고 번식하는 터전이었던 갯벌 습지를 보트 정박 시설과 요트 클럽이 대체한다. 평범하든 희귀하든 야생화가 가득한 목초지를 불도저로 밀어버리고 쇼핑몰을 세운다. 노천 개발로 산의 한쪽이 사라진다. 초원 지대가 밀 농장으로 대체된다. 이 모든 상황 및 같은 종류의 무수히 많은 기타 상황에서 자연 생태계가 대규모로 파괴된다. 식물과 동물의 군집 전체에 폭력이 제한 없이 가해진다. 수만 년 동안 존재했을 군집이 몇 주 또는 며칠 만에, 어떤 경우에는 몇 시간 만에 완전히 사라진다. 그렇다면 인간과 자연 사이 정의의 균형을 회복할 보상이 어떤 식으로 이루어질 수 있을까? 더 이상 존재하지 않는 군집 자체에 손해를 보상할 수는 없다. 단일 개체가 죽은 경우처럼 손상을 배상할 수 없더라도 본래적 가치를 지닌 무엇인가를 파괴한 것에 대한 보상 요구는 사라지지 않는다.

앞에서 말한 종류의 경우에 보상적 정의가 실현되려면, 어떤 행동이 요구되며 그 대상은 누구인가? 여기 두 가지 가능성이 있다. 하나는 파괴된 것과 동일한 유형의 생태계를 차지하는 다른 생물 군집에 보상하는 것이다. 파괴된 것이 북부의 침엽수림이라면 그 파괴에 책임이 있는 조직이나 개인이 다른 침엽수림 생물 군집에 보상을 해야 하는데 어떤 식으로든 그 생물 군집의 안녕을 증진하거나 유지하는 것을 돕는 것이다. 그리하여 부분적으로 손상된 삼림 지대가 (거기 버려진 쓰레기를 치우고, 그 지역을 흐르는 오염된 하천을 청소하고, 산성비나 다른 대기오염으로 인한 환경 악화를 막는 등의 노력으로) 아마도 생태적으로 건강한 상태로 복원될 수 있을 것이다.

다른 보상 대상은 인간의 착취와 소비로 위협을 받고 있는 자연의 야생 지역이다. 보호하기 위해 특별한 노력을 기울이지 않는 한 손상되거나 파괴될 수 있는 지구 어딘가에 있는 생물 군집을 위해 보상 조치를 취하는 것이다. 땅을 구해서 자연 보호 구역으로 법적 지위를 부여하는 것이 적절한 대책일 것이다.

제안된 이 중간 원칙은 모두 하나의 폭넓은 보상적 정의 규칙에서 나온다. 즉 타당한 도덕 주체인 자연의 실체에게 악을 초래한 행위자가 누구든 문제의 도덕 주체나 다른 도덕 주체에게 보상적 선을 행해야 할 의무가 있다. 피해에 대한 보상으로 이익을 주어야 한다. 해가 클수록 도덕적 의무를 다하는 데 필요한 보상 이익이 커진다.

산업화된 현대 사회에 사는 우리는 모두 자연계와 야생 거주자에 대해 보상적 정의의 의무가 있다는 첨언이 이 시점에 필요하다. 우리는 모두 대규모 기술과 선진화된 생산 방식의 혜택을 수없이 많이 본다. 소비자로서 우리는 산업화의 혜택을 기꺼이 받아들일 뿐 아니라, 우리 자신과 우리가 사랑하는 사람들을 위해 그 혜택을 높이려고 많은 노력을 기울인다. 우리는 자연을 통제하고 자원을 사용함으로써만 존재할 수 있는 문명의 일부다. '야생 체험'을 즐기러 자연으로 나가는 사람들조차 선진 기술이 주는 혜택의 수혜자다. (배낭, 텐트, 침낭 및 식품 용기에 쓰이는 플라스틱과 합성 섬유를 만들어낸 현대 화학은 얼마나 경이로운가!) 우리 중 누구도 높은 생활 수준에 따르는 책임을 피할 수 없다. 우리는 모두 개인의 가치와 이익을 추구하며 문명 생활을 하고 편의 시설을 이용한다. 편의 시설이 가능한 것은 현대의 상업과 산업, 기술 덕분이므로 우리는 모두 자연계가 우리를 위해 생산한 것의 소비자이자 사용자다. 우리의 안녕은 인간 이외 지구 거주자들의 선을 희생시키면서 끊임없이 증진되고 있다. 따라서 우리는 모두 지구에 사는 동식물 군집을 위해 자연의 야생 지역을 보존하고 복원하는 비용을 함께 부담해야 한다. 그렇게 하는 경우에만 자연을 진정으로 존중한다고 말할 수 있다. (인간의 문명화와 자연계의 관계는 6 장에서 더 깊이 다룰 것이다.)

이것으로 자연 존중 윤리의 네 가지 기본 의무에 대한 설명을 마친다. 이들이 질서 정연하고 일관성 있는 규범 체계를 구성하는 방식을 보여주려면, 이들의 상호 관계를 검토하고 엄격성을 비교해야 한다. 서로 다른 유형의 의무에 도덕적 중요성을 얼마나 부여해야 할까? 이에 답하려면 우선순위 원칙을 참조해야 한다. 이는 다음 절의 관심의 초점이다.

2. 우선순위 원칙

앞에서 논의한 규칙은 도덕 행위자의 선택과 행위에 네 가지 종류의 도덕적 의무를 부여한다. 그 자체가 도덕 행위자에게 그들이 주어진 상황에서 모든 것을 고려하여 무엇을 해야 하는지 알려주지 않는다. 행위자가 해야 할 것이나 하지 말아야 할 것을 결정할 때 고려해야 할 도덕적으로 관련된 속성만 명시한다. 선택 가능한 행동의 방향에 그 속성 중 하나가 있다면, 그에 대항하는 더 중요한 다른 이유가 적용되지 않는 한, 그 방향을 선택하거나 그 선택을 자제해야 할 의무가 있다. 따라서 의무 규칙이 어떤 행동의 이행을 찬성(또는 반대)하는 좋은 이유를 제공하지만, 그것이 도덕적으로 충분한 이유는 아니다. 도덕적으로 충분한 이유는 도덕적으로 관련된 모든 속성이 인식되고 중요도가 적절히 평가되었을 때, 모든 것을 고려하여 어떤 행동을 할지 말지 판단하는 과정에서 주어질 것이다. 그 판단을 내리려면, 윤리적 중요도에 따라 비교 가중치가 속성에 부과되어야 한다. 이제 우리가 직면해야 하는 질문은 이것이다. 윤리적 중요도는 어떻게 결정되는가?

종전과 마찬가지로, 우리는 여기서 유효한 환경 윤리 체계의 내부 짜임새에만 관심이 있으며, 동일한 상황에서 적용될 인간 윤리 규범은 무시하고 있음에 유의해야 한다. 나는 앞에서 고려한 네 가지 규칙 중에서 충돌의 원천을 찾아내고 그 충돌을 해결하기 위한 우선순위 원칙을 제안하는 순서로 진행할 것이다.

무해의 규칙에서 시작하면, 우선 주목할 점은 해치지 않을 의무가 불간섭의 의무와 충돌할 수 없다는 것이다. 자연계 침해를 삼가면 야생 생물을 해치는 일은 결코 일어나지 않는다. 그러나 '손을 떼는' 정책을 지킨다는 것은 우리가 개입하지 않고 자연적인 원인의 해가 일어나도록 허용한다는 의미일 수 있다. 우리의 행동이 해를 초래하는 것이 아니기 때문에 무해의 규칙을 위반하는 것이 아니다. 무해의 규칙은 해를 초래하는 행동을 금지하는 부작위 의무일 뿐이다. 이 규칙은 피해 발생을 방지하기 위한 행동을 취할 의무를 지우지 않는다. 따라서 자연 생태계의 작용에 개입하지 않겠다는 우리의 결정은 결코 무해의 의무와 충돌하지 않는다.

신의와 보상적 정의의 행위는 무해의 의무와 충돌할 수 있으므로, 이제 우리는 이들 사이의 상대적 우위를 결정해야 한다. 자연 존중 태도를 지키는 면에서 가장 중요한 우선순위 원칙은 무해의 의무가 신의와 보상적 정의의 의무보다 우선한다는 것이다. 신의와 무해 사이의 충돌 상황은 사람들이 동물을 신뢰하게 만든 다음에 해를 입히는 종류의 상황이 아닐 것이다. 그 경우는 신의와 무해의 의무를 모두 위반하는 것이다. 둘 사이 충돌의 사례는 다음과 같다. 우리가 국립 공원의 환경을 야생 동물에게 유리하게 만들고 사냥을 하거나 자연 서식지를 방해하거나 공원의 야생 동물을 괴롭히는 것을 금지하는 규칙과 규정을 정함으로써 야생 동물로 하여금 국립 공원에 와서 살게 했다고 가정해보자. 이렇게 인간이 조성한 조건으로 인해 한 종이 과잉 상태가 되어 생태계 전체가 극심하게 무질서해진다면, 우리는 생태계를 복원하기 위해 그 종 일부를 공원에서 제거해야만 할 수도 있다. 이 경우 다른 생명체에게 해가 되지 않도록 일부 생명체와의 신뢰를 깨뜨려야 한다. 이는 전체 생태계가 심각하게 손상되게 두는 대안보다 자연 존중 태도에 더 적합한 조치일 수 있기 때문에 딜레마를 해결할 정당한 방책으로 보인다. 따라서 이 상황에서 무해의 규칙은 신의의 규칙보다 우위에 선다.

두 번째는 무해와 보상적 정의 사이의 충돌이다. 우리는 우선 어떤 동물이나 식물에도 해를 입히지 않고 보상하는 방법을 선택함으로써 충돌을 피하고자 모든 노력을 기울여야 한다. 사실, 보상적 정의의 의무를 이행하는 일반적인 방법은 야생 동물에게 해를 입히지 않는다. 오염된 강을 청소하고, 멸종 위기에 처한 종을 구하고, 자연 보호 구역을 확보하는 것이 적절한 사례다. 물론 그런 조치의 직접적인 의도와 목표는 생명체의 선을 증진하거나 보호하는 것이지만, 그런 조치를 취하는 중에 해를 입히는 사고가 일어날 수 있다. 그러나 보통 과거의 잘못에 대해 보상하는 방법을 선택할 때 주의를 기울임으로써 무해와 보상적 정의 사이의 충돌을 피할 수 있다. 그럼에도 불구하고 충돌이 불가피한 상황이 발생할 수 있다. 그런 상황에서는 무해의 의무를 우선시해야 하는데, 그렇지 않으면 과거의 잘못을 보상하려고 하다가 더 많은 잘못을 저지를 수 있기 때문이다. 이런 충돌의 예로 다음과 같은 일이 일어날 수 있다. 과거에 해를 입힌 특정 종-개체군의 보호 구역으로 확보할 수 있는 서식지가 한 곳뿐이다. 그 종을 보호하려면 그 지역에 있는 자연의 포식자 일부를 죽여야 할 것이다. 이 경우, 설령 다른 대안이 없다고 해도, 문제의 개체군에 대해 보상하기 위해 이 방법을 사용해서는 안 된다. 다른 곳에 있는 동일한 종의 다른 개체군을 위해 우리가 할 수 있는 일을 시도할 수도 있지만, 어떤 경우라도 다른 야생 생물을 희생시키면서 특정 개체군에게 호의를 베풀어서는 안 된다. 이런 식의 야생 생물

'관리' 는 정당화할 수 없다. 보상보다 무해가 우선이다.

이제는 불간섭의 의무와 신의의 의무 사이에서 일어날 수 있는 충돌을 고려해보자. (위에서 본 것처럼 불간섭과 무해 사이에는 충돌이 있을 수 없다.) 여기서도 첫 번째 도덕적 요건은 동물이 우리를 신뢰하게 되는 상황이 동물의 자유를 방해하거나 다른 야생 생물에 제약을 가한다면 그런 상황을 만들지 않는 것이다. 언제, 어디서, 어떤 상황에서, 그리고 어떻게 동물의 입장에서 신뢰 관계 형성을 허용할 것인지 결정할 때 우리는 항상 불간섭의 규칙을 따라야 한다. 그러나 어떤 상황에서는 이미 형성된 신뢰를 유지하기 위해 동물의 삶을 간섭할 것인지, 아니면 간섭을 피하기 위해 신뢰를 저버릴 것인지 어쩔 수 없이 선택해야 할 때가 있다. 여기서 불간섭이라는 부작위 의무가 적어도 가끔은 신의의 의무로 인해 무시될 수 있다. 다음과 같은 상황이 그런 사례일 것이다. 사람들이 불을 지르거나 쓰레기를 버리거나 숲을 해치는 것을 막기 위해 소유주가 땅 주변에 울타리를 설치했는데, 그로 인해 먹이를 구하거나 번식하기 위해 숲으로 오는 작은 포유동물의 이동이 제한된다. 이 경우 다소 제약을 가하더라도 그들에게 심각한 해를 입히지 않는다면, 간섭은, 숲이 먹이를 구하고 가족을 부양할 수 있는 안전하고 건강한 장소라고 믿는 동물에 대한 신의에 의해 정당화될 수 있다. 결국 문제의 동물에게 얼마나 큰 혜택이 있는지에 달려 있다.

이런 사례에 적용되는 일반적인 우선순위 원칙은 다음과 같이 정리할 수 있다. 신의의 의무와 불간섭 의무가 충돌하는 경우, 다음 조건을 전제로 신의의 의무가 우선된다. (a) 간섭으로 인해 심각한 피해가 없다. (b) 신뢰를 유지함으로써 큰 이익이 생긴다. (c) 간섭 없이 신뢰를 유지할 수 있는 방법이 없다. (d) 간섭은 이 조건과 부합하며 최소한으로 유지된다. 반면에 간섭 행위가 이 조건 중 하나라도 충족하지 않으면 그 행위는 정당화되지 않는다.

이제 불간섭 의무와 보상적 정의의 의무가 충돌할 가능성을 생각해 보자. 여기서도 나는 야생 생물의 삶을 간섭하지 않고 보상하는 방법을 선택하는 것이 일반적으로 우리의 능력 범위 안에 있음을 다시 강조하고 싶다. 예를 들어, 보상 조치로 자연 서식지에 유독성 쓰레기 투기를 금지할 수 있다. 이 조치는 인간의 자유를 제한하지만, 인간 이외 존재의 자유를 구속하지 않는다. 그런데 과거에 우리가 부당하게 대우한 생명체에게 혜택을 주려고 할 때 야생 생물에 제약을 가하게 되는 특이한 상황이 발생할 수 있다. 그 제약이 영구적인 피해를 유발하지 않고 그로 인해 생기는 이익이 클 수 있다면, 보상적 정의의 의무가 불간섭의 의무보다 중요하다고 볼 수 있다. 방사성 폐기물이 땅으로 누출되는 곳에 조류, 포유동물, 파충류 및 기타 동물들이 들어오지 못하도록 장벽을 설치함으로써 많은 생명을 구하는 경우도 있을 것이다. 이런 식의 보호 조치는 원자력 발전소 건설로 인해 원래 서식지가 파괴된 것도 보상할 수 있다.

마지막으로 신의와 보상적 정의 사이에 충돌이 일어나는 경우가 있다. 충돌이 불가피한 상황에서는 보상적 정의가 신의보다 중요하다. 예를 들어, 멸종 위기에 처한 종에게 보상하는 과정에서 동물을 생포하기 위해 속임수를 쓰고 놀라게 하거나 배신하는 방법을 이용해야 할 수도 있다. 그리하여 종 전체를 구하기 위한 포획-사육 프로그램에서 캘리포니아 콘도르 몇 마리가 잡힐 수 있다. 이 프로그램의 성공 여부는 현재 논쟁 거리이지만, 만약 성공한다면 조류 개체와의 신뢰를 깨뜨리는 일이 그로 인한 이익에 의해 정당화된다고 볼 수 있다. 아마도 이 유형으로 논란의 여지가 적고 더 분명한 사례는 기름 유출 사고 때 잡힌 바다오리, 가마우지 및 기타 바닷새들을 도우려고 한 단호한 노력에서 찾아볼 수 있다. 깃털에서 기름을 제거하려면 새들을 우선 잡아야 하고, 그들을 놓아주는 과정에서 종종 우리에 대한 그들의 신뢰를 저버린다. 우리 자신의 과거 행동 때문에 고통받는 생명체에게 배상하려고 그들을 직접 도우려는 이런 시도에서는 불가피한 일시적인 배신 행위가 정당화됨이 분명한 것 같다.

네 가지 의무 규칙 간의 우선순위 관계를 전체적으로 살펴봄으로써 결론을 요약하면 도움이 될 것이다. 전체를 보면 무해의 규칙이 최상위에 있음을 알 수 있다. (인간 윤리의 의무와 충돌할 가능성은 제쳐두면) 자연에 대한 가장 기본적인 의무는 우리의 능력 범위 안에 있는 한 야생 생물을 해치지 않는 것이다. 이 최상위 규칙을 충실히 지키는 것에서 자연 존중이 일차적으로 표현된다.

다른 세 가지 규칙의 경우, 보상 방법과 동물을 신뢰 형성으로 이끌 상황의 조성 시기를 신중히 선택함으로써 규칙 위반을 대체로 피할 수 있음을 알았다. 그러나 충돌을 피할 수 없는 경우 일반적인 우선순위 원칙은 다음과 같다. (a) 허용된 간섭으로 인해 큰 이익이 생기고 영구적으로 피해를 입는 생명체가 없는 경우, 신의와 보상적 정의가 불간섭보다 우선한다. (b) 신뢰를 잃는 생명체에게 심각한 해를 입히지 않으며 큰 이익이 생기는 경우, 보상적 정의가 신의보다 우선한다.

두 가지 부작위 규칙, 즉 자연계에 해를 입히는 것을 자제하고 간섭을 자제하는 규칙은 일상적인 상황에서 거의 항상 지킬 수 있다. 대체로 생명체에 해를 입히지 않거나 제약을 가하지 않는 보상 방법을 찾을 수 있다. 그들과 신뢰를 형성하는 일에서도 마찬가지다. 보상의 주요 방식은 야생 지역을 확보하고, 절멸 위기에 처하거나 위험에 직면한 종을 보호하고, 악화된 환경의 질을 회복하며, 인간이 원인이 되어 약해지거나 부상을 입은 동식물이 건강한 상태를 회복하도록 돕는 것이다. 이런 조치는 모두 보통 야생 생물의 신뢰를 깨뜨리거나 그들에게 제한을 가할 필요 없이 취할 수 있다.

지구의 자연과 생명 영역과 관련하여 올바르게 살아가는 것은 단순히 일련의 규칙과 우선순위 원칙에 따라 선택하고 행동하는 문제가 아니다. 특정한 성품 특성을 계발하거나 함양하는 것도 똑같이 필수적이다. 자연 존중 윤리의 이 부분이 다음 연구 주제다.

3. 덕의 기본 기준[3]

좋은 성품이라는 개념은 2장에서 자연 존중 태도가 도덕 행위자의 성품에서 어떻게 표현될 수 있는지 설명하면서 간단히 논의했다. 사람의 성품에는 두 가지 측면이 있다고 말했는데, 하나는 숙고 측면이고 다른 하나는 실천 측면이다. 숙고 측면은 어떤 상황에서 올바른 행동이 어떤 것인지를 숙고할 때 합리적이고 명쾌하게 생각하는 안정적인 성향이다. 성품의 강점이 요구되는 상황, 즉 좋은 성품이 필요한 상황은 생각할 때 혼란을 겪거나 비합리적이 되거나 편향되기 쉬운 상황이다. 좋은 성품은 숙고할 때 그런 경향을 극복할 수 있게 한다.

좋은 성품의 실천 측면은 주어진 상황에서 옳다고 결론지은 일을 하는 데 필요한 의지와 결의뿐 아니라 결정을 수행해나가는 확고한 성향이다. 실천 측면의 좋은 성품은 의무 이행이 번거롭거나 어려운 상황 또는 그 일을 하려면 자신의 이익을 실제로 희생해야 하는 상황에서 특히 필요하다. 그러므로 좋은 성품은 의지 박약으로 실패하기 쉬운 상황에서도 자신의 책임을 다할 수 있도록 의지라는 강점을 발휘하여 자제하고 자신을 통제하는 능력이라고 볼 수 있다.

환경 윤리와 관련하여, 자연 존중 태도는 굳건하고 꾸준하며 영구적인 성향이 발달했을 때 그 사람의 성품에서 표현되는데, 그런 성향은 그 사람으로 하여금 무해, 불간섭, 신의, 그리고 보상적 정의라는 네 가지 의무 규칙에 맞게 숙고하고 행동할 수 있게 한다. 그런 성향은 덕목, 즉

3. 이 절의 덕과 성품에 관한 나의 견해는 칸트의 도덕적 덕 이론을 탁월하게 분석한 오노라 넬의 영향을 크게 영향을 받았다. Onora Nell, Acting Kantian Ethics: An Essay on Kantian Ethics (New York: Columbia University Press, 1975)를 볼 것. 성품에 관한 칸트의 주요 연구로는 The Doctrine of Virtue: Part II of the Metaphysics of Morals, Mary J. Gregor 옮김 (Philadelphia: University of Pennsylvania Press, 1964)가 있다. 나는 또한 G. H. 폰 라이트의 연구, The Varieties of Goodness 7장에서 도움을 받았다. 그런데, 폰 라이트는 모든 덕을 '인간의 선'(인간의 안녕, 인간선)에 도움이 되는 성품 특성과 연결한다. 이 점에서 그의 견해는 아리스토텔레스에 가깝다. 아리스토텔레스의 덕은 (인간선을 자신의 삶과 다른 사람의 삶에서 실현한다는 의미로) 사람으로 하여금 좋은 삶을 살 수 있게 하는 인간의 탁월함이다. 덕에 관한 다소 다른 개념에 대해서는

다음을 볼 것. Philippa Foot, Virtues and Vices and Other Essays in Moral Philosophy (Oxford: Basil Blackwell, 1978)와 James D. Wallace, Virtues and Vices (Ithaca, N.Y.: Cornell University Press, 1978).

좋은 성품의 특성으로 도덕 행위자가 네 가지 규칙을 어김없이 따르고 그렇게 함으로써 자연 존중 태도를 자신의 행위로 표현하게 한다.

자연 존중 윤리와 관련하여 좋은 성품이라는 개념을 분석할 때, 우리는 일반 덕목과 특수 덕목으로 일컬을 수 있는 두 유형을 구별해야 한다. 일반 덕목은 어떤 도덕 규칙과 원칙이 적용되고 준수되든 상관없이 올바르게 숙고하고 행동하는 데 필요한 좋은 성품의 특성이다. 따라서 일반 덕목을 지닌 사람의 성품은 어떤 상황에서도 도덕적으로 행동할 수 있는 능력을 뒷받침하고 강화하는 특성이 있다. 반면 특수 덕목은 네 가지 의무 각각과 관련 있는 특성이다. 특수 덕목은 도덕 행위자로 하여금 신의 같은 특정 의무를 이행하게 하는 성향이다. 특수 덕목이 있는 사람은 주어진 상황에서 특정 의무가 요구하는 행동 절차를 분명하고 정확하게 숙고하고, 그 상황에서 올바른 이유 때문에 올바른 방식으로 올바른 일을 함으로써 그 의무를 이행할 수 있다. 특수 덕목은 현실의 복잡한 삶 속에서 특정 의무가 요구하는 바에 대해 생각할 때 사람들이 혼란을 겪기 쉬운 상황, 또는 특정 의무를 이행할 때가 되었을 때 사람들이 그 의무를 회피하기 쉬운 상황에서 필요하다.

특수 덕목은 잠시 접어두고, 자연 존중 윤리 체계와 관련이 있는 일반 덕목을 살펴보자. 일반 덕목을 구성하는 성품의 기본 특성으로 두 가지가 있는데, 그 둘은 '도덕적 힘'과 '도덕적 관심'이라고 부를 수 있다. 도덕적 힘에는 성실, 통합, 끈기, 용기, 절제 또는 자기 관리, 공평무사, 인내, 그리고 의무에 대한 책임감 등 좋은 성품의 요소들이 포함된다. 이 군의 성품 특성은 삶의 다양한 상황에서 의무와 책임으로 부과되는 것이 무엇이든 윤리적으로 올곧은 삶을 이끄는 데 필요하다는 점에서 도덕적 힘에 해당한다. 도덕적 힘을 지닌 여성과 남성은 자신의 생각과 행위에 명령을 내릴 수 있는 능력이 계발되어 있는데, 그 명령은 원칙에 대한 확고한 약속에서 비롯된다. 주어진 상황에서 그들에게 닥치는 의무의 요구 사항이 무엇이든, 그들은 숙고와 행동 모두에서 도덕성의 요구를 충족할 내적 힘을 지니고 있다. 도덕적 힘이라는 일반 덕목을 구성하는 덕목들을 간략히 정의해보면 관련된 성품의 특성이 보일 것이다.

· 성실 : 의무에서 요구되는 바를 자신의 의무이기 때문에 이행하려는 굳건한 욕구. (이것은 행동의 동기가 될 수 있는 다른 이유를 배제하지 않지만 항상 있어야 하며, 다른 이유가 없더라도 행위자에게 동기를 부여하기에 충분해야 한다.)

· 통합 : 생각과 행위 사이의 완벽한 일관성. 옳고 그름에 대한 판단은 그 판단에 근거하여 행동하거나 자제할 때 명백해진다.

· 끈기 : 의무 규칙에서 요구되는 까다롭거나 힘들거나 지루하거나 짜증스러운 일을 조용히 참으면서 변함없이 추구하는 능력.

· 용기 : 무섭거나 위험하거나 고통스러운 상황에 처할 때(신체적 용기) 또는 옳은 일을 하는 것이 대중적 의견과 배치되고 다른 사람들의 비난이나 반대에 부딪힐 때(도덕적 용기) 올바른 방식으로 생각하고 행동하는 능력.

· 절제 또는 자기 관리 : 자신의 욕망과 이익을 충족하려면 의무를 위반하게 될 때 스스로 제약을 가하는 능력.

· 공평무사 : 선택의 여지가 있는 행동에 대해 찬성하거나 반대하는 도덕적 이유를 생각하고 판단할 때의 객관성. 자기 이익의 부당한 영향이나 (바람, 개인적 편견, 합리화, 자기 기만 같은) 생각의 왜곡에서 자유로움.

· 인내 : 방해 요소를 맞닥뜨리는 경우 포기하지 않고 특정 과제를 유지해나가는 능력.

· 의무에 대한 책임감 : 끊임없이 상황이 변하는 일상 속에서 방해물과 어려움에 개의치 않고 변함없이 의무에 헌신하며 시간이 지나도 올

바른 행동을 유지하는 일관성.

물론, 도덕적 힘이라는 일반 덕목을 구성하는 이 요소들은 모두 이상적인 것으로 아무도 실제 성품에서 완벽히 모범을 보이지 않는다. 이 요소들은 도덕적 탁월함의 기준을 설정하며, 사람들이 이행하는 정도는 다양하다. 도덕 행위자의 의무는 각 덕목이 결코 완전히 구현될 수 없는 완벽한 이상을 정의한다는 것을 알고 그 특성을 가능한 한 많이 함양하는 것이다. 그럼에도 불구하고 이 성품 기준은 실생활의 규범적 지침이다. 이 요소들은 우선 모든 도덕 행위자가 도달하고자 노력해야 하는 모델을 제시한다. 다음으로, 구체적인 목표를 설정하는데 그 목표는 진정으로 분투하여 도달할 가치가 있는 것이다. 마지막으로, 도덕적 강점의 유효한 기준인 한 모든 행위자가 자신의 성품의 강점과 약점을 평가하는 적절한 근거로 쓰인다. 이런 식으로 이 요소들은 의무 규칙으로서 규범적인 윤리 체계의 중요한 한 부분으로 간주되어야 한다.

위에서 열거한 다양한 특성들은 성향과 능력이 서로 맞물려 있는 그물망을 형성하며, 그 특성들이 구현되는 만큼 규칙의 내용이 무엇이든 간에 그에 따라 행동하는 데 필요한 의지력을 도덕 행위자에게 부여한다. 따라서 이 요소들은 내가 '도덕적 힘'이라고 지칭한 일반 덕목에 속한다.

이제 일반 덕목의 두 번째 특성 군인 도덕적 관심으로 주제를 돌리면, 도덕적 힘을 구성하는 요소와 완벽하게 양립할 수 있지만 그와는 다른 성향과 능력이 발견된다. 자연 존중 윤리의 맥락에서 도덕적 관심은 도덕 행위자가 자연계의 모든 생명체의 본래적 가치를 지닌 존재로 간주하는 것과 가장 직접적으로 관련이 있다. 이는 자연 존중 태도의 전제임을 다시 기억하자.

도덕적 관심은 동물이나 식물의 입장을 취하고 그들의 선이라는 관점에서 세상을 바라보는 능력과 성향이다. 도덕 행위자에게 이 능력과 성향이 잘 계발되어 있지 않다면 그 행위자가 과연 진정으로 자연 존중의 태도를 가지고 있는지 그리고 그것이 어느 정도인지 의문스러울 것이다. 우리는 기꺼이 유기체의 입장을 취하려고 하는 태도가 그 유기체를 본래적 가치를 지닌 존재로 간주한다는 의미임을 알기 때문이다. 그리고 그렇게 간주하지 않는 한, 그 존재를 존중하는 태도를 갖추지 않을 것이다. 인간 윤리에서는 상존하는 자기 중심적 경향을 극복하는 능력이 필요한 것처럼, 여기서는 어디에나 만연한 인간 중심주의의 지배를 극복하는 도덕적 능력이 필요하다. 특히 생명 중심의 환경 윤리 체계를 위해서는 일종의 관대한 마음이 필요하다. 우리는 관심을 넓혀 모든 가치의 최종 근거가 인간의 선을 증진하는 것이라는 가정에 함축된 인간 중심적 편견을 넘어서야 한다.

이제 도덕적 관심이라는 일반 덕목을 이루는 성향과 능력의 구조를 분석한다. 네 가지 기본 구성 요소인 자비, 연민, 공감 그리고 배려로 시작해보자. '자비' 와 '연민' 이라는 용어는 일상 어법에서 다소 모호하지만, 우리의 목적을 위해 그것들을 각각 공감과 배려의 긍정 측면과 부정 측면이라고 간주할 것이다. 자비는 (a) 자신의 행동 때문이든 다른 사람이 원인이든 다른 존재의 선이 실현됨에 기쁨을 느끼고, (b) 다른 존재의 선의 실현에 내재적 가치를 두며, (c) 다른 존재의 선 자체를 증진하거나 보호하기 위해 그리고 그 존재를 위해 행동하는 능력과 성향이다. 자비와 대응하는 부정 측면의 연민은 (a) 자신의 행동 때문이든 다른 사람이 원인이든 다른 존재의 아픔, 고통, 또는 능력 박탈에 슬픔이나 실망을 느끼고, (b) 다른 존재에게 가해지는 악행이나 해에 본질적으로 부정적 가치를 두거나 그것이 본질적으로 나쁘다고 간주하며, (c) 다른 존재에게 악행이나 해치는 행위를 자제하는 성향으로 규정된다. 따라서 자비와 연민은 각각 어떤 감정을 가지고, 어떤 일에 가치나 부정적 가치를 두며, 그런 감정과 평가에 적합한 방식으로 행동하는 세 가지 성향으로 구성된다. 긍정 평가는 존재에게 좋은 것을 그 자체로 좋다고, 부정 평가는 존재에게 나쁜 것을 그 자체로 나쁘다고 간주하는 성향이며, 각각은 공감과 배려의 긍정 측면과 부정 측면을 형성한다. 다른 존재의 선을 증진하려는 자비로운 사람의 성향과 다른 존재를 해치지 않으려고 하는 동정적인 사람의 성향 뒤에는 이런 평가가 있다. 따라서 자신의 성품에서 자비와 연민이라는 덕목을 계발했다면 다른 존재에게 공감하고 그들의 안녕을 돌보려고 하는 성향이 강화되고 심화되었다는 뜻이다. 공감과 배려는 다른 존재에게 자비롭게, 그리고 동정적으로 행동하도록 동기를 부여하는 감정과 가치 평가에서 볼 수 있다.

공감과 배려의 관계는 매우 가깝다. 공감의 핵심인 동료 감정은 다른 존재에게 일어나는 일에 마음을 쓰는 성향과 관련이 있다. 공감과 배려는 함께 간다. 다른 존재의 안녕에 진정으로 관심을 느끼고 그들을 도우며 해치는 일을 자제하는 성향이 있는 사람들은 배려의 성향도 있다. 그들은 살면서 다른 존재가 처한 상황에 특별한 관심이 있다. 그렇게 마음을 쓰면서 그 존재의 선을 증진하거나 보호하는 책임을 기꺼이 받아들인다. 따라서 도덕적 관심이라는 일반 덕목을 이루는 공감과 배려는 분리할 수 없는 두 요소다.

우리는 자연계의 생명체에 대해 자비, 연민, 공감, 배려라는 성품 특성을 계발했을 때에만 그들을 어떻게 대우해야 할지 윤리적 판단을 내릴 때 그들의 관점을 취할 수 있다. 그리고 우리가 그런 특성을 계발하는 한, 우리는 그렇게 마음이 쏠릴 것이다. 그러면 우리는 고유의 선을 지닌 모든 존재를 동등하게 배려할 것이고, 그들이 본래적 가치를 지닌 것으로 간주할 것이며, 그에 따라 그들을 존중 대상으로 생각할 것이다. 지구 생명 공동체의 모든 야생 생물에 대해 이런 태도를 가진다면 우리는 앞서 논의한 의무 규칙 네 가지와 우선순위 원칙을 따르겠다는 도덕적 약속을 할 것이다. 이런 식으로 성품과 행위는 함께 자연 존중 태도를 표현한다.

자비, 연민, 공감, 배려로 구성되는 성향 전체에 '도덕적 관심' 이라는 이름을 붙이는 이유는 두 가지다. 첫째, 이 성향은 내가 '도덕적 힘' 이라고 부르는 것과는 상당히 다른 일반 덕목을 정의한다. 도덕적 관심은 어떤 도덕 행위자든 진심으로 자연 존중 태도를 취할 때 전형적으로 드러낼 성품 특성이기 때문에 일반 덕목이다. 이 특성들은 네 가지 의무 규칙 중 어느 것에도 특화되지 않는다. 존중 태도를 표현하는 모든 행동에서 감정과 가치 평가의 바탕이므로, 행위자의 윤리 체계 전체에 대한 도덕적 약속에 동기를 부여하는 기반이다.

이 일반 덕목을 '도덕적 관심' 이라고 부르는 두 번째 이유는 자연을 존중함에 따라 동식물의 안녕에 대한 관심이 도덕 행위자들에게서 발견되는 정도가 그들이 자비, 연민, 공감, 그리고 배려를 그들 성품의 필수 요소로 지니고 있는 만큼이기 때문이다. 관심이 없다면 생명체의 선에 무심할 것이다. 이런 무관심은 생명체가 본래적 가치를 가지는 존재로 여기는 것과 모순되며, 따라서 존중 태도와도 모순된다.

자비, 연민, 공감 및 배려와 관련된 감정, 가치 평가 및 능동적 성향은 네 가지 의무 중 하나가 (환경 윤리든 인간 윤리든) 반대되고 더 중요한 의무에 의해 무시될 때에도 갑자기 사라지지 않는다. 우리는 무해, 불간섭, 신의, 보상적 정의의 의무가 상위이거나 더 엄격한 의무에 의해 무시될 수 있음을 앞에서 보았으며, 무해의 규칙조차 어떤 상황에서는 사람 존중에 근거한 인간 윤리 체계에 의해 무시될 수 있음을 6장에서 볼 것이다. 이 경우, 모든 것을 고려할 때 도덕 행위자가 해야 하는 행동은 의무 규칙을 위반하는 행동이다. 그 행동은 야생 생물의 삶을 간섭하거나 신의를 저버리거나 보상에 실패하거나 해를 입히기 때문에 이행에 깊은 후회가 뒤따른다. 문제의 행동이 우선순위 원칙에 의해 도덕적으로 정당화되어도 모든 생명체를 향한 공감과 배려의 성향은 여전히 있다. 그 행동으로 부당한 대우를 받은 존재에 대한 자비와 연민 때문에 그 행동을 한 도덕 행위자는 본래적 가치가 있는 존재를 본질적으로 경시했음을 인식하고 비통함을 느낀다. 가치 있는 목표를 이루지 못하고 있다고 판단하여 좌절감을 느낀다. 이행한 행동이 전반적으로 적절했음은 인정하더라도, 선이 실현되지 못한 유기체에 대한 동정과 염려는 조금도 줄어들지 않는다. 이런 경우에 도덕적 관심이라는 일반 덕목은 이처럼 상충되는 감정으로 나타난다. 사실 후회와 비통함은 부당한 대우를 받은 존재에게 보상하려는 욕구의 주요 심리적 근원이다.

이제 특수 덕목을 다룰 순서다. 이들은 단일 혹은 일부의 의무 규칙을 준수하는 데 필요하지만 다른 규칙과는 상관없는 성품 특성이다. 나는 네 가지 규칙을 차례로 다루면서 각 규칙과 관련된 특수 덕목에 관해 논의할 것이다.

무해의 의무에서 중심 덕목은 사려 깊음이다. 이 성향은 다른 존재에 대한 관심이 그들의 안녕에 대해 신경 쓰고 염려하는 것으로 드러난다. 물론 연민도 사려 깊은 태도의 바탕 중 하나다. 곧 지적할 텐데, 연민은 사려 깊음보다 더 광범위하고 일반적인 성향이다. 어느 한 존재에 대해 사려 깊다는 것은 나머지 존재의 선에 대해서도 특별한 관심이 있다는 것이며, 알면서도 그들에게 해를 끼치는 일은 반사적으로 꺼린다는 것이다. 사려 깊은 사람은 행동할 때 신중히 무해의 규칙을 준수한다.

다른 존재들에 대한 연민이 없는 사람도 경솔한 경향이 있지만, 연민은 사려 깊음보다 광범위한 개념이다. 연민은 고통의 원인이 무엇이든 고통받는 모든 생명체를 향해 확장된다. 먼 곳에서 일어난 지각의 격변으로 해를 입은 생명체에 연민을 느낄 수 있다. 사려 깊음은 우리의 어떤 행동이 해를 입힐 수 있는 특정 존재에게 집중된다. 따라서 우리의 행동이 미치는 영향에 대해 특별히 주의를 기울이지 않으면 해를 입힐 수 있는 다른 존재를 해치지 않는 성향과 직접 관련이 있다.

사려 깊음은 해를 입히지 않는 성향뿐 아니라 소홀하지 않은 성향에서도 드러난다. 경솔함을 나타내는 가장 분명한 표시 중 하나는 다른 존재의 안녕에 영향을 미치는 문제에 소홀한 것이다. 소홀함은 다른 존재의 선에 대해 부주의한 것이지만 피할 수 있다. 소홀한 것은 다른 존재에게 해를 야기할 수도 있는 불필요한 위험을 무릅쓰는 것이다. 반대로, 사려 깊은 사람은 해를 입힐 위험이 있는 행동을 자제하는 경향이 있다. 어떤 존재에게 해를 입힐 가능성이 높을수록, 일어날 수 있는 피해가 심각할수록, 더 강하게 그 행위를 자제하는 데 전념한다. 어떤 행위도 일부 존재에게 해를 야기할 수 있지만, 사려 깊은 행위자는 해를 야기할 가능성이 있는 일을 하지 않는다. 해를 야기할 가능성이 클수록 그 행동을 취하기로 결정할 확률이 낮다.

사려 깊음이라는 덕목의 숙고 측면은 다른 존재의 행복에 대해 소홀하지 않는 것이 중요하다는 데서 비롯된다. 다른 존재에 대해 사려 깊을수록 행위자는 행동을 결정하기 전에 그 선택으로 인해 다른 존재가 해를 입을 가능성을 확인하고자 애쓸 것이고 구할 수 있는 최선의 증거를 바탕으로 그렇게 할 것이다. 좋은 경험적 근거를 바탕으로 가능성을 따지는 것은 사려 깊은 행위자가 숙고할 때 주요한 요소이다.

다른 모든 덕목과 마찬가지로 사려 깊음도 좋은 성품의 이상적 덕목이다. 사려 깊음이 설정하는 탁월함의 기준에 현실의 도덕 행위자가 근접할 수 있는 수준은 다양하다. 그러나 실제로 그들은 그 기준에 근접할수록 알면서도 생명체에 해를 입히는 일을 더욱 자제할 것이다.

이제 우리는 불간섭 규칙과 관련된 특수 덕목을 살펴볼 것이다. 여기서 고려할 만한 성품 특성은 두 가지가 있는데, 그 둘은 존중과 공평무사함이다. 나는 '존중' 이라는 용어를 다소 특별한 의미로 사용한다. 어떤 사람이 생명체들이 해를 입든 입지 않든 상관없이 그들에게 제약을 가하는 것이 옳지 않다고 볼 때, 그가 생명체에 대해 가지는 종류의 존중이다. 자연 생태계의 개별 생명체, 종-개체군 또는 생물 군집의 야생 상태를 존중하는 것은 그들의 자유를 직접 간섭하거나 환경 조건의 변화로 그들이 살아가는 방식에 인위적인 제약을 가하는 행위에 반감을 느끼는 것이다. 자연의 과정 전체를 존중한다면, 우리 행성에서 생명이 시작된 이후 질서가 스스로 작동했기 때문에 인간이 그 질서를 침해하는 것에 불쾌감을 느낀다. 그런 침해를 스스로 자제하는 성향이 있음은 물론이다.

이런 의미로 자연계를 존중하는 것은 그 자체로 존재하는 독립적인 현실 영역인 자연계에 전체성과 온전성이 있다고 보는 데서 나온다. 존중은 우리가 마땅히 그 현실 영역을 존경할 만한 무엇으로 인식하는 것이다. 자연계는 생명의 선을 가능하게 하기 위해 인간 행위자에게 의존하지 않으며, 그 자체로 충분한 것 같다. 자연계에 속하는 가치는 문화와 문명을 통해 인간이 창조할 수 있는 가치와 독립적이며 전적으로 그 범위 밖에 있다고 인정된다. 자연을 존중하는 것은 야생 생물을 존중하는 것인데, 왜냐하면 그들이 자연의 일부이기 때문이다. 따라서 자연 재해로부터 그들을 구하려는 선의의 경우에도 그들의 삶에 간섭하는 것을 자제하는 성향이 있다.

불간섭의 규칙과 관련된 공평무사라는 덕목은 서로 다른 종에 대해 편향되지 않는 성향이다. 인간에 의해 통제되지 않는 조건에서 한 생명체 또는 생명체 집단이 선이 다른 생명체의 선과 충돌할 때 중립을 지키는 성향도 포함된다. 그렇게 공평무사하려면 특정 종에 대한 개인적인 감정이 판단이나 행동에 영향을 주게 허용해서는 안 된다. 일상의 운이 좋거나 나쁨에 따라 어떤 종이 잘 되든 그렇지 못하든 상관없이 자연에서 일어나는 사건과 거리를 두는 것이다.

공평무사 개념은 3 장에서 생명 중심 관점의 네 번째 구성 요소 (인간 우월성의 부정)과 관련하여 소개했다. 이 장에서도 무해 및 불간섭 의무와 관련하여 언급했고, 이어지는 장에서도 여러 곳에서 더 논의할 것이다. 여기서 공평무사는 성품 특성으로 간주된다. 이 맥락에서 불간섭 규칙과 관련된 특수 덕목으로 간주된다. 이 성품 특성을 지닌 도덕 행위자는 개별 야생 생물의 생명뿐 아니라 자연에서 일어나는 사건과 과정에 대해 '손을 떼는' 방침을 굳건히 지킨다.

공평무사의 예로, 숲에 있는 다양한 식물들이 햇빛, 습기, 토양의 영양분을 놓고 벌이는 경쟁을 생각해보자. 나무, 양치류, 덩굴 식물 및 기타 식물들은 그 생물 군집 내 인접한 식물군과 충돌하며 자신의 선을 실현하기 위해 분투한다. 생물 군집의 일부 나무와 야생화는 어떤 도덕 행위자가 '좋아하는 것' 일 수 있다. 그는 원한다면 생태계에 개입하여 경쟁하는 다른 식물들을 희생시키고 그 특정 식물이 자라도록 도울 수 있다. 그 도덕 행위자가 공평무사라는 덕의 소유자라면 그런 행동을 자제할 것이며, 일부 식물을 다른 식물보다 더 선호하는 것은 편파적이라는 이유로 그렇게 할 것이다. 편파성은 불간섭 의무에 위배되는 행동을 부추기는 악덕 즉 도덕적 결함으로 간주된다.

신의의 규칙과 직접 관련 있는 성품 특성은 신뢰성이다. 관련성이 명백하므로 이 특성은 간략히 설명할 것이다. 기만, 속임 또는 배신을 당할 수 있는 야생 동물과 관련하여, 신뢰할 만한 행위자는 어떤 방식으로도 결코 동물을 이용하지 않는 꾸준하고 굳건한 성향이 있다. 그의 우세한 욕구는 동물의 기대에 맞게 행동하는 것이며, 인간 행위의 결과로 그런 기대가 형성되었을 때 특히 그렇다. 신뢰할 만한 사람은 지각력 있는 생명체에게 항상 열린 마음으로 정직하고자 한다. 그런 사람은 동물과의 신뢰를 깨뜨리려고 하는 인간의 행동에 경멸과 혐오만을 느낀다. 동물이 뭔가를 하려고 사람에게 의지하고 있다는 사실을 알고 그 사실을 이용하여 동물을 희생시키고 자신의 목적을 달성하는 사람들에 대해서도 마찬가지로 역겨움을 느낀다. 자신의 성품으로 신뢰성이라는 덕목을 계발하려면 신의의 규칙을 따르는 능력을 키우고 그 규칙을 더욱 철저히 지켜야 한다.

보상적 정의의 규칙과 관련하여, 서로 구별될 수 있지만 밀접히 관련된 덕목이 두 가지 있는데, 그것은 공정성과 형평성이다. 둘은 다음과 같이 구별될 수 있다. 공정성은 자신의 잘못으로 틀어진 정의의 균형을 회복하려고 하는 일반적인 성향이다. 부당한 취급을 받은 존재에게 어떤 형태로 보상 또는 배상을 함으로써 상황을 '개선'하려는 성향이다. 공정성 감각은 다른 사람이 자신의 과거 행동을 근거로 자신에게 보상을 청구하는 경우에 그 주장이 합법적임을 인정할 때 작용한다. 공정한 사람은 그런 주장을 결코 무시하지 않는다. 공정함 자체가 그 주장을 만족시킬 방법을 말해주지 않지만, 보상 행동으로 청구인에게 혜택을 줄 마음이 생기게 한다.

형평성 덕목은 정의와 관련된 서로 다른 주장에 대해 균형 있게 가중치를 부여하는 감각이다. 또한 관련 주장과 합치되게 보상하는 성향이다. 형평성 감각이 있으면 우리는 유기체들 사이에 도덕적으로 중요한 차이가 있을 때 그들을 같은 방식으로 취급하는 것이 정당하지 못함을 생각하게 된다. 형평성 감각은 과거에 부당한 대우를 받은 존재에 대한 보상이나 배상의 종류와 규모를 결정할 때 발휘되어야 한다. 형평성 덕목은 행위자의 잘못으로 인한 피해와 그 행위자에게 요구되는 적절한 보상 조치 사이에서 균형을 맞출 때 철저히 공정(공평)하고자 하는 성향이다. 종종 보상이 어떤 종류와 규모로 이루어져야 옳은지를 정확히 결정하기가 매우 어려운 경우도 있지만, 대단히 불공정하기 때문에 명백히 잘못된 조치도 있다. 형평성 덕목을 계발함으로써 우리는 그런 행위가 불공정한 이유를 이해하고 그와 대조적으로 어떤 행위가 적어도 더 공정할지 판단할 수 있다. 인간이 자연계의 생명체를 대하는 방식에서 공정함이 무엇인지를 잘 아는 것은 그런 상황에서 필요한 덕목이다.

형평성이 공정성과 결합하면, 도덕 행위자와 도덕 주체 사이에서 정의의 균형을 회복하는 적절한 보상 조치를 찾아내는 데 필요한 성품의 기반이 굳건해진다. 그렇다면 주어진 경우에 어떤 보상이 가장 정당한지에 관한 가장 믿을 만한 판단은 진정으로 자연을 존중하는 사람들이 완전히 계발된 공정성과 형평성 능력을 발휘하면서 모두 동의하는 판단이라고 말할 수 있다.

이들이 자연 존중 윤리의 네 가지 규칙의 구속을 받는 모든 도덕 행위자 측의 좋은 성품을 구성하는 일반 덕목과 특수 덕목이다. 이 윤리 체계의 행위 규칙과 성품 기준 사이의 관계는 다음과 같이 요약해서 제시할 수 있다.

행위 규칙		성품 기준
I 규칙 체계 전체		일반 덕목
	도덕적 힘	성실 통합 끈기 용기 절제 또는 자기 관리 공평무사

	인내
	의무에 대한 책임감
도덕적 관심	자비
	연민
	공감
	배려

II 특정 규칙	특수 덕목
무해의 규칙	사려 깊음
불간섭의 규칙	존중
	공평무사
신의의 규칙	신뢰성
보상적 정의의 규칙	공정성
	형평성

환경 윤리에서 좋은 성품의 개념을 검토한 결론에 덧붙여, 나는 이 질문을 다루고 싶다. 덕은 도덕적 의무인가? 나는 그렇다고 주장할 텐데, 그것은 덕이 올바른 행위에 (올바른 이유로 올바른 일을 하는 데) 필요할 뿐 아니라 그 자체가 의무이기 때문이다. 달리 말하자면, 좋은 성품을 계발하고 함양할 의무의 근거는 두 가지다. 첫째, 행위자가 도덕적으로 행동할 수 있으려면 일반 덕목과 특수 덕목이 모두 필요하다. 둘째, 내적 (사적) 동기 부여와 정서적 삶을 외적 (공적) 삶의 행동 및 행동 이유와 조화를 이루게 함으로써 완전히 도덕적인 존재가 되고자 힘껏 노력해야 할 의무가 있다. 이 둘은 인간 윤리와 환경 윤리 모두에 적용되지만, 여기서는 후자에만 관심을 둘 것이다.

덕이 의무인 근거가 첫 번째 사항이든 두 번째 사항이든, 모든 경우에 도덕적 요구 사항은 덕이 높은 상태가 되는 (즉 좋은 성품을 갖추는) 것이 아니라, 덕, 즉 성품의 좋은 특성을 계발하고 함양하는 것이다. 덕목을 계발하는 것은 자신에게 없거나 비교적 덜 발달된 성품 특성을 획득하려는 목적으로 스스로 훈련하는 것이다. 이미 있는 덕목을 함양하는 것은 이미 본질적으로 좋은 성품을 강화하고자 노력하는 것이다. 덕을 계발하고 함양하는 것은 도덕적인 문제에서 자기 개선을 위해 힘껏 애쓴다는 뜻이다. 자신이 어떤 악덕 (도덕적 관점에서 판단할 때 바람직하지 않은 성품 특성)을 가지고 있음을 알아차렸을 때, 결여된 덕목을 계발하고 부족한 덕목을 함양함으로써 자신의 성품을 바꾸는 것은 도덕 행위자의 의무다.

덕이 의무라는 첫 번째 근거와 관련하여, 나는 도입부에서 좋은 성품의 일반적인 특성을 처음 설명하면서 사람이 올바른 상황에서 올바른 이유 때문에 올바른 일을 하는 데 덕목이 필요하다고 강조했다. 덕이 높은 성품을 이루는 감정, 욕구, 동기 및 목적을 갖추는 것은 어떤 행동을 취해야 하는지 명쾌하고 정확히 숙고하고 그리하여 도달한 결심을 이행할 때 필요한 능력을 얻는 데 도움이 된다. 특히 의무를 이행하기 어렵고 자기 이익 때문에 생각이 왜곡되기 쉬운 상황을 맞닥뜨렸을 때 일반 덕목은 올바로 행동하는 데 필수적이다. 나는 또한 특수 덕목 각각에 대해 해당 성품 특성이 사람의 능력 및 그 덕목과 연관된 다양한 규칙들을 준수하는 성향에 어떻게 기여하는지 지적했다.

이런 고려에 비추어볼 때, 유효한 행위 규칙을 준수할 의무가 있다는 점과, 실생활에서 변함없이 그 의무를 준수하는 데 덕이 필요하다는 점이 연결됨으로 인해 덕이 의무로 지워짐을 알 수 있다. 어떤 행동은 우리의 의무이고 도덕적 요구가 있을 때마다 그 행동을 변함없이 이행하는 데 특정 덕목이 필요하므로, 그에 따라 그 덕목을 계발하고 함양하는 것은 도덕적 의무가 된다. 이 첫 번째 근거로 볼 때, 좋은 성품을 획득하고 강화하는 의무는 파생된 의무다. 도덕 행위자는 그 의무의 이행이 일차적인 의무를 어김없이 수행하는 데 필요한 수단이기 때문에 그리고 그렇게 필요한 만큼 그 의무를 진다. 이 근거와 관련하여, 행위자가 덕이 없어도 항상 유효한 도덕 규칙에 맞게 사고하고 행동할 수 있다면 덕의 계발과 함양은 그 행위자에게 의무가 되지 않는다.

덕이 의무라는 두 번째 근거를 중심으로 보면 그림이 달라진다. 여기서는 좋은 성품을 계발하고 함양하는 것이 직접적이고 일차적인 의무다. 이 의무의 근거는 행위자가 올바로 행동하려면 덕이 필요하다는 불확실한 심리적 사실이 아니다. 그보다는, 내적 성품과 외적 실천이 완벽히 일치해야 완전히 도덕적인 존재가 되기 때문에 덕의 기준에 최대한 가까이 도달하는 것이 도덕적 요구 사항이다. 모든 덕목, 즉 일반 덕목과 특수 덕목을 모두 계발하고 함양할 의무는 내적으로도 외적으로도 완전히 도덕적인 의무다. 올바른 행동 규칙을 우리 자신의 규범적인 원칙으로 채택해야 하는 것과 마찬가지로, 우리는 동일한 방식으로 유효한 성품 기준을 채택해야 한다. 규칙과 마찬가지로 이 기준도 우리를 구속하며 공평무사하게 적용된다. 각 기준은 모든 도덕 행위자가 힘껏 노력할 이상적 목표가 된다. 좋은 성품의 문제에서 탁월함을 추구하는 것은 의무적인 목표다. 모든 도덕 행위자는 그것을 목표로 정하고 달성하기 위한 조치를 취할 의무가 있다. 이것은 자기 계발, 즉 도덕적 성장 의무다. 우리는 자신의 노력으로 도덕적 자아를 창조해야 하는데, 그렇게 해야만 내적 삶과 외적 삶이 서로 완전히 조화를 이루기 때문이다. 그렇게 되면 우리는 도덕 법칙의 조문을 따를 뿐 아니라 그 정신과도 조화를 이루며 행동한다. 덕을 갖출 의무의 두 번째 근거인 성품과 행위의 일치는 도덕 행위자의 내적 삶이 감정과 능동 측면이 유효한 도덕 규칙을 지키려는 약속을 뒷받침한다. 행위자의 성품을 이루는 감정, 욕망 및 목적성이라는 내적 삶에 대응하는 공적 측면은 목표, 의도 및 행동 이유가 있는 올바른 행위이다. 행위와 성품이 일치되면 행위자는 온전한 존재, 즉 완전하고 통합된 자아로서 선택하고 행동한다. 아마 어떤 인간도 이 이상적인 의미에서 완벽히 도덕적인 존재가 될 수 없겠지만, 그렇다고 해서 스스로 노력하여 그 이상에 최대한 근접할 의무가 사라지지 않을 것이다.

다른 사람과 관련하여, 덕을 계발하고 함양할 의무는 다른 사람들로 하여금 삶에서 이 목적을 추구하도록 도울 의무가 된다. 의무의 이 측면은 자녀의 경우처럼 도덕 행위자가 다른 사람에게 상당한 영향력이 있는 상황에 가장 잘 맞는데, 개인적인 친구의 경우에도 어느 정도 가능하다. 어린이와 청소년의 교사들 또한 학생들의 성품 발달에 효과적으로 기여할 수 있는 위치에 있다. 그러나 기본적으로, 덕을 갖추는 것은 자기 결정 행위와 자율권 행사를 통해서만 가능하다. 우리가 다른 사람들에게 영향력이 있더라도, 그들은 스스로 노력하지 않으면 진정으로 탁월한 성품을 계발할 수 없다. 우리가 모범을 보여 영감을 줌으로써 그들이 노력을 결심하도록 도울 수 있지만, 궁극적으로 그들은 혼자 힘으로 도덕적 자아를 창조한다.

여기서 우리는 윤리에서 자율적 의지의 역할이 중요함을 또 한 번 알 수 있다. 실제로 어떤 면에서는 좋은 성품의 계발과 함양으로 도덕적 자아를 창조하는 것이 스스로 방향을 정하고 자신을 다스리는 인간 특유의 능력을 가장 고귀하게 발휘하는 길이다. 우리는 규칙이 적용되는 행위자가 자신에게 스스로 명령을 내리지 않는 한 행위 규칙에 대한 진정한 도덕적 약속이 있을 수 없음을 안다. 이것은 임마누엘 칸트가 의지의 자율성 원칙에서 말한 위대한 진리다. 규칙이 자신의 선택과 행위에 도덕적 의무를 부과한다고 여긴다면 자율적으로 자신의 의지와 실천이성이 규칙의 규범적 요구를 따르게 해야 한다. 우리가 스스로 생각할 수 있는 유일한 도덕적 의무는 공평무사 원칙에 따라 자유롭게, 그리고 기꺼이 자신에게 부과하는 의무다. 그렇게 하지 않는다면 다른 사람들이 부과하는 규칙을 따르도록 강요당하는 자신을 보게 될 뿐이다. 우리는 외적인 면에서 사회적 제재 규정이 있는 규칙을 지킬 수 있지만, 규칙을 강요하는 비난이나 처벌이라는 제재를 피할 수 있을 때는 그 규칙을 지킬 도덕적 의무감을 가지지 않을지도 모른다

동일한 논리로, 좋은 성품의 기준은 우리가 그 기준을 자신의 규범적 원칙으로 삼음으로써 자율적으로 그 기준의 지배를 받아들이는 경우에만 도덕적 의무인 목표를 자신에게 부과할 수 있다. 우리는 자신의 능력으로 할 수 있는 한 완전히 도덕적인 존재가 되어야 한다는 일반 원칙에 동의하는 경우에만 자신에게 덕을 계발할 의무가 있음을 받아들일 수 있다. 이 일반 원칙의 유효성은 모든 도덕 행위자의 자율적 동의를 정당화할 수 있는지에 달려 있다. 이것은 환경 윤리 맥락에서 이 원칙이 자연 존중이라는 도덕적 태도를 구현함을 보여주는 문제다. 그런데 이것은 실제로 사실임이 분명하다. 일반 덕목과 특수 덕목의 다양한 성품 기준이 자연을 존중하는 사람은 누구나 채택할 기준이기 때문에, 그 기준을 따르고 도덕적 삶에서 온전한 존재가 되어야 한다는 원칙 또한 그런 태도를 지닌 사람이면 누구나 받아들일 것이다. 덕이라는 성품 특성을 이루는 감정과 욕망의 성향은 모두 도덕 행위자가 내적 삶에서 자연 존중 태도를 구현하는 길이다. (네 가지 행위 규칙 또한 그 태도를 구현한다고 추정된다.) 따라서 우리가 자신의 노력으로 할 수 있는 한 덕을 갖출 의무가 있다는 일반 원칙의 도덕적 유효성은 네 가지 행위 규칙의 도덕적 유효성과 정확히 동일한 방식으로 확립된다.

이제 우리는 행위와 성품이 도덕 행위자의 삶과 존재에서 자연 존중 태도를 어떻게 표현할 수 있는지를 안다. 이 장에서 설명한 윤리 체계를 구성하는 다양한 행위 규칙과 성품 기준은 태도에 실질적이고 구체적인 의미를 부여한다고 말할 수 있다. 그 규칙과 기준은 인간 삶의 모든 면에서 자연 존중이 의미하는 바를 규정한다.

5장

동물과 식물에게 권리가 있는가

1. 법적 권리와 도덕적 권리

앞의 장에서 환경 윤리 이론에 착수하면서 나는 동물이나 식물에게 권리가 있다고 주장하지 않았다. 그것은 고의였다. 이 장에서 설명하려고 하는 이유 때문에 나는 권리 개념에 기대지 않는 환경 윤리 이론을 구성하고 옹호하고 싶었다.

동물이나 식물에게 또는 둘 다 권리가 있느냐는 문제에는 주요한 질문 두 가지가 따른다. 첫 번째는 동물과 식물이 권리를 가질 수 있는 유형의 존재인지 여부다. 두 번째는 그들이 권리를 가지는 것이 가능하다는 가정 하에 그들이 권리를 가진다는(또는 안 가진다는) 명제가 참임을 어떻게 증명하느냐는 것이다. 권리에 관해 이야기할 때 우리가 의미하는 바를 명확히 밝히지 않고는 이 질문 중 어느 것도 적절히 다룰 수 없다.

일반적으로 말하자면 권리를 가지는 것은 어떤 것에 대해 합법적인 청구권이나 자격을 가지는 것이고, 그 청구권이나 자격의 합법성을 (도덕적으로 또는 법적으로) 다른 사람들이 인정해야 한다. 도덕적 권리의 경우, 유효한 도덕 원칙이 모든 도덕 행위자에게 인정을 요구한다. 법적 권리의 경우, 특정 법률 체계가 문제의 법률 공동체의 모든 구성원들에게 요구한다. 논란의 여지가 적은 법적 권리 문제부터 시작해보자.

법적 권리는 확립된 법률 체계에 따라 사람들이 자신의 이익을 위해 내세울 수 있는 청구권이나 자격이다. 다른 사람들이 자신의 청구권이나 자격의 합법성을 (마땅히) 인정할 것을 정당하게 요구할 수 있으며, 그 요구는 법적 제재로 뒷받침된다. (빌려준 돈의 상환처럼) 어떤 것에 대한 법적 청구권을 가지거나 (자신이 선택한 종교의 실천이 허용되는 것처럼) 제한없이 어떤 방식으로 행동할 수 있는 법적 자격을 가진다는 것은 법으로 집행할 수 있는 청구권이나 자격을 가지는 것이다. 법적 청구권의 인정을 거부하거나 다른 사람의 법적 자유-권리 행사를 간섭하는 사람은 처벌을 받는다. 더욱이 권리의 개념을 구현하는 완전히 발달된 법률 체계에서는, 법적 권리가 침해되거나 거부되거나 위반되면 시정을 요구하고 더 나아가 어떤 형태의 배상이나 보상을 청구할 수 있다. 이 추가 청구는 정해진 법률 체계에 따라 모든 사람이 합법적인 것으로 인정하기를 요구하며 처벌에 의해 강화될 수 있다.

특정 청구권이든 행동 영역에서 선택의 자유를 행사할 자격이든, 법적 권리는 공동체에서 지위를 부여한다. 그 지위는 권리 소유자의 지위다. 지위를 획득한 결과, 그 사람은 기본 이익이 보호될 뿐 아니라 특정 영역에서 선택하고 행동하는 최종 권한이 부여된다. 이 보호와 권한은 법적 권리의 소유자로서 얻는 것이다. 그리하여 법이 명시한 바에 따라 마땅히 받아야 할 것을 빼앗기지 않으며, 법적으로 인정된 자유 영역에서 간섭받지 않도록 다른 사람에게 법적 구속력 있는 주장을 할 수 있다. (처벌 위협으로 뒷받침되는) 법적 제한이 다른 사람들의 행위에 부과됨에 따라 그 청구권과 자격은 보장된다. 권리 소유자로 인정된다는 것은 (생명과 자유 같은) 가장 기본적인 이익과 가치가 보장되는 것이다. 그러면 법으로 부여된 자격을 인정받을 것을 기대할 수 있을 뿐 아니라 부여된 자격을 인정받기 위해 정당하게 주장할 수 있다.

그런데 법률 체계는 그들 스스로 권리 소유자임을 이해할 수 없는 존재들에게도 권리를 부여할 수 있다(그리고 실제로 일어난다). 예를 들면 어린 아이, 중도 정신 지체자, 정신 이상자의 경우다. 정확히 기술하자면, 이 사람들은 어떤 것에 대해 청구권을 가지고 있고 법에 의해 특정 방식으로 대우받을 자격이 있다고 할 수 있다. 모든 권리 소유자의 경우와 마찬가지로, 다른 사람들은 이들의 청구권이 합법임을 인정하고 이들이 대우받을 자격이 있는 방식으로 대우함으로써 이들의 권리를 존중할 법적 의무가 있다. 그러나 이들 권리 소유자는 다른 사람들과 맞서 싸우며 자신의 권리를 주장할 수 없다. 자신의 권리를 이해하지 못하므로 부여된 권리의 인정을 요구하거나 주장할 수 없다. 대리인과 보호자, 친구와 친척이 대신 그 일을 해야 한다. 그럼에도 불구하고, 법률이 그들의 권리를 명시하고 공동체의 모든 사람들이 그들을 대하는 방식에 제약을 가하기 때문에 그들이 권리를 가지고 있다는 것은 옳은 말이다.

법적 권리가 주어진 시기에 한 사회에서 확립되고 수용된 특정 법률 체계에 의존하는 점은 법적 권리의 본래 특성이다. 어떤 사회의 법률 체계는 한 계층의 시민에게만 권리를 인정하거나, 서로 다른 계층에 서로 다른 권리를 부여할 수 있다. 아무도 권리 소유자로 인정하지 않는 법률 체계가 있을 수 있다. 그 사회에서는 법적 권리를 지닌 사람이 아무도 없을 것이다. 따라서 누가 법적 권리를 가지며 법적 권리가 무엇인지는 때와 장소에 따라 다르다. (1920년 전에 미국 여성들은 투표권이 없었고, 현재 특정 연령대의 젊은이들이 어떤 주에서는 술집에서 술을 살 수 없지만 다른 주에서는 술을 살 수 있다.)

그렇다면 어떤 사람이 무엇에 대해 법적 권리를 가지는지는 법률이 정하는 바에 달려 있다. 법률은 인간이 만드는 것이므로, 법적 권리는 인간 관습의 산물이다. 사람들에게 법적 권리를 부여하는 것은 인간이다. 그 권리는 권리를 규정하는 법을 제정할 권한이 있는 사람들의 결정이나 법원의 사법적 결정에 의해서만 시민들에게 부여된다. 법을 제정하고 결정을 내림으로써 당국은 권리를 만들어낸다. 법률을 종료하거나 폐지함으로써 그리고 새로운 결정을 내림으로써 권리를 바꾸거나 없앨 수 있다.

법적 권리에 대한 이 개념은 동물과 식물에 매우 쉽게 적용할 수 있는데, 어린 아이, 정신 이상자, 중도 정신 지체자의 경우, 권리 소유자가 되는 것의 의미를 이해하지 못하고 권리를 인식하지 못하며 자신의 권리를 박탈하려고 하는 사람들을 상대로 권리를 주장할 수 없더라도 그들에게 법적 권리가 있다는 말이 정확함을 염두에 둔다면 특히 그렇다. 동물과 식물을 인간 행위자의 행동에 의해 증진되거나 손상될 수 있는 고유의 선을 지닌 존재로 간주하는 한, 어떤 사회에서 그들이 권리를 소유하는 법적 지위를 가지는 것을 논리적으로 생각할 수 있다. 따라서 그들에게 특정 방식으로 대우받을 자격을 부여하는 법으로 그들의 선을 보호한다고 의미 있게 말할 수 있다. 인간의 경우와 마찬가지로, 동식물의 생명과 안녕도 그들에게 특정 권리를 부여하는 법으로 보장될 수 있다.[1]

1. 야생 지역과 자연 생태계뿐 아니라 동물과 식물에게 법적 권리를 부여하는 사례는 Christopher D. Stone. Should Trees Have Standing? Toward Legal Rights for Natural Objects (Los Altos, Calif.: William Kaufmann Inc., 1974)에 있다.

동물과 식물에게 법적 권리가 주어질 때, 그들의 선은 인간에게 법적으로 유효한 요구를 하는데, 인간은 그 요구의 합법성을 인정할 법적 의무가 있다. 그 사회에서 동물이나 식물의 권리를 존중하는 것은 인간의 권리를 존중하는 것과 동일하게 중요하다. 동물이나 식물에게 법에서 말하는 권리를 허용하는 것은 그 권리를 허용하거나 침해할 수 있는 모든 사람들에게 요구된다. 그 체계에서 법은 인간을 상대로 동물과 식물의 합법적인 권리를 공적으로 인정한다. 권리를 가진 존재가 권리를 단언하거나 주장하거나 심지어 이해할 수 없다고 해서 그 권리의 합법성이 사라지는 것은 아니다.

우리 법률 체계에서 일례를 들자면, 1973 년의 멸종 위기종에 관한 법률은 법으로 규정된 절차를 거쳐 법으로 규정된 일련의 기준에 따라 '멸종 위기종' 으로 지정된 특정 동식물 종-개체군을 법적으로 보호한다. 그런 종에 속하는 개체는 죽이거나 해를 입히거나 괴롭히지 말아야 하며, 그런 행위를 저지른 사람은 벌금이나 징역에 처한다. 법률에 근거하여 특정 종-개체군은 생존권을 획득한다. 그들의 보전 요구는 모든 미국 시민에게 유효하며 법적 구속력이 있다.

이와 유사하게, 야생 지역 보존을 위한 법률은 그곳에 서식하는 동식물 군집에 법적 권리를 부여한다고 생각할 수 있다. 그런 법률 제정으로 생물 군집 전체의 선에 도덕 행위자가 인정하는 권리가 부여될 수 있으며, 도덕 행위자는 생물 군집의 선에 반하는 행동을 함으로써 생물 군집에 해를 입혀서는 안 된다는 법적 의무를 진다. 마찬가지로 지정된 지역에서 사냥, 낚시, 덫 놓기를 금지하는 법률은 그렇게 함으로써 보호받을 동물에게 권리를 인정한다. 동물은 사냥이나 낚시로 또는 덫에 걸려 잡히지 않을 권리를 가진다.

앞 장에서 제시된 환경 윤리 이론은 적어도 특정 조건에서는 자연 생태계의 종-개체군과 생명체 군집이 법적 보호를 받고 그에 상응하는 법적 권리를 부여받아야 함을 함의하고 있음이 이제 분명하다. 한 나라의 국민들이 모든 야생 생물이 본래적 가치를 지닌다고 간주하면, 그들은 인간의 권리와 양립할 수 있는 한 야생 생물의 선을 보호하는 데 필요한 법률을 제정할 것이다.

동물과 식물이 법적 권리를 가지느냐는 질문은 이제 매우 간단히 답할 수 있다. 법 제도에 다양한 방법으로 그들의 선을 보호하는 법률이 포함되어 있는 사회에서는 그렇다. 그런 법률이 없다면 동물과 식물에게 법적 권리가 없다. 그런데 자연 존중 윤리에 비추어볼 때, 우리는 야생 생물의 법적 권리를 인정하는 사회가 그렇게 하지 않는 사회보다 인간과 자연계 사이의 관계에 관한 유효한 도덕 원칙을 더욱 완전히 이행하는 사회라고 덧붙일 수 있다.

(내가 곧 설명하게 될 의미로) 동물과 식물이 도덕적 권리를 가진다고 주장하지 않고도 이런 식으로 그들에게 법적 권리가 있음을 주장할 수 있다. 따라서 동물과 식물이 도덕적 권리를 가지고 있지 않음이 사실일지라도 그들은 여전히 법적 권리를 가질 수 있으며, 법적 권리가 없는 경우에도 여전히 그 권리를 인정받아야 할 수도 있다. 야생 동식물을 본래적 가치를 지닌 존재로 보는 자연 존중 태도는 우리가 그들에게 법적

권리를 부여하는 것을 정당화하는 근거로 충분하다. 자연 생태계의 종-개체군과 생물 군집을 보호하는 법률은 인간 이외 자연계 생명체들이 우리의 도덕적 관심과 배려를 받을 자격이 있다는 원칙에 부합하는 법이다. 그런 법률은 자연 존중 태도를 표현하거나 구현한다고 말할 수 있다. 우리의 성품과 행위가 자연 존중 태도를 표현하거나 구현한다고 말할 수 있는 것과 마찬가지다.

이제 도덕적 권리의 개념을 알아보자. 정확히 말하면 동물과 식물에게 권리가 있느냐는 문제에 대해 의견이 다른 사람들 사이의 주요 쟁점은 법적 권리가 아니라 도덕적 권리와 관련이 있다. 아마도 동물과 식물에게 도덕적 권리가 없음을 증명할 때 가장 자주 제기되는 주장은 엄밀히 말하면 그들이 권리를 가진다고 생각할 수 없기 때문에 동식물이 권리를 가질 수 없다는 것이다. 이 입장에 따르면, 동식물의 도덕적 권리에 대해 이야기하는 것은 개념상 혼란스럽거나, 더 강하게 말하자면 논리상 불합리하다. '도덕적 권리' 라는 용어 때문에 동물과 식물의 권리가 논리적으로 불가능하다고 보는 것이다.[2]

그런데 이 주장은 도덕적 권리의 의미를 이해하는 방식을 가정한 경우에만 타당하다. 구체적으로 말하자면, 원래 '인간의 권리' 라고 불리던, 기본적 인권이나 개인의 권리에 대한 담론에 이용되는 도덕적 권리의 개념을 상정해야 한다. 우리가 이 전통 방식으로 도덕적 권리를 생각한다면, 동물과 식물은 도덕적 권리의 소유자가 될 수 있는 유형의 존재가 아님이 사실이다. (나는 그 이유를 나중에 보여줄 것이다.) 그러나, 불합리하거나 혼란스럽지 않으면서 동물과 식물에 적용될 수 있는 도덕적 권리의 또 다른 개념이 있다. 이 개념은 우리가 정신 장애가 있거나 심각하게 지체된 사람들의 도덕적 권리를 언급할 때 사용하는 개념과 확실히 유사하다. 나는 나중에 이 수정된 또는 확장된 의미의 도덕적

2. 이 입장을 지지하는 신중한 논의는 H. M. McCloskey, "Moral Rights and Animals," Inquiry 22/1–2 (Summer 1979): 23–54에서 볼 수 있다. 이후 연구에서 맥클로스키는 그 에세이의 "두 가지 심각한 실수"를 인정하지만, 그 실수가 그의 주요 주장에 영향을 주지는 않는 것 같다. H. J. McCloskey, Ecological Ethics and Politics (Totowa, N.J.: Rowman and Littlefield, 1983), pp. 65–66를 볼 것. 조엘 페인버그는 반대 입장을 취한다.

J. Feinberg, Rights, Justice, and the Bounds of Liberty: Essays in Social Philosophy (Princeton, N.J.: Princeton University Press, 1980)에 있는 "The Rights of Animals and Unborn Generations"와 "Human Duties and Animal Rights"를 볼 것. 맥클로스키는 "Moral Rights and Animals," pp. 38–39에서 페인버그의 견해를 비판한다. 지각력 있는 동물의 권리에 대한 가장 상세한 논의는 Regan, The Case for Animal Rights에 제시되어 있다.

권리에 대해 논의하고 그것이 동물과 식물에 어떻게 적용될 수 있는지 보여줄 것이다. 그 후 우리는 다음과 같은 선택에 직면할 것이다. 도덕적 권리의 의미를 사람에게만 엄격히 적용되는 본디의 일차적 의미로 제한해야 할까, 아니면 인간이라는 종의 모든 구성원에게 적용될 수 있고 더 나아가 모든 생명체에 적용될 수 있게 확장해야 할까?

이 장에서 나의 최종 입장은 다음과 같다. 확장된 의미의 도덕적 권리를 동식물에 부여하는 것은 개념상 혼란스럽거나 논리상 불합리하지 않지만, 그렇게 하지 않는 데는 타당한 이유가 있다. 권리 개념을 그렇게 확장함으로써 달성하고자 하는 모든 것을 자연 존중, 생명체의 본래적 가치라는 개념, 그리고 존중 태도와 생명체 본래적 가치를 지지하며 명료하게 만드는 사고방식을 통해 똑같이 얻을 수 있다. 그 사고 방식은 생명을 중심으로 자연을 바라보는 신념 체계다. 다른 말로 하자면, 우리는 동식물의 권리 주장에 수반되는 것과 동일한 (해치지 않고 간섭하지 않고 신의를 깨뜨리지 않으며 보상을 하는) 바로 그 의무를 인정하고 그것의 바탕인 신념과 태도를 명확히 함으로써 자연계의 동식물을 적절히 대우하기를 정당화할 수 있다. 동물과 식물의 도덕적 권리에 대한 이야기를 피함으로써 동물과 식물을 존중하지 않는 사람들에게 도움을 주는 것이 아니다. 그와 반대로, 자연 존중 윤리의 근거를 설명함으로써 지구 야생 생물의 착취를 정당화하려는 인간 중심 관점을 거부할 견고한 기반을 마련하는 것이다. 이런 식으로 우리는 확장된 의미의 도덕적 권리 개념을 사용하지 않고도 모든 야생 생물에 대한 존중을 구현하는 네 가지 의무를 확립할 수 있으므로, 도덕적 권리 개념을 절충하지 않은 본디 의미로 받아들이고 인간에게만 적용하는 것이 최선이다. 그리하여 도덕적 권리 주장은 인간 윤리 영역 내에서만 제기되고 해석될 것이며 환경 윤리 영역에서는 배제될 것이다.

2. 도덕적 권리 주장에 대한 분석

사람에게 적용되는 본디 의미의 도덕적 권리 개념을 명확히 하려면, 어떤 사람이 어떤 것에 대해 도덕적 권리를 가지고 있다는 말이 주장하는 바를 신중히 검토해야 한다. 누군가가 어떤 것에 대해 도덕적 권리를 가지고 있다는 진술은 어떤 것에 대한 누군가의 법적 권리 주장과 유사하다. 그것은 그 사람이 어떤 것을 소유하거나 즐기거나 행동할 수 있는 정당한 권리나 자격을 가진다고 말하는 것이다. 이 경우에 청구권이나 자격이 정당한 근거는 법이 아니라 유효한 도덕 원칙이다. 같은 이유로, 다른 사람들은 청구권이나 자격의 정당성을 인정해야 하는데 이는 법적 의무가 아니라 도덕적 의무다. 개인의 권리와 관련하여 다른 사람들은 그가 청구권을 가지고 있는 것을 빼앗거나, 그가 선택과 행동의 자유를 지닌 영역에서 그의 자유를 간섭하지 말아야 할 의무를 진다. 그리고 법적 권리의 경우와 마찬가지로, 다른 사람들이 어떤 사람의 도덕적 권리를 위협하거나 위반하거나 침해하면, 그는 그의 권리가 존중될 것을 정당하게 요구할 수 있고 다른 사람들이 그 요구의 정당성을 인정할 것을 기대할 수 있다.

앞의 분석에서 도덕적 권리 주장의 규범적 특징 두 가지에 주목할 만하다. 첫째, 청구권이 도덕적으로 정당하다는 개념(그리고 청구권이 존중되어야 한다는 요구가 도덕적으로 정당하다는 점)이 있고, 둘째, 다른 사람들 측에는 그 청구권의 정당성(그리고 의무나 요구 사항의 정당성)을 인정할 도덕적 의무가 있다는 개념이 있다. 두 개념은 권리 소유자와 문제의 권리를 인정할 의무가 있는 사람, 양쪽에 적용되는 일련의 도덕 규범을 전제로 한다. 우리 자신의 권리를 언급하든 다른 사람의 권리를 언급하든 어떤 권리의 주장이 의미 있으려면, 유효한 규범적 윤리 체계가 있어서 주장되는 권리 및 다른 사람들의 의무를 규칙이 명시해야 한

다. 요컨대, 누군가가 어떤 것에 대해 권리가 있다는 주장은 사실적 진술이 아니라 규범적 진술이다.[3]

3. 도덕적 권리의 개념에 대한 이 분석은 주로 조엘 페인버그의 연구에서 끌어내었다. J. Feinberg, Rights, Justice, and the Bounds of Liberty: Essays in Social Philosophy (Princeton, N.J.: Princeton University Press, 1980)에 실린 "The Nature and Value of Rights," "Duties, Rights, and Claims" 및 "Voluntary Euthanasia and the Inalienable Right to Life"와 J. Feinberg, Social Philosophy (Englewood Cliffs, N.J.: Prentice-Hall, 1973), 4장, 5장, 6장을 볼 것. 각주 2에서 언급한 것처럼 페인버그는 자신의 분석처럼 동물이 도덕적 권리를 가질 수 있다고 보지만, 나는 이 장에서 말하는 이유로 특정 방식으로 입증되지 않는 한 그 견해를 믿지 않는다.

관심과 권리의 차이점을 고려하면 권리 주장의 규범적인 요소가 더 명확해질 수 있다. 어떤 사람이 어떤 것에 관심을 가지고 있다—수단이나 목적으로 원하거나 필요로 하거나 소중하게 여긴다—고 말하는 것은 경험적 사실의 문제를 주장하는 것이다. 우리는 사람들의 행동을 관찰하고, 그들의 말을 듣고, 그들이 문제의 그것을 얻고자 기울이는 노력에 주목함으로써 그 진술이 참인지 거짓인지를 판단할 수 있다. 그러나, 그런 경험적 증거가 있어도 그것만으로 사람들의 도덕적 권리가 무엇인지는 알 수 없다. 아마도 어떤 것에 관심이 있거나 어떤 식으로든 그것을 소중히 여기지 않는 한, 누구도 그것에 대해 권리를 주장하지 않을 것이다. 따라서 관심은 권리를 가지기 위한, 적어도 자신을 위해 권리를 주장하기 위한 필요 조건이라고 할 수 있다. 그러나 어떤 것에 관심이 있다고 해서 그것에 대한 권리가 있다고 할 수는 없다. 사람들이 건강이나 생존에 필요해서 어떤 것을 원하더라도, 사람들에게 생존권이 있다는 도덕 원칙을 가정하지 않는 한 권리가 있다고 추론할 수 없다. 필요하다는 것은 권리를 가질 충분 조건이 아니다. 필요에서 권리로 가려면 유효한 도덕 원칙이 언급되어야 한다.

그렇다면 관심, 필요, 가치를 권리와 혼동해서는 안 된다. 욕망, 필요, 가치가 원하거나 필요하거나 소중히 여기는 것에 대한 권리를 부여하는 것도 아니다. 어떤 사람이 원하거나 필요하거나 소중히 여기는 것에 대한 권리 주장에 정당성이 없다면, 그 사람과 원하거나 필요하거나 소중히 여기는 것 사이에는 불확실한 관계만 있을 뿐이다. 이 관계는 우리의 감각 인식이라는 증거를 통해 경험적으로 알 수 있다. 그러나 우리의 감각 인식은 도덕 원칙을 전제하지 않는 한 결코 사람들의 권리에 대한 증거를 제공할 수 없다. 원칙이 권리를 명시하고 권리 주장이 정당하다는 근거를 밝혀야 한다.

우리가 사람들의 필요, 관심, (주관적인) 가치에 대해 주장하는 언어는 사실에 관한 것이다. 도덕적 권리의 언어는 규범적이다. 우리가 항상 이 차이점을 인식하는 것은 아닌데, 그것은 권리에 관한 진술이 일반적으로 '해야 한다' 라는 용어로 표현되지 않고 오히려 '이다' 또는 '가지고 있다' 라는 용어로 표현되기 때문이다. 우리는 어떤 사람의 권리가 무엇인지 또는 어떤 사람에게 어떤 것에 대한 권리가 있는지 이야기한다. 그러나 이때 문법 사항 때문에 권리에 관한 진술이 경험적 사실 문제를 주장한다고 생각해서는 안 된다. 누군가가 어떤 것에 대한 권리를 '가지고 있다' 는 진술은 당위 진술을 감추고 있거나 암시하고 있다. 그 사람에게 어떤 행동 영역에서 선택의 자유가 허용되어야 하거나 어떤 것을 획득하거나 소유를 유지할 기회가 부여되어야 한다고 주장하는 것이다. 이는 동시에 그 사람에게 자유를 부여하거나 기회를 줄 의무가 다른 모든 도덕 행위자들에게 있다고 주장하는 것이다. 왜 그렇게 대우해야 하는지 묻는다면 우리는 도덕 규범이나 원칙에 호소해야 하며, 왜 그 원칙을 지켜야 하는지 묻는다면 우리는 그것이 유효한 원칙이고 모든 행위자에게 구속력이 있음을 보여주어야 한다.

그렇다면 권리의 언어를 사용하는 것은 규범 체계를 전제로 한다. (그 언어는 규범적이다.) 더욱이 자신이나 다른 사람들의 권리를 주장하는 사람들은 암묵적으로 규범을 모든 도덕 행위자에게 유효한 구속력이 있는 것으로 받아들인다. 모든 행위자는 제기되고 있는 주장의 정당성을 인정할 도덕적 의무가 있다. 따라서 어떤 것에 대한 어떤 사람의 도덕적 권리를 주장하는 것은 사실상 그 사람 및 다른 사람들에게 도덕 원칙을 적용하는 것이고, 그 원칙은 그것에 대한 그 사람의 권리의 근거이며 그 권리를 존중할 도덕적 의무를 다른 사람들에게 부과하는 것으로 이해된다. 적용되는 원칙이 도덕적인 것이기 때문에, 주장되는 권리는 도덕적 권리의 범주에 속한다.

권리 주장은 어떤 경우에 정당할까? 대답은 그 주장의 바탕인 원칙이 유효한 도덕 원칙일 때다. 우리는 1장에서 인간 윤리의 도덕 원칙이 유효하기 위해서는 형식 조건 다섯 가지와 내용 조건 하나를 충족해야 함을 보았다. 첫째, 원칙은 일반적인 형태로 특정한 사람이나 상황을 언급하지 않아야 한다. 둘째, 모든 도덕 행위자에게 적용되어야 한다. 셋째, 예외없이 모든 사람들에게 편견 없이 공평무사하게 적용되는 정언적인 원칙이어야 한다. 넷째, 그 원칙을 자신의 규범적 지침으로 채택한 개인은 그것이 보편적으로 적용되는 정언적인 규범으로 다른 모든 사람들에 의해 공적으로 인정되고 인식되기를 지지해야 한다. 다섯 번째 형식 조건은 계급의 이해, 관습, 법률 및 개인의 가치 같은 도덕과 관계없는 어떤 규범보다 우선함이 옳다는 것이다. 마지막으로, 내용 조건과 관련하여 원칙은 인간을 인격체로 존중하는 개념을 구현하는 경우에만 인간 윤리 영역에서 유효하며, 그 개념을 구현할 때 그 원칙은 유효하다.

(인간 윤리 영역에서) 권리 주장이 이 모든 조건을 충족하는 도덕 원칙을 전제로 할 때, 주장되는 권리는 정당한 도덕적 권리이며, 달리 말하자면 그 주장은 정당하다. 모든 정당한 도덕적 권리에 대해, 권리를 구성하는 청구권이나 자격의 정당성은 도덕 공동체(도덕 행위자의 공동체) 전체에서 보편적으로 유지된다. 그 공동체의 모든 구성원이 그 권리를 존중할 의무를 인정함으로써 그 권리를 마땅히 인식해야 한다. 권리를 부여하는 것과 동일한 원리가 의무를 규정한다. 'P라는 사람에게 X에 대한 권리가 있다'는 진술이 참이라면 'P 외의 세상의 모든 사람들(즉 모든 도덕 행위자)은 P의 X에 대한 청구권이 정당함을 인정할 의무가 있다'는 진술도 참이다. 한 사람의 권리는 다른 모든 사람들에게 의무를 부과한다.

한 사람이 어떤 것에 대한 권리를 주장하지만 아무도 그 주장을 정당한 것으로 간주할 의무가 없는 상황을 생각해보면 그러함을 알 수 있다. 이 경우 다른 사람들에게 권리 주장을 존중할 의무가 없으므로, 그 사람에게서 문제의 그것을 빼앗거나 그 사람이 그것을 선택할 자유를 간섭하는 그들의 행동이 허용될 것이다. 그렇다면 분명히 우리는 그 사람에게 문제의 그것에 대한 도덕적 권리가 있다고 말하지 않을 것이다. 원하는 경우엔 다른 사람들이 그 사람에게서 그가 권리를 주장하는 것을 빼앗을 수 있음이 정당하다면, 그 사람이 그것에 대한 도덕적 권리를 가지고 있음은 정당할 수 없다.

확립된 도덕적 관례가 주장되고 있는 권리를 인정하지 않는 사회에서도 권리 주장이 정당할 수 있다. 노예 제도를 실행하는 사회는 노예의 자유권을 부정하고 그 사회의 도덕적 관례에 기초하여 자유권의 부정이 옳다고 믿을 수 있다. 노예 자신들도 그 도덕적 관례에 철저히 세뇌되었다면, 자신들에게 자유권이 없다고 믿을 수 있다. 그럼에도 불구하고 그들에게 자유권이 있음은 여전히 정당할 수 있다. '노예들에게 자유권이 있다' 는 진술이 참임은 '그 사회에서 아무도 노예들의 자유권을 믿거나 인정하지 않는다' 는 진술이 참인 것과 모순되지 않는다. 이것은 다시 권리와 관련하여 규범과 서술을 구별하는 문제를 제기한다. 도덕적 관례에서 어떤 권리가 받아들여지는지는 사실의 문제이며, 그것이 참임은 역사학자나 인류학자가 그 관례를 채택한 사회를 연구함으로써 밝혀질 수 있다. 그러나 이것은 그 사회의 모든 사람 또는 일부가 도덕적 권리를 가지고 있느냐는 규범에 관한 질문과 아무런 관련이 없다.

이 문제는 실질적으로 매우 중요하다. 현대에 평등주의와 민주주의가 부상하면서 인간은 모두 양도할 수 없는 기본 권리가 있다는 사회적 급진주의자와 개혁주의자 측의 주장이 뒤따랐다. 그 주장은 독재 정치 체제 및 그런 권리를 거의 혹은 전혀 인정하지 않는 전통적인 도덕적 관례 앞에서도 정당성—심지어 '자명한' 참—을 유지했다. 보편적 인권이라는 이름으로 광범위한 사회 변화가 요구될 수 있는 것은 정확히 말하자면 규범적 주장인 이 권리 주장의 정당성이 정치 체제나 수용된 도덕적 관례에 달려 있지 않기 때문이다.

권리 주장이 제기되는 대상과 관련하여 유의해야 할 점이 두 가지 있다. 첫 번째 사항은 그 주장이 참임을 받아들이는 조건과 관계있다. 두 번째 사항은 제기된 주장의 의미를 이해하는 것과 관계있다. 우리는 어떤 권리 주장이 정당하다면 모든 도덕 행위자에게 그 권리를 존중할 의무를 부여하는 유효한 도덕 규칙이 있어야 함을 보았다. 그렇다면 자신들이 그 규칙의 구속을 받는다고 생각하는 행위자들의 공동체에서 그 규칙이 도덕적으로 유효한 원칙으로 간주되지 않는 한, 그들은 그 권리 주장을 정당한 것으로 받아들이지 않을 것이다. 반면에, 권리 주장이 정당함을 받아들인다면 그들은 그 규칙의 도덕적 유효성을 인정하고 원칙대로 자신들에게 그 권리를 존중할 의무가 있다고 생각할 것이다.

제기되는 권리 주장의 의미를 이해하는 면에서, 도덕 행위자의 행위가 도덕 규칙의 범주에 들어가는 것과 원칙대로 의무를 지는 것의 의미를 이해하지 못한다면, 그들은 주장되는 바를 이해하지 못하는 것이다. 그들은 도덕적 권리에 대한 개념이 없는 것이다. 어떤 사람이 어떤 것에 대해 청구권을 주장했을 때 그 주장의 정당성을 인정하는 것의 의미를 파악하지 못할 것이기 때문이다.

이런 점을 고려하면 우리는 도덕적 권리 주장이 참이며 그것의 의미를 이해하는 문제에서 모든 사람에게 똑같이 적용될 수 있는 일련의 규칙에 도덕 행위자들이 함께 묶여 있는 공동체라는 관념이 개념적으로 필수라고 추론할 수 있다. 권리 주장의 바탕이 되는 규칙이 사람 존중에 기초한 유효한 인간 윤리 체계에 속하는 한, 도덕 공동체의 모든 구성원들은 각 구성원이 스스로 주장하는 권리를 존중할 (그 정당성을 인정할) 의무가 자신들에게 있다고 본다. 즉, 각 구성원은 자신이 인격체임을 알고, 사람들을 인격체로 존중하는 일반 원칙에 비추어 인격체로서의 삶이 허용되는 최고의 가치를 다른 사람들에게 주장한다. 다른 사람들도 자신처럼 인격체이며 따라서 똑같은 배려를 받을 자격이 있다고 인정하기 때문에 자신에게 부여되어야 한다고 믿는 것과 동일한 권리를 다른 사람들에게 부여할 도덕적 의무를 인정한다. 자신의 권리가 정당함을 다른 사람들이 인정해야 하는 것과 마찬가지로, 다른 사람들의 권리가 정당함을 인정할 의무가 자신에게 있다고 간주한다.

모든 사람들이 단지 사람이기 때문에 모든 사람들이 누리는 권리를 확립하는 도덕 규칙 체계에서, 권리를 가진 자와 의무를 진 자 (즉 누군가의 권리 주장이 제기되는 대상자 모두) 사이의 도덕적 관계에는 중요한 특성이 있다. 각 권리 소유자는 다른 사람들이 자신들의 권리에 기대하는 것과 동일하게 인정받을 권리를 지닌 동등한 사람들 중 한 사람이며, 그가 그런 인정을 다른 사람들에게 요구하는 것이 정당함을 모든 사람들이 이해한다. 권리 소유자들에 대한 공정한 행동은 그들이 대우받아 마땅한 방식으로 반응하는 문제로 간주된다. 다른 사람들의 권리에서 발생하는 도덕적 제약은 그들에 대한 유효한 의무이며 그들의 인격에 대한 존중에서 비롯됨을 이해한다.

권리 소유자의 관점에서 보면, 다른 사람들의 행동은 단지 그들의 친절한 감정으로부터 나와 자신에게 오는 혜택이 아니다. 오히려 자신의 권리가 다른 사람들에게 엄격히 요구하는 것이며, 권리 소유자는 그 요구를 자신들의 감정이나 성향과 관계없이 충족해야 한다. 동시에 각 권리 소유자는 다른 권리 소유자들 또한 마찬가지로 존중받아야 하는 존재로 생각한다. 각 행위자는 자신에게 말한다. '나에게는 다른 사람들의 권리를 존중하는 마음으로 규칙을 따라야 할 의무가 있다. 왜냐하면 내게도 그들이 동일한 규칙을 따름으로써 존중해야 할 권리가 있기 때문이다.' 이런 윤리 체계에서 누군가의 권리를 침해하는 것은 그 사람에게 호의적이지 못한 것 이상이다. 그것은 그의 권리 소유자로서의 동등한 지위를 부정함으로써 그에게 모욕을 주었다는 의미다. 따라서 침해자는 책임을 져야 하고 침해를 당한 사람은 정당하게 침해자에게 어떤 형태의 보상을 요구할 수 있다.

나는 지금까지 도덕적 권리라는 개념의 일반적 의미와, 그 개념이 사람 존중을 바탕으로 인간 윤리 체계에 적용되는 방식에 대해 논의했다. 여전히 인간 윤리 틀 안에 있는 다음 질문은 이것이다. 사람은 무엇에 대해 도덕적 권리를 가지고 있는가? 여기 답하는 첫 단계로, 도덕적 권리를 위에서 분석한 방식으로 이해할 때 합리적이고 깨어 있으며 자율적인 사람이 스스로 도덕적 권리의 문제로 주장할 것을 생각해보자. 기본적으로 그것은 그 사람이 가장 크게 가치를 두는 것일 것이고, 그것이 없다면 그는 자신의 인생 계획에 따라 자신의 가치를 추구하는 자율적이고 합리적인 존재로 살아갈 수 없을 것이다. 도덕적 권리로 주장될 것은 인격 자체에 필요한 조건, 즉 인격체로서 생명과 자율성과 합리성을 유지하는 데 필요한 조건의 이행일 것이다. 이런 식으로 보면 우리의 도덕적 권리는 우리의 인격을 파괴하는 방식으로 다른 사람들이 우리의 삶을 침해하거나 우리에게서 어떤 것을 빼앗는 행위에 맞서 보호를 주장하는 권리다. 합리적이고 깨어 있는 자율적인 존재가 도덕적 권리의 문제로 요구하는 것은 자신만이 절대적인 권한을 가져야 한다고 생각하는 활동, 사고 및 가치 판단의 영역을 규정한다. 거기에는 인격 자체의 실현에 필수적인 것이 포함될 것이다. 따라서 사람 존중에 기초한 인간 윤리 체계에서 인격체의 도덕적 권리는 인격체로 발달하고 인격체로서의 존재를 보전하는 데 필요한 조건을 보장받기 위해 각자 스스로 요구하는 권리다. 그 권리는 세 가지 일반적인 범주로 구분된다. 나는 그 권리를 다음과 같이 지정한다.

(a) 생존 및 안전의 권리 ('생명권').

(b) 자유권.

(c) 자율권.

각 권리 범주에는 부작위 권리와 작위 권리가 모두 포함된다. 이는 각 범주에 속하는 권리에 다른 사람들의 부작위 의무와 작위 의무가 수반된다는 의미다. 앞에서 보았듯이 부작위 의무는 특정 종류의 행동을 하지 않을 의무다. 그 의무는 해당 종류의 행동을 금지하는 유효한 도덕 규칙으로 결정된다. 그 의무는 모든 도덕 행위자에게 그 행동을 자제할 것을 요구한다. 작위 의무는 특정 상황에서 특정 종류의 행동을 수행할 의무다. 그 의무는 적절한 상황에서 그런 행동을 모든 도덕 행위자에게 요구하는 규칙에 의해 규정된다. 이제 나는 세 가지 부류의 도덕적 권리를 차례로 간단히 살펴보고, 각 부류의 권리와 대응되는 부작위 의무와 작위 의무 모두 몇몇 예를 들어 권리의 이중적 특성을 밝힐 것이다.

(a) 생존 및 안전의 권리

생존권은 생물적 생존에 요구되는 물리적 필수품에 대한 권리다. 생존권에는 생명 유지와 일정 수준의 기본적인 건강 관리에 필요한 충분한 음식, 주거지, 의복에 대한 권리가 포함된다. 여러 나라에서 이런 것들이 제공되지 않고 스스로 노력해야 얻을 수 있음이 사실이기 때문에, 그 나라의 생존권에는 생물적 생존에 필요한 것을 획득할 수 있도록 충분한 수준의 교육을 받을 권리가 포함되어야 한다. 사람들이 생존 수준 이상의 소득을 올리거나 취업할 수 있는 **생존권**을 가지지 못함에 주목해야 한다. 그런데 그들은 균등한 기회가 모든 사람들에게 확대되는 사회 조건에서 자신의 직업을 선택하고 생존 수준 이상의 소득을 올릴 수 있는 **자유권**을 가지고 있다.

생존권은 목숨을 빼앗기지 않고 생명 유지에 필요한 기본 필수품이 박탈되지 않을 권리를 포함한다고 이해하면 생존권은 부작위 권리다. 이 부작위 권리와 대응되는 의무는 살해를 자제할 의무와 다른 사람에게서 생필품을 빼앗지 않을 의무다.

생존권은 자신의 과실이 아니면서 궁핍한 상황일 때 도움을 받을 권리가 포함되는 한 작위 권리다. 여기서 궁핍한 조건은 다른 사람의 도움 없이는 사람이 살아남지 못하는 조건으로 이해된다. 이 권리와 상관되는 작위 의무는 생명 유지에 필요한 것을 제공할 때 각 도덕 행위자가 공평하게 분담하는 것이다.[4]

인간 윤리 체계에 속하는 생존권에도 인간이 지구의 자연 환경을 어떻게 대해야 하는지에 대한 중요한 암시가 있다. 이 권리와 대응되는 의무는 인간의 삶을 심각하게 위협할 정도로 환경을 오염시키거나 질을 떨어뜨리는 일을 자제할 의무다. 공중 보건 보호에 필요하다면 오염을 정화할 작위 의무도 있다. 생존권에는 신체에 안전한 환경에 대한 권리가 포함된다고 말할 수 있다. 이것은 깨끗한 공기를 마시고, 독성 화학 물질이 없는 물을 공급받고, 위험 수준의 방사선으로부터 보호받는 등의 권리로 설명할 수 있다.[5]

이제 내가 '안전권'으로 언급한, 생존권의 다른 요소를 살펴보자. 안전권은 폭력, 강간, 고문을 당하지 않고 그밖의 폭력적 해를 입지 않을 권리이며, 그런 해를 입힐 수 있는 사람으로부터 보호받을 권리다. (현대의 인권 침해, 특히 정부에 의한 위반을 진술하는 경우, 일반적으로 안전권이 언급된다.) 안전권에 대응되는 의무가 사람에게 폭력 행사를 자제하는 것인 한 안전권은 부작위 권리다. 다른 사람의 건강과 안전을 무시하지 않을 부작위 의무도 있다. 예를 들어 난폭한 자동차 운전은 사고가 발생하지 않았을 때조차 이 의무를 위반했을 수 있다. 우리의 행동이 다른 사람들의 생명에 영향을 미칠 수 있는 일에는 주의를 기울일 의무가 있다. 우리는 다른 사람들의 신체적 안녕에 대해 과도한 위험 부과

4 생존과 안전에 대한 작위 권리의 대표적 사례는 Henry Shue, Basic Rights: Subsistence, Affluence, and U.S. Foreign Policy (Princeton, N.J.: Princeton University Press, 1980)에서 볼 수 있다.

5. 한 편의 인간의 권리와 다른 한 편의 자연 환경을 존중하는 의무 사이의 관계 문제는 William T. Blackstone이 발전시켰다. W. T. Blackstone 엮음, Philosophy and Environmental Crisis (Athens, Ga.: University of Georgia Press, 1974), pp. 16-42에 실린 "Ethics and Ecology"를 볼 것.

를 피해야 하는데, 여기서 '과도한 위험'은 신체적 안녕이 위태로운 사람들이 받아들일 수 없는 위험이다.

작위 권리로서 안전권은 우리를 해칠 의도가 있는 사람들로부터 보호받을 권리다. 이와 대응되는 의무는 보호를 제공할 때 모든 도덕 행위자가 공정하게 분담하는 것이다. 여기에는 사람들에게 폭력을 행사하는 자를 처벌하는 법 제도의 확립과 강화가 포함될 것이다. 개인이 그 법을 지키고 따를 의무는 다른 사람의 안전권 존중에서 기본이다. 그 법을 따르는 것은 단순히 법적인 요구가 아니라 도덕적 의무다.

(b) 자유권

나는 현재의 목적을 위해 '자유'를 허용되는 관심사를 추구할 때 외부에 존재하는 제약으로부터의 자유라는 의미로 이해한다. 허용되는 관심사는 다른 사람의 권리를 침해하지 않을 뿐 아니라 유효한 도덕 규칙을 위반하지 않고 추구할 수 있는 관심사다. 개인은 각자 자신이 목표로 삼는 일을 수행하고, 그 일이 유효한 의무 규칙에 의해 금지되지 않는 한 다른 사람의 간섭을 받지 않고 목표를 달성하는 데 효과적인 수단을 취할 권리가 있다. 이것은 관심사의 추구 또는 더 일반적으로는 자신의 방식대로 사는 것이 다른 사람들이 그들의 관심사를 추구하고 그들의 방식대로 살 동등한 자유와 양립할 수 있어야 한다는 뜻이다. 누구도 다른 사람의 자유와 생명을 빼앗을 자유는 없다.

언뜻 보기에 자유권은 오로지 부작위 권리로, (다른 사람의 권리를 침해하지 않는 한) 원하는 대로 행동할 권리 소유자의 자유를 간섭하거나 제약을 가해서는 안될 부작위 의무를 다른 사람들에게 부과하는 것 같다. 그러나 그런 해석은 자유권의 중요한 적극적 측면 두 가지를 간과하는 것이다. 그 두 가지는 보호받을 권리와 도움받을 권리라고 할 수 있다.[6]

6. 보호 받을 권리와 도움 받을 권리의 구별은 Henry Shues, Basic Rights, pp. 51–55을 볼 것.

다른 사람이 우리에게 부과하는 제약으로부터 자유로울 권리를 공고히 할 자유권이 우리에게 있다면, 우리는 우리의 자유를 박탈할 자들, 특히 우리를 지배하려는 자들로부터 적절히 보호받아야 한다. 따라서 삶의 어떤 상황에서도 자유를 계속 보장받을 권리에는 다른 사람들 측에서 영구적으로 우리의 자유를 보장하는 사회제도, 정책, 관행을 만들고 지지할 의무가 뒤따른다. 여기에는 사람들이 개인의 자유를 가장 높이 평가하는 삶의 모든 영역에서 선택과 행동의 자유를 보장하는 법의 제정과 강화가 포함된다. 따라서 언론 및 기타 형태의 공적 의사소통의 자유, 종교와 양심의 자유, 집회의 자유 등등을 보장하는 법이 있을 것이다. 그 법을 따르고 지킴으로써 우리는 모두의 자유를 보호한다. 자유로운 사회 분위기를 형성함으로써 우리 모두 자유를 누릴 수 있다.

자유 문제에서 도움받을 작위 권리와 관련하여, 우리의 자유권은 우리의 자유가 박탈되었을 때(예를 들어 우리가 납치되거나 노예로 잡히거나 강제 수용소에 감금되었을 때), 우리를 도울 의무를 다른 사람들에게 부과한다. 자유에 관한 도움의 의무는 또한 권력자가 다양한 형태로 우리를 강압하거나 위협하여 자유를 잃어버릴 위험이 닥친 상황에 적용된다.

자유권에는 우리가 가치를 두는 것을 얻을 자유나 우리의 욕망과 관심이 실현되게 할 권리는 포함되지 않음이 강조되어야 한다. 우리는 관심을 만족시킬 권리가 없고 그보다는 다른 사람의 간섭을 받지 않고 관심사를 추구할 기회에 대한 권리가 있다. 자유권은 다른 사람의 방해를 받지 않고 우리 스스로 설정한 목표를 실현하고자 효과적인 조치를 취할 권리다. 따라서 우리는 (늘 그렇듯이 다른 사람에게서 그들이 가지고 있는 권리를 빼앗지 않는다는 가정하에) 합당하다고 생각하는 방식으로 우리의 선을 추구할 자유가 있다. 그러나 도덕적 권리 문제에서 우리는 우리의 선을 실현되게 할 권리는 없다. 이것은 우리의 도덕적 권리가 우리 인격의 보전, 즉 인격체로서의 존재에 필수적인 기본 조건과 관계있기 때문이다. 사람은 (어떤 유형의 사람이든, 행복하든 불행하든, 성취감을 느끼든 그렇지 않든) 생활 필수품이나 자유나 자율성이 조직적으로 박탈되면 인격체가 될 수 없다. 그러나 자신의 선을 완전히 실현하지 못하거나 욕망을 충족하지 못하거나 가치를 둔 목표를 달성하지 못하더라도 사람으로 존재하고 인격을 유지할 수 있다.

(c) 자율권

앞의 장에서 보았듯이, 자율은 자기 결정 능력이다. 자율적인 개체는 스스로 설정한 목표와 스스로 선택한 가치에 따라 자신의 삶을 이끈다. 그들은 자신의 행동 이유와 선택 이유가 있다. 그에 따라 자기 주도적이며 자치적인 존재다. 자율적인 사람의 일상 생활은 각자 '인생 계획' 을 계속 창조하고 펼치는 것이라고 생각할 수 있다. 그런 삶은 내적 일관성과 통일성이 있으며, 상대적 중요도에 관한 자기 판단에서 비롯된 수단과 목표의 순서를 반영한다. 자신의 능력 범위 내에 있는 한 자율적인 사람은 자기 운명의 주인이다.

자율권은 개인 자율의 발달과 보전에 필요한 것에 대한 권리다. 그것은 자신의 가치 체계와 조화를 이루면서 자기 주도적 삶을 이끌 능력을 갖추는 데 필수적인 조건이다. 여기에는 온전한 정신이 박탈되지 않을 권리, 비판적 사고와 독립적 판단 능력을 파괴하거나 손상하는 심리적 기술에 의해 조작되지 않을 권리, 자율성을 발달시키는 수준과 종류의 교육을 받을 권리가 포함된다. 개인으로 하여금 자율적인 존재가 되고 자율성을 유지하며 자신의 신념과 가치에 따라 자신의 삶을 주도하고 계획할 수 있게 하는 자기 결정 능력이 없다면 진정한 인격을 갖출 수 없다. 자율권은 생명권 및 자유권과 마찬가지로 인격체로 살아갈 권리다.

다른 도덕적 권리와 마찬가지로, 자율권은 부작위 권리이자 작위 권리다. 자율권과 대응되는 부작위 의무는 다른 사람의 자기 결정 능력을 파괴하거나 손상하지 않을 의무와, 특히 그 능력이 막 발달하기 시작하는 아동기와 청소년기에 발달을 막거나 방해하지 않을 의무다. 자율권과 대응되는 작위 의무는 다른 사람의 자율성 발달과 발달된 자율성의 강화와 보존을 돕는 것이다. 후자는 사람들의 삶에서 자율성 발달을 약화하거나 막는 경향이 있는 사회적 제도와 관행을 폐지하거나 바꿈으로써 모든 사람의 자율성을 보호할 의무와 관계있다. 마지막으로, 다른 사람의 행동으로 인해 자율적인 선택과 결정 능력이 위협받는 사람들에게 도움을 줄 작위 의무가 있다.

나는 도덕적 권리에 관한 이 설명이 사람 존중에 기초한 인간 윤리 체계 아래 있는 개인의 모든 권리를 완전히 연구한 것이라고 주장하지 않는다. 인간 윤리에서 도덕적 권리의 일반적인 개념을 명확히 하는 한 가지 방법으로 권리 중 주요 유형 일부를 지적하려고 했을 뿐이다.

3. 권리의 무효화 가능성

이제 사람이 도덕적 권리 소유자임이 의미하는 바에서 더 나아가 생각할 점이 있다. 그것은 도덕적 권리가 '절대적'이라는 의미와 관련 있다. 이 권리는 자연권, 즉 권리 소유자라는 지위가 사회에 의해 부여되는 것이 아니라 단지 사람이기 때문에 개인이 소유하는 권리인 한 절대적이라고 말할 수 있다. 도덕적 권리는 관례상이 아니라 천부적으로 사람에게 주어진다. 앞에서 보았듯이, 이 점에서 도덕적 권리는 법적 권리와 대조된다.

사람은 어떤 존재든 단지 인격이 있기 때문에 권리 소유자의 자격이 있다. 따라서 우리의 도덕적 권리는 그것이 자연권이라는 개념과 직접 연관되어 또 다른 의미에서 절대적이다. 그것은 도덕적 권리를 '양도할 수 없다' 고 말하는 의미다. 우리가 사람으로서 지니는 도덕적 권리는 우리에게서 빼앗을 수 없다. 아무리 강력한 정부도 조직적으로 우리의 권리를 위협하고 그 권리를 행사하거나 누릴 기회를 빼앗을 수는 있지만 우리로 하여금 권리를 잃게 만들 수는 없다. 전체주의 권력은 우리에게 주어진 자격을 부정할 수 있지만, 우리의 자격을 빼앗을 수는 없다. 우리는 박탈되고 있는 것에 대해서도 정당한 권리가 있다. 그 권리의 정당성은 유효한 윤리 원칙에 근거한 도덕적 정당성이다. 인간의 어떤 권력도 유효한 윤리 원칙을 무효로 만들 수 없으므로 우리의 도덕적 권리는 절대적이다.

우리의 도덕적 권리가 양도할 수 없는 것이고 따라서 절대적이라는 데는 의미가 하나 더 있다. 우리의 도덕적 권리는 다른 사람에게 넘기거나 팔 수 없고, 우리가 원하는 다른 것과 맞바꿔 자발적으로 포기할 수도 없다. 법적 재산권을 그렇게 할 수 있다. 그러나 도덕적 권리는 영구히 우리의 인격과 결부되어 있다. 생명권을 생각해보자. 우리는 자살을 감행함으로써 자신의 생명을 자발적으로 버릴 수 있지만, 그렇다고 해서 우리가 여전히 사람일 때 (원한다면) 살아남을 권리가 파괴되는 것은 아니다. 우리 자신에게서 생명을 박탈할 수 있지만, 생명권은 박탈하지 못한다. 그것은 여전히 양도할 수 없다. 법적 재산권의 경우 (우리가 소유한 어떤 것을 다른 사람에게 주어버림으로써) 재산권을 넘기거나 (누군가에게 자동차를 파는 것처럼) 권리를 이전할 수 있는데, 그와 유사한 예로는 사랑하는 누군가를 위해 또는 애국심에서 자발적으로 생명을 포기하는 사례를 들 수 있다. 그러나 이런 경우조차 우리의 생명권은 여전히 양도할 수 없다. 따라서 재산권에 비유할 수 없다. 다른 사람을 위해 목숨을 희생함으로써 우리가 권리를 소유하고 있는 것을 포기할 수 있지만, 권리 자체를 포기하는 것은 아니다. (아마도) 우리가 사람임을 멈출 때 죽음에 이르는 마지막 순간까지 우리는 생명권을 유지한다. 다른 사람들은 여전히 우리를 죽이거나 우리에게서 삶의 수단을 빼앗지 않을 의무가 있다. 우리가 살아남을 우리의 권리를 행사하거나 누리지 않기로 결정하더라도 그들은 우리의 권리를 존중해야 한다.

다른 사람에게 우리를 죽일 것을 허락함으로써 우리의 생명권을 포기할 수 있는지 여부는 도덕적 권리에 관한 현재 논의에서 논쟁 거리다. 자발적인 안락사에서 생명권 포기 문제는 실질적으로 중요하다. 사려 깊은 많은 사람들이 양도할 수 없는 도덕적 권리 중 하나로 '죽을 권리'가 우리에게 있다고 믿는다. 치료할 수 없는 치명적인 병에 걸렸고, 이를테면 앞으로 6개월 동안 끊임없는 통증에 시달리거나 뇌가 완전히 퇴화할 상태에 있다면, 그 사람은 고통없이 죽게 해달라고 요청할 권리가 있다고 보는 것이다. 그 권리를 존중한다는 것은 그 요청에 응한다는 뜻이다. 그러나 그런 도덕적 권리를 인정하더라도, 다른 사람들이 생명권을 빼앗아 갈 수 있다는 의미는 아니다. 다른 사람에게 자신의 생명을 끝내도록 허락하는 것이 실제로 자신의 생명권을 포기하는 것은 아니다. 살아남기를 원한다면, 다른 사람들이 자신의 생명을 존중해야 한다고 여전히 요구할 수 있다. 이것이 생명권이 의미하는 바다. 더 이상 살고 싶지 않기 때문에 생명권에 가치를 두지 않는 순간에 이를 수 있지만, 권리는 여전히 가지고 있다. 그 권리는 여전히 양도할 수 없다.[7]

그런데 우리가 살펴본 '절대적'의 두 가지 의미, 즉 도덕적 권리는 자연권이고 양도할 수 없는 권리라는 점에 덧붙여, 도덕적 권리가 절대적이라는 주장에 때때로 주어지는 또 다른 의미가 있다. 다른 사람의 도덕적 권리를 침해하거나 특정 상황에서 권리를 주장하는 다른 사람의 요구를 충족하지 못하는 것은 도덕적으로 결코 정당화될 수 없다고 말하는 경우가 가끔 있다. 그러나 이 견해는 근거가 충분치 않다. 이 의

7. 여기서 사용한 권리의 양도 불가능 개념은 Feinberg, "Voluntary Euthanasia and the Inalienable Right to Life"에서 유래한다. 권리의 양도 불가능을 다소 다르게 분석한 내용은 "Inalienable Rights and Locke's Treatises," Philosophy and Public Affairs 12/3 (Summer 1983):

미에서 우리의 도덕적 권리는 절대적이지 않은데, 왜냐하면 모든 권리는 무효화될 수 있기 때문이다. 실제든 가정이든 다른 사람의 권리를 부정하는 것이 도덕적으로 옳은 상황이 있다. 어떻게 그럴 수 있는지 살펴보자.

175–204에서 A. 존 시몬스가 보여준다.

누군가가 어떤 것에 대해 권리를 주장할 때, (정당하다면) 그 주장에는 그 권리를 침해하거나 부정하는 다른 사람들의 행동에 반대하는 강한 추정이 따른다. 그런데 이때 어떤 조건에서도 적용되는 절대적 금지가 따르는 것은 아니다. 여기서 '절대적'이라는 것은 예외가 없다는 뜻이고, 도덕적 권리가 정확히 절대적이지 않다는 것은 이런 의미다.

도덕적 권리의 무효화 가능성은 그 권리의 침해가 도덕적으로 정당화될 수 있는 예외적인 상황이 있을 수 있다는 사실에 있다. 달리 말하자면, 다른 사람의 도덕적 권리 침해가 잘못이라는 것은 조건부다. 그 침해 행동은 '다른 조건이 동등한' 경우에 잘못으로 판단된다. 사람들이 자신들의 정당한 도덕적 권리를 주장할 때 그 권리를 충족하기 위해 어떤 사람의 권리를 부정할 필요가 있는 경우가 가끔 있다. 예를 들어, 폭동을 막기 위해 어떤 사람을 침묵시켜야 할 수 있다.

한 사람의 권리가 다른 사람의 권리와 충돌해서 각각의 권리를 보장할 수 없을 때, 어느 쪽의 권리도 무효화되거나 취소되지 않는다. 그 대신 갈등이 어느 한쪽에 유리한 방향으로 해결되었을 때 추가 권리가 생긴다. 그것은 권리가 침해되거나 부정된 쪽에 돌아가는 보상적 정의의 권리다. 우리의 도덕적 권리는 항상 우리 곁에 남는다. 심지어 우리에게 정당하게 주어져야 마땅한 것을 인정하지 않는 다른 사람들의 행동이 도덕적으로 정당화될 때조차 온전히 남는다. 우리의 권리에 대한 침해나 부정이 인정되면 우리의 권리를 침해하거나 부정한 사람들에게 보상을 요구할 수 있는 특별한 권리가 생긴다.

이 시점에 보상적 정의의 의무에 권리 침해나 부정 외에도 또 다른 근거가 있다는 것이다. 그 근거는 본래적 가치가 있는 존재에 대한 존중 의무가 이행되지 못하거나 위반되었을 때 보상이 주어져야 한다는 것이다. 본래적 가치를 지닌다고 간주되는 존재에게 더 긴급한 책무를 다하기 위해 마찬가지로 간주되는 다른 존재에게 해를 입혀야 한다면, 각 존재는 마땅히 존중을 받아야 하기 때문에 우리는 해를 입는 존재에게 보상을 해야 한다. 본래적 가치를 지닌다는 것은 각 존재의 선이 동등하게 배려되어야 한다는 의미이므로, 일부를 돕지만 다른 일부를 다치게 하는 불균형을 바로잡지 않고 내버려둘 수 없다. 존중 태도는 충돌을 일으키는 모든 존재에게 적용되기 때문에 일부에게 가해지는 잘못은 특별히 관심을 가지고 보상해야 하며, 주어진 상황에서 우리의 행동이 도덕적으로 정당할 때조차 그렇다.

다음 장에서 우리는 인간 윤리와 환경 윤리 사이의 충돌을 공정하게 해결할 때 중심 역할을 하는 보상적 정의 의무의 근거를 알아볼 것이다. 인간 이외 동물과 식물은 도덕적 권리가 없더라도, 우리가 그들을 본래적 가치를 지닌 존재로 간주하는 한, 우리 자신의 선을 배려하느라 그들의 선이 무시될 때 그들에게 어떤 형태의 보상이나 배상을 할 의무가 우리 자신에게 부과된다고 볼 것이다.

4. 동식물의 도덕적 권리를 논리적으로 상상할 수 있는가

이 장의 앞 절에서 분석한 것처럼 도덕적 권리를 바라본다면, 인간 이외 동물이나 식물, 또는 둘 다 도덕적 권리 소유자인지는 대단히 의심스럽다. 문제는 규범적인 것이 아니라 논리적이거나 개념적인 것이다. 다시 말하자면, 문제는 동물이나 식물이 도덕적 권리를 가지는 것으로 생각해야 하는지(또는 그렇지 않다고 생각해야 하는지)가 아니라, 그들이 그런 권리를 가진다고 생각할 수 있는 가능성과 관계있다. 동식물의 도덕적 권리에 대해 이야기하는 것이 도대체 타당한가?

내가 옹호할 명제는, 우리가 앞선 논의에서 드러난 방식으로 도덕적 권리를 생각한다면, 동물도 식물도 권리 소유자라고 논리적으로 생각할 수 없다는 것이다. (앞에서 동식물이 법적 권리의 소유자로 간주될 수 있음을 보았다.) 그런데 다음 절에서 나는 인간 이외 존재도 도덕적 권리 소유자가 되는 것이 가능한 도덕적 권리의 수정 개념을 살펴볼 것이다. 그때 동식물을 그런 권리의 소유자로 생각해야 하느냐는 규범적 문제를 제기하고, 추가 쟁점에 대해 논의할 것이다. 이 장에서 '동물' 이라는 용어는 항상 인간 이외 동물을 지칭하는 것으로 사용될 것임을 밝히며, 인간 이외 동물은 앞서 인격 분석 부분에서 제시한 의미에서 인격체가 아니라고 가정한다. (인격의 특성을 가지는, 인간 이외 동물이 실제로 있다면, 그들의 도덕적 권리를 생각할 수 있을 뿐 아니라, 위에서 제시한 논거로 볼 때, 그들은 인격체인 인간과 동일한 권리를 지닌다.)

도덕적 권리의 다음 네 가지 측면 때문에 개념적으로 동물이나 식물은 도덕적 권리 소유자가 될 수 없다. (a) 도덕적 권리 소유자는 도덕 행위자 공동체의 일원으로 추정된다. (b) 도덕적 권리 소유자인 것과 자기 존중은 연관되어 있어서 어떤 존재가 자신을 존중하는 것을 상상할 수 없다면 그 존재가 도덕적 권리 소유자인 것도 상상할 수 없다. (c) 어떤 존재가 도덕적 권리를 가지고 있다는 진술이 타당하다면 그 존재가 권리를 행사하거나 누릴 것을 선택한다는 진술도 타당해야 한다. (d) 도덕적 권리 소유자에게는 도덕적 권리로 인한 이차적인 자격이 있다. 나는 이 사항들을 차례로 하나씩 살펴보고 동물이나 식물의 도덕적 권리를 생각할 수 없음이 암시하는 바를 제시할 것이다.

(a) 첫 번째 사항은 도덕적 권리 소유자인 것과 도덕 행위자 공동체

의 일원인 것 사이의 관계다. 어떤 존재가 어떤 것에 대해 권리를 가지고 있다는 단언은 그 존재가 문제의 그것에 대한 정당한 청구권을 가지고 있다는, 즉 그 정당성을 모든 도덕 행위자가 인정해야 한다는 단언이다. 권리를 주장하는 언어는 서술적 언어가 아니라 규범적 언어이다. 권리를 주장하는 것은 사실을 서술하는 것이 아니라 (유효성을 가정하고) 도덕 행위자에게 의무를 부과하는 도덕 원칙을 적용하는 것이다. 그런 언어를 사용하는 진술이 의미 있으려면 권리 소유자, 그 권리를 단언하는 자(소유사 자신일 수도 있고 아닐 수도 있음), 그리고 그 단언을 듣는 대상자가 모두 도덕 행위자 공동체의 일원으로 유효한 구속력이 있는 도덕 규칙 체계 아래 있다는 전제가 필요하다. 권리 소유자는 공동체의 일원으로 추정되는데, 그것은 그가 다른 사람들을 압박하기로 선택하든 안 하든, 정당하게 그렇게 할 수 있다고 이해되기 때문이다. 권리 소유자들은 정의상 존중받을 자격이 있기 때문에 도덕 행위자와 동등한 위치에 있고, 도덕 행위자는 그들의 권리를 인정할 의무를 지며 그들을 대할 때 마땅히 존중해야 한다.

그런데 도덕적 권리 소유자가 자신의 권리로 도덕 행위자들을 압박하고 모든 행위자들에게 그 권리 존중을 요구할 자격을 가진다면, 이론상 자격이 있는 그 일을 할 수 있어야 한다. 즉 그가 선택한다면 권리 주장으로 다른 사람을 압박하는 상황을 상상할 수 있어야 한다. 그런데 이 이론적 가능성이 동물과 식물의 경우에 적용되지 않음은 꽤 명백하다. 단지 물리적으로 그 생명체들이 다른 존재들을 정당한 주장으로 압박할 수 없거나, 경험적으로 (자연 법칙상 초식동물이 다른 동물을 먹거나 식물이 교미로 번식하는 것이 불가능한 것처럼) 자연 법칙상 그들이 그렇게 할 수 없다는 뜻이 아니다. 이것은 논리적으로 상상할 수 있느냐는 문제다. 주장으로 다른 존재들을 압박하고 그 주장의 정당성 인정을 요구한다 의미는 동물이나 식물이라는 의미와 모순일 뿐이다. 우리의 경우 정당한 주장으로 도덕 행위자들을 압박할 것을 선택하고 그들에게 그 주장의 정당성 인정을 요구하는 상황을 상상할 수 있지만, 동물과 식물은 그런 종류의 존재가 아니다. 그러므로 도덕적 권리 소유자가 의미하는 이 측면에 관한 한, 동물과 식물은 도덕적 권리 소유자라고 생각할 수 없다.

(b) 다음으로 도덕적 권리와 자기 존중[8]의연관성을 생각해보자. 어떤 존재가 자신을 인격체로 생각하고 인격으로 인해 자신이 본래적 가치를 지닌다고 간주한다면 그 존재는 자기 존중감이 있다. 그 결과 자신은 다른 모든 사람들과 동등하게 배려받을 자격이 있으며, 모든 도덕 행위자들은 자신의 인격을 존중할 의무가 있다고 믿는다. 그렇다면, 그 존재는 특히 다른 사람들이 마땅히 지녀야 할 존중 없이 어떤 존재를 대하는 경우 자신을 이런 식으로 생각하지 않는다면 자신의 도덕적 권리를 주장하지 않을 것이고, 자신을 이런 식으로 생각한다면 자신의 권리를 주장할 것이다.

8. 자기 존중과 도덕적 권리의 연관성은 Thomas E. Hill. Jr., "Servility and Self-Respect," The Monist 57/1 (January 1973): 87-104에서 검토ehldjT다.

따라서 도덕적 권리 소유자가 의미하는 바를 이해하는 데 자기 존중이라는 관념이 필요하다. 다시 말하자면, 그 관계는 개념적인 것이지 사실적인 것이 아니다. 도덕적 권리의 소유에 실제로 자기 존중이 뒤따르는 것이 아니다. 우리 자신이 자기 존중감이 없어서 스스로 우리 자신의 권리를 주장하지 않을 때 다른 사람들이 우리를 대신해서 우리의 권리를 주장할 수 있다. 그러나 우리가 자기 존중감이 있어서 일인칭으로 우리의 권리를 주장하는 상황을 상상할 수 있어야 한다. 어떤 존재의 일인칭 주장('나는 X에 대해 권리가 있다.')을 상상할 수 없다면, 삼인칭 주장('그는 또는 그들은 X에 대한 권리가 있다.')의 의미도 이해할 수 없을 것이다. 달리 말하자면, 도덕적 권리가 어떤 존재에게 속한다는 것이 의미하는 바는 그 존재 자체에 의해 귀속이 이루어지든(일인칭 귀속)

다른 사람에 의해 이루어지든(삼인칭 귀속) 변하지 않는다. 'X에 대한 권리를 가지는 것'의 의미는 우리 자신 또는 다른 사람, 누가 주장하든 같다. 자기 존중감이 있을 때 우리는 스스로 주장한다. 어떤 존재가 자기 존중감을 가지는 것을 상상할 수 없다면, 일인칭이든 삼인칭이든 권리의 귀속은 타당하지 않을 것이다.

물론, 동물과 식물은 자신이 본래적 가치를 지닌다고 간주할 수 없기 때문에 자기 존중감이 있다고 상상할 수 있는 종류의 존재가 아니다. 단지 동물과 식물이 (심리적으로) 자기 존중감을 가질 수 없다는 것이 아니다. 요지는 사람에 대해 자기 존중감이 있다 또는 없다고 말하는 것의 의미를 이해한다면 동식물에 대해 자기 존중감이 있다 또는 없다고 말하는 것이 타당하지 않다는 것이다.

(c) 셋째, 어떤 존재에게 어떤 것에 대한 도덕적 권리가 있다고 말할 때마다 우리는 권리 소유자가 적합하다고 판단할 때 그것의 소유를 누리거나 누리지 않는 것을 포함하여 권리의 힘을 발휘하거나 발휘하지 않을 것을 선택할 수 있다고 추정한다. 이는 권리의 범주 세 가지 모두에 해당된다. 생존권과 안전권의 경우, 이 권리의 소유자는 자신에게 주어진 권리, 다시 말하자면 생명과 기본 건강이 보전되고 보호될 권리를 누릴지 여부를 스스로 결정할 수 있는 지위에 있다. 자신이 원하지 않는다면 그 지위를 이용할 필요가 없음이 이해된다. 우리는 '생명권'의 이 측면을 간과하는 경향이 있는데, 그것은 사실 예외없이 권리 소유자가 자신에게 주어진 유리한 것을 누리기를 원하기 때문이다. 그러나 생명과 신체적 건강의 보전과 보호에 대한 권리에 관한 한, 살아남거나 건강을 누릴 것을 요구하지 않는다. (예를 들어, 마약을 복용하여) 자신의 몸을 학대하거나 자살함으로써 자신의 권리를 포기, 부정 또는 위반하지 않는다. 사람의 생존권과 안전권은 그가 원한다면 그에게 살아 있을 기

회를 주는 것이다. 권리 소유자에게 권리는 강제가 아니라 허락이 보장되는 것이다. 자신의 선택에 따라 누리거나 누리지 않는 것이 허용된다. 강제는 다른 사람들의 의무로, 다시 말해, 그 사람의 보전과 보호를 보장하고 그에 따라 그 사람이 어느 쪽이든 선택할 수 있게 한다. 권리 소유자에게 그렇게 선택할 수 있는 능력이 있음을 전제로 그런 허용이 가능하다.

그 다음으로, 자유권을 생각해보자. 예를 들어 어떤 존재에게 종교의 자유가 있다는 것은 여러 종교보다는 특정 종교를 따를 것인지 또는 어떤 종교도 따르지 않을 것인지는 개인 스스로 결정할 문제라는 것이다. 마찬가지로, 언론의 자유, 출판의 자유, 또는 의사 표현의 자유에 대한 권리는 자신의 견해를 공개할지 아니면 혼자 간직할지, 자신의 마음을 밝힐지 아니면 침묵을 지킬지를 스스로 결정할 권리다. 언론의 자유는 말해야 한다는 것이 아니라 원한다면 말해도 좋다는 뜻이다. 자유권이 있다는 것은 그 권리에 의해 보장되는 자유의 사용 여부를 선택할 특권이 주어진다는 것이다.

자율권에 대해서도 동일한 방식으로 생각할 수 있다. 여기서도 권리를 행사하거나 권리가 보장하는 것을 누릴지 여부는 권리 소유자에게 달려 있음은 권리의 의미에서 중요한 측면이다. 자율권이 보장되는 한, 우리는 자율성을 발휘하고 계발하기로 선택한다면 그렇게 할 수 있다. 이 권리의 가치가 큰 것은 자기 존재의 자율성을 유지하며 미래를 그리고 일상 생활을 주도할 수 있는 기회가 계속 주어진다는 데 있다. 자율적 선택 능력을 계발하고 계발되었을 때 그 능력을 발휘할 권리는 자신의 노력으로 온전한 인격체가 되고자 애쓸 권리다. 그리고 이것은 노력을 할지 말지 선택할 수 있는 능력을 전제로 한다.

따라서 개념적으로 도덕적 권리가 있다는 인식은 선택을 한다는 인식과 연결된다. 직면한 대안들 중에서 선택할 수 있는 능력이 있는 경우에만 권리 소유자로 간주할 수 있다. 그런 능력이 없는 동물과 식물은 논리적으로 도덕적 권리 소유자에서 배제된다. 그들이 권리 소유자로서 선택 능력이 있다면 그들은 사람이지 동물이나 식물이 아닐 것이므로, 동식물에게 도덕적 권리가 있다는 데는 개념적 모순이 있다.

(d) 마지막으로, 어떤 존재가 도덕적 권리 소유자라는 주장에는 추가로 암시하는 바가 있는데, 그것은 그 주장이 동물이나 식물에 대해 제기되는 경우에 성립되지 못할 것이다. 추가로 암시하는 바는 일차적 권리로 인해 권리 소유자에게 주어지는 이차적 권리와 관계있다. 예를 들면, 다른 사람들이 그의 일차적 권리(생존권과 안전권, 자유권, 자율권)를 존중하지 않거나 위반할 때 그는 고충이 정당화되어, 즉 '불만을 제기할 권리'가 생겨 고충을 바로잡을 권리를 가지게 된다. 이와 밀접히 관계있는 것이 다른 사람들에게 책임을 묻고 권리 침해에 대한 보상을 요구하는 이차적 권리다. 일차적 권리에 뒤따르는 이차적 권리는 권리 위반에 대한 사회적 처벌을 통해 공개적으로 지지를 받고 지켜진다. 현대 사회에서 이 권리가 이행되는 일상적인 방식은 법률 제도를 따르는 것이다. 이차적 권리는 도덕적 권리를 법으로 강화할 뿐 아니라 법에 의한 동등한 보호를 요구하는 것이다.

이차적 권리는 모두 일차적 권리를 가진 자의 특정 능력, 즉 동물이나 식물에서는 발견되지 않는 능력을 가정한다. 동식물은 불만을 제기하거나 시정을 요구하거나 '동등한 보호' 조항에 따라 권리의 법적 집행을 요구할 수 없다 (논리상 불가능하다). 어찌하여 동물과 식물을 일차적 권리 소유자로 간주하더라도 사회는 이차적 권리를 인정할 수 없다 (논리상 불가능하다). 따라서 도덕적 권리가 동물이나 식물에게 속한다면, 일반적으로 권리 소유가 암시한다고 여겨지는 바, 실로 권리 소유자가 되는 것의 의의(의미와 중요성)의 일부가 터무니없게 될 것이다.

5. 도덕적 권리의 수정 개념

동식물이 도덕적 권리를 가지는 것을 상상할 수 없다는 주장의 도입부에서 언급했듯이, 이때 사용한 도덕적 권리 개념은 이 장의 앞부분에서 분석한 것이다. 그런데 도덕적 권리에 관한 또 다른 수정 개념이 있으며, 이 개념에 따르면 동식물이 권리를 가지는 것을 상상할 수 있다. 이 수정 개념에 접근하기 위해 3장의 주장을 다시 생각해보자. 그 주장이 건실하다면, 합리적인 사람들은 생명 중심 관점에서 자연을 바라보는 신념 체계를 받아들일 것이다. 그리하여 사람들은 자연 존중 태도를 취하고 야생 생물을 본래적 가치를 지닌 존재로 간주할 것이다. 이런 식으로 합리적인 사람들은 동식물이 모두의 도덕적 관심과 배려를 받을 만하다고 판단할 것이다. 합리적인 사람들은 또한 야생 생물의 선이 그 자체로, 그리고 그들을 위해 보존되고 보호되어야 한다는 도덕 원칙을 따를 것이다. 마지막 장에서 본 것처럼 이 원칙은 행위 규칙과 성품 기준에 대한 윤리 체계 전체의 기본이다. 이 규범에 따라 생활함으로써 도덕 행위자는 그들의 행위와 성품에서 자연 존중 태도를 드러낸다.

자연을 존중하는 사람들이 그 규범을 지키겠다는 도덕적 약속을 하면, 그 규칙 체계는 원칙으로 채택된다. 규칙이 문제의 생명체에 대한 의무를 부여한다고 간주된다. 그 의무를 수행하는 것은 단지 행위자를 구속하는 도덕적 요구 사항을 이행하는 것으로 이해되는 것이 아니다. 그것은 행위자가 도덕 주체에게 반응하는 적절한 또는 적합한 방법으로도 간주된다. 의무 규칙은 도덕 행위자와 도덕 주체 사이의 도덕적 관계를 정의한다. 도덕 주체는 단순히 행위자가 의무를 수행함에 따라 혜택을 보는 존재로 생각되지 않는다. 행위자는 의무를 마땅히 해야 할 일이라고 믿는다. 도덕 주체에게 마땅히 해야 할 행동으로 이행해야 하는 요구 사항이다. 또한 도덕 주체는 본래적 가치가 있기 때문에 그런 대우를 받을 자격이 있다고 간주된다.

동물과 식물이 본래적 가치를 지닌 존재로 간주되면, 그에 따라 그들의 선은 모든 도덕 행위자에게 존중받을 권리를 요구한다고 이해되며, 그 요구를 충족하는 방식으로 행위자에게 의무를 부과한다고 간주된다. 물론 동식물 자체는 도덕 행위자들에게 주장하지도 않고, 또한 자신의 선이 존중을 요구한다고 생각하지도 않는다. 그러나 이 조건 중 어느 것도 도덕 행위자가 그들의 선이 그렇게 요구한다고 간주하는 데 필요하지 않다. 그들의 선을 이런 식으로 볼 때 그 실현은 행위자의 선택과 행위에 제약을 가한다고 간주된다. 행위자들은 자신들의 행동이 야생 동물과 야생 식물의 삶에 영향을 미칠 때 자신들이 원하는 대로 행동할 자유가 없다.

이렇게 보면 동물과 식물이 어떻게 권리 소유자로 간주될 수 있는지 쉽게 알 수 있다. 도덕 행위자가 이들 생명체에 대한 의무를 마땅히 해야 할 일로 믿을 때, 그 의무는 실생활에서 존중 태도를 구현하는 방식으로 간주된다. 그러면, 그 의무가 고유의 선이 보전되고 보호될 동식물의 일반적인 도덕적 권리와 대응된다는 생각으로 바로 연결된다. 이 일반적인 도덕적 권리를 인정하는 것은 그들의 선이 존중받을 권리를 요구한다고 간주하는 것이며, 원칙에 따라 모든 도덕 행위자는 그 요구의 정당성을 인정하고 그 요구에 도덕적 가중치를 무겁게 부여해야 한다.

그렇다면, 동물과 식물이 적어도 한 가지 일반적인 도덕적 권리를 가진다[9]는 주장을 정당화하는 것 같은 개념 구조가 여기서 나온다. 그 권리는 자신의 선을 보전하고 보호할 권리이기 때문에, 동식물에게 여러 가지 특수한 도덕적 권리를 부여하는 근거로 사용될 수 있다. 특수한 권리는 자연 존중에 바탕을 둔 유효한 윤리 체계를 이루는 네 가지 의무 규칙에 해당하는 권리로 우리가 마지막 장에서 살펴본 것이다. 문제의 네 가지 권리는 해를 입지 않을 권리, 간섭을 받지 않을 권리, 신뢰가 무

9. The Case for Animal Rights 8장과 9장에서 톰 레건이 제기하고 옹호한 것은 도덕적 권리를 가진다는 이 개념이다. 도덕적 권리의 (나의 '본연의 가치'에 해당하는) 타고난 가치의 관계에 대한 레건의 견해를 내가 반박하는 설명은,

너지지 않을 권리, 그리고 잘못된 일을 당했을 때 보상을 받을 권리다. 이 권리와 각각 대응되는 의무를 수행하는 것은 동물과 식물의 권리에 마땅한 방식으로 그들을 대우하는 것이다. 그런 대우를 받을 자격이 있음은 그들 자신의 권리다.

레건의 주요 업적에 대한 비판적 연구에 바치는 The Monist 특별호에 1987년 발표 예정이다.

따라서 우리는 자연 존중 윤리의 개념 틀 내에서 야생의 동물과 식물이 도덕적 권리를 가진다고 말하는 것이 의미 있다고 결론지을 수 있다.

그런데 이런 식으로 동물과 식물의 권리를 인정하더라도 결코 우리가 권리를 가지는 것과 동일한 방식으로, 즉 이른바 권리 소유자가 되는 일차적인 의미에서 그들도 권리를 가진다고 생각해서는 안 됨을 인식해야 한다. 그러나 우리는 그렇게 하는 경향이 있기 때문에, 야생의 식물과 동물을 본래적 가치가 있는 존재로만 간주하고 그들에 대해 권리라는 용어를 전혀 사용하지 않는 편이 덜 혼란스럽다. 우리는 그들에게 권리를 귀속함으로써 그들이 본래적 가치를 지닌 존재라는 생각에 어떤 새로운 의미도 덧붙이지 않는다. 우리가 방금 본 것처럼, 그들에게 권리를 귀속하는 것은 그들의 선이 모든 도덕 행위자에게 존중 의무를 요구한다는 인식으로 우리를 이끌 뿐이며, 그 요구는 도덕 행위자들이 네 가지 의무를 수행함으로써 완전히 충족된다. 그런데 우리가 자연 존중 태도를 취하고 그들을 본래적 가치를 지닌 존재로 간주한다면 우리는 동일한 방식으로 그들의 선을 인식한다. 권리라는 용어를 사용하더라도 새로운 개념이 도입되는 것은 아니다. 야생의 동식물에게 본래적 가치가 있다면, 그들에 대한 우리의 의무는 마땅히 행해야 할 일이다. 우리가 원한다면 권리라는 용어를 써서 그들은 특정 방식으로 대우받을 '자격이 있다'고 바꿔 말할 수 있다. 그러나 그런 용어를 사용해서 추가되는 의미는 없다.

단순히 동식물에 관해 도덕적 권리라는 언어를 쓰지 않으면, 오해의 소지가 줄어들 것이다. (물론, 법적 권리는 여전히 그들에게 귀속될 수 있다.) 권리라는 용어는 인권 주장에서, 특히 우리 자신의 권리에 대한 1인칭 주장에서 잘 정립되었기 때문이다. 사실, 그런 용어를 사용하는 것은 사람 존중 원칙에 근거한 인간 윤리 체계의 도덕적 핵심 진리를 표현하는 데 유일하게 적절한 방법이다. 도덕적 권리가 동물과 식물에게 귀속된다면, 다른 바탕에 근거한 다른 도덕적 관점이 표현될 것이다.

우리는 권리라는 용어를 사용하지 않고도 유효한 환경 윤리 체계의 원칙에 대해 말해야 할 모든 것을 말할 수 있다. 생명체의 선, 생명체의 본래적 가치, 자연 존중 태도, 그리고 모든 도덕 행위자에게 구속력을 가지는 유효한 도덕 원칙이라는 전통적 관념 등의 개념으로 아주 충분하다. 이 개념 구조에 도덕적 권리라는 관념을 추가하더라도 윤리적으로 중요한 어떤 것도 추가되지 않는다. 그리고 사람들은 자연스럽게 인권 패러다임에 따라 도덕적 권리를 생각하기 때문에 환경 윤리 영역에서 권리라는 용어를 사용하면 혼동을 불러일으킬 수 있다.

6장

대립 주장과 우선순위 원칙

1. 대립 주장의 일반적 문제

이 마지막 장에서 나는 인간의 권리와 가치가 인간 이외 존재의 선과 충돌할 때 발생하는 도덕적 딜레마를 살펴본다. 이런 충돌은 인간의 이익을 증진하거나 인간의 권리를 이행하는 행동과 정책이 지구 자연 생태계의 유기체, 종-개체군, 생물 군집의 안녕에 해로울 때마다 생긴다. 달리 말하자면, 야생 생물의 선을 보전하고 보호하는 데 인간의 이익을 비용으로 치러야 할 때면 언제든 충돌이 발생한다. 다음과 같은 상황에서 분명한 예를 찾아볼 수 있다.

- 의료 센터를 세우기 위해 삼림 지대의 나무를 베어버림.
- 호숫가에 리조트를 조성하면서 담수 생태계를 파괴함.
- 길게 뻗은 선인장 사막 지역을 교외의 주택 개발지로 바꿈.
- 갯벌의 습지를 파내고 메워 요트 클럽과 선착장을 건설함.
- 야생화가 가득한 목초지를 불도저로 밀고 쇼핑몰 부지를 확보함.
- 노천 채굴을 위해 산의 한쪽 면을 깎아냄.
- 밀밭과 옥수수밭을 만들기 위해 대초원을 갈아엎음.

이와 관련된 인간의 다양한 활동과 프로젝트는 인간 윤리의 어떤 규칙도 위반하지 않는다. 활동에 동기를 부여하는 이익은 모두 합법적이며, 자유권은 원한다면 사람 존중 윤리가 설정한 참조 틀 안에서 이익을 추구할 수 있는 권리를 사람들에게 부여한다. 공정한 사회 제도를 가정하면, 이런 행동은 인간의 관점에서 도덕적으로 허용된다.

그러나 각 경우에 인간의 권리 행사를 위해 자연이 비용을 치러야 한다. 직접적이고 되돌릴 수 없는 해가 지구의 야생 생물에 돌아가고 있다. 우리가 자연 존중 태도를 채택한다면, 이런 활동은 우리에게 근본적인 도덕적 딜레마가 된다. 이 상황에서 인간의 가치를 증진하려고 하면 인간과 똑같이 본래적 가치를 지닌 존재의 선에 심각하고 영구적인 악

영향을 미치게 된다. 그들의 선이 희생되어야 하는 이유는 무엇인가? 반면에, 그들의 선을 보전하고 보호하려면 인간의 귀중한 목적 달성을 막게 된다. 도덕적 관점에서는 어떤 대안을 선택해야 할까?

인간과 인간 이외 존재 사이의 이런 충돌은 불가피하다. 인간은 자연환경을 이용하며 그 과정에서 서식지와 먹이 공급원으로 환경이 필요한 동식물과 경쟁할 뿐 아니라, 생존하기 위해 인간 이외 존재의 일부를 직접 소비까지 해야 한다. (어쩌면 재배 식물만 식량으로 사용할 수도 있지만, 이 경우에도 필요한 농장과 온실을 만들 때 야생 생물 일부가 파괴되어야 할 것이다.) 또한 인간의 관점에서 보면 우리의 생존과 건강에 해로운 동식물 종은 통제하거나 제거해야 한다. 모든 문명 사회는 자연계 일부를 간섭하고 사용한다.

자연과 문명이 충돌하는 가장 극단적인 형태는 현대 산업 국가에서 진행 중인 자연계의 총체적 변형이다. 인간의 조작, 착취, 자연이 준 것의 철저한 파괴가 거대한 규모로 일어나고 있어서 우리 행성의 물리적 · 생물적 조성이 극심한 영향을 받고 있다. 첨단 기술의 발전, 고도의 소비에 맞게 설계되었고 또한 그에 의존하는 경제 그리고 인구 폭발로, 자연계에 남아 있는 것은 빠르게 사라지고 있다. 우리가 우리를 위해 더 많이 취할수록 다른 종을 위해 남는 것은 줄어들 것이다.

윤리적 관점에서 인간 문명과 자연계의 충돌을 바라보면, 그것은 잔인하고 통제되지 않는, 그리고 통제할 수 없는 생존 투쟁으로 보이지 않는다. 우리는 인간의 문명과 인간 이외 존재의 자연 방식 사이의 경쟁을 도덕적 질서가 드러날 수 있는 어떤 것이라고 본다. 도덕 행위자인 우리에게는 우리 자신의 생활 방식과 문화적 관행에 제약을 가함으로써, 인간의 탐욕으로 갈갈이 찢긴 세계의 혼돈을, 야생 생물과 인간이 모두 존중받고 질서 잡힌 도덕적인 우주로 바꿔놓을 수 있는 능력이 있다. 인간과 함께 다양한 동식물 생명체가 우리 행성에 나란히 존재하지 못할 이유는 없다. 그러나 다른 종과 지구를 공유하려면 우리 인간이 인구, 소비 습관, 기술에 제한을 두어야 한다. 우리는 자연계와 그곳의 생명체를 진정으로 존중할수록 그렇게 할 것이다.[1]

인간과 인간 이외 존재 사이의 이익 경쟁으로 심각한 도덕적 딜레마가 생기는 것은 우리가 자연 존중 태도를 채택했을 때다. 선택의 문제는 윤리적 차원이 된다. 결국, 자연을 존중한다고 해서 인간의 가치를 포기하거나 무시해야 하는 것이 아니다. 우리는 모든 야생의 동식물을 본래적 가치를 지닌 존재로 간주하지만, 여전히 문명화된 삶에서 지식의 발전, 예술의 창작과 감상 등 우리의 이익을 추구할 자격이 있다고 믿을 수 있다. 우리는 또한 자신의 인생 계획을 선택하고 그에 따라 살아갈 기회를 가지는 것이 모든 사람의 기본적인 도덕적 권리라고 생각할 수 있다. 우리가 자연 존중 태도를 채택했을 때조차 사람 존중 태도를 유지할 수 있으므로, 인간의 이익을 위해 필연적으로 동물과 식물 자체를 포함하여 자연계 자원을 사용해야 함에도 불구하고, 사람들의 도덕적 권리 행사를 허용하는 것이 우리의 의무라고 생각할 수 있다.

우리가 자연 존중 태도와 사람 존중 태도를 모두 가지고 있다고 가정해보자. 그러면 다른 종의 선과 (인간의 권리를 행사할 수 있는 기회를 포함하여) 인간의 가치 실현 사이의 충돌은 우리에게 도덕적 주장이 대립하는 상황으로 보인다. 자연 존중 관점에서 우리는 생존 가능한 야생 동식물의 군집을 해치거나 간섭하지 않을 의무를 인식한다. 동시에 우리는 자신과 동료 인간의 자유, 자율, 안녕을 위한 의무를 인정하고 받아들인다. 우리가 두 가지 윤리 체계를 모두 따른다면, 다른 종의 선이 요구하는 바와 인간의 선이 요구하는 바를 동등하게 고려해야 한다. 그런데도 여러 상황에서 우리는 한쪽의 요구를 충족하면서 다른 쪽의 요구를 배제한다.

3장에서 제시한 인간 우월성 관념에 반대한 주장이 확실하다면, 무

1. 경제 성장에 제한이 필요하다는 요구는 환경에 대한 고려를 바탕으로 정당화되었는데 이를 많은 작가들이 옹호했다. 특별히 주목할 내용으로 William Ophuls, Economics and the Politics of Scarcity: A Prologue to a Political Theory of the Steady State (San Francisco: W. H. Freeman, 1977)와 Herman E. Daly, Steady-State Economics: The Economics of Biophysical Equilibrium and Moral Growth (San Francisco: W. H. Freeman, 1977)가 있다. Joel Kassiola, "The Limits to Economic Growth: Politicizing Advanced Industrialized Society," Philosophy and Social Criticism 8/1 (Spring 1981): 87-113도 볼 것.

조건 인간의 요구에 도덕적 가중치를 더 주고 그리하여 인간의 요구를 인간 이외 존재의 요구보다 항상 우선시하는 것은 그런 딜레마를 해결하는 방법이 될 수 없다. 길게 보면 인간의 이익과 야생 동식물의 선이 일치한다고 주장함으로써 이 쟁점을 피할 수도 없다. 많은 수의 유기체, 종-개체군, 생물 군집이 인간의 이익을 위해 파괴될 수 있는데, 주의를 기울이고 앞을 내다본다면 지구에서 인간 생명의 미래는 여전히 보장될 수 있다. 인간과 인간 이외 존재 사이의 갈등은 현실이다.

그렇다면 여기서 우리가 직면한 대립 주장의 문제는 환경 윤리 영역과 인간 윤리 영역을 모두 가로지르는 일련의 우선순위 원칙을 찾는 문제가 된다. 이 우선순위 원칙은 그 자체가 도덕 원칙이기 때문에 다섯 가지 형식 조건을 충족해야 한다. 따라서 그 원칙은 형식이 일반적이어야 하고, 보편적으로 적용이 가능하고, 공평무사하고, 모든 행위자들이 지키도록 옹호되어야 하며, 도덕과 관계없는 규범보다 당연히 우선하는 것으로 간주되어야 한다. 내용 조건에 관한 한, 공정성이라는 개념을 구현해야 한다. 그 원칙을 바탕으로 결정을 내릴 때 모든 갈등 당사자를 공정하게 대우할 수 있는 내용이어야 한다. 따라서 유효한 우선순위 원칙에 대한 탐구는 다음 질문에 대한 답을 찾는 탐구다. 인간 윤리와 환경 윤리의 충돌로 인한 도덕적 주장의 대립 상황을 공정하게 해결할 방법은 무엇일까?

2. 인간의 권리와 인간 이외 존재의 본래적 가치

인간과 인간 이외 존재 사이에서 주장이 대립하는 상황의 난제는, (내가 5장에서 옹호했듯이) 인간은 도덕적 권리가 있는 반면에 동물과 식물은 도덕적 권리가 없다는 견해와 관계있다. 이 견해에 따르면 인간의 요구가 동식물의 요구보다 우선한다고 생각할 수도 있다. 생명 중심 관점을 바탕으로 자연 존중 태도를 채택한 경우에 우리가 어떤 신념과 가치를 가지고 있는지 검토한다면 실제로 그렇지 않음을 알 수 있다. 기억해야 할 핵심은 다른 생명체보다 인간이 우월하다는 생각 전체를 거부했다는 점이다. 이 점은 생명 중심 관점의 네 번째 요소를 분석했을 때 분명해졌는데, 그때 인간 우월성 관념은 우리 자신의 종을 선호하는 비합리적이고 임의적인 편견일 뿐임이 밝혀졌다. 그런데 이 결론을 이끌어내는 추론은 인간만이 도덕적 권리를 소유할 자격을 완전히 갖추고 있다는 주장의 영향을 어떤 식으로도 받지 않는다. 왜냐하면 그 주장은 그 권리 중에 인간이 인간의 이익을 위해 인간 이외 존재를 지배하고 착취할 권리가 있다는 견해를 지지하지 않으며, 다른 생명체가 인간의 권리 소유자보다 본래적 가치가 낮다는 견해도 지지하지 않기 때문이다.

인간은 자신의 인격에 최고의 가치를 두기 때문에 자신에게 도덕적 권리를 귀속한다. 자기 존중감이 있어서 도덕 행위자의 공동체를 고심하고 인격체로 존재할 수 있는 조건의 보장을 요구한다. 자신이 다른 사람들에게 내세우는 것과 똑같은 주장을 다른 사람들이 자신에게 내세우는 것이 정당하다고 인정한다. 따라서 도덕적 권리라는 개념은 모든 권리 소유자 사이에 동등한 관계를 확고히 설정한다.

그러나 권리 소유자 사이의 평등이 권리 소유자와 다른 생명체 사이의 불평등을 의미하는 것은 아니다.[2] 후자는 도덕 공동체에 존중받을 권리를 내세움으로써 본래적 가치를 지닌 존재로 존중받아야 한다고 요구할 수 없음이 사실이다. 이 이유로 그들은 (일차적인) 도덕적 권리가 의미 있게 귀속되는 유형의 존재가 아니다. 그러나 이들의 존중받을 권리는 여전히 도덕 행위자들의 인정을 받을 수 있다. 도덕 행위자들은 인간 이외 생명체가 본래적 가치, 즉 자신들이 도덕적 권리 소유자로서 지니는 것과 동일한 본래적 가치를 지니고 있다고 간주할 때 실제로 그렇

2. 이 점은 3장에서 동물과 식물보다 인간이 우월하다는 롬바르디의 주장을 검토했을 때도 밝혔다.

게 생각할 것이다. 그리고 다른 도덕 행위자가 자신의 선을 존중해야 한다고 믿는 것처럼 동물과 식물도 본래적 가치를 지니기 때문에 인간과 동등하게 관심과 배려를 받을 자격이 있는 그들의 선을 존중해야 한다고 믿는다. 다른 식으로 말하자면, 자연 존중 태도를 채택한다면 야생 동식물이 인간과 달리 도덕적 권리 소유자가 아니라는 사실이 도덕적으로 아무 관련이 없다고 간주하는 것이다.

그렇다면 우리 모두가 우리의 권리에 두는 특별한 중요성은 어디서 나오는가? 도덕적 권리의 소유자라는 지위가 본래적 가치에 의한 것 이상을 우리에게 부여하지 않는가? 대답은 아니라는 것이다. 우리가 그런 지위를 가짐으로써 얻는 것은 도덕 공동체가 우리 인격의 불가침성 즉 '신성함'을 공적으로 인정하는 것이다. 우리가 공동체의 누구와도 마찬가지로 인격체로 존재할 권리를 똑같이 지님을 모든 사람이 이해하는 것이다.

그러므로 우리의 권리에 붙는 중요성은 도덕 공동체의 일원이라는 것과 관련된다. 그것은 우리의 인격으로 인해 공동체의 일원이 아닌 존재보다 더 큰 본래적 가치가 우리에게 부여된다는 의미가 아니다. 모든 생명체는 자신의 선을 가지고 있으며 (의식적인 목표로 삼고 있지 않더라도) 그 실현이 삶의 핵심 목표이기 때문에, 우리가 자율적으로 선택한 가치를 추구할 기회를 가지는 것이 우리에게 중요한 만큼 그들이 그들의 선을 추구할 기회를 가지는 것은 그들에게 중요하다. 이 중요성이 동일함은 (사람들이 권리를 가진다는 일차적인 의미에서 그들은 권리를 가지는 유형의 존재가 아니기 때문에) 우리는 우리의 가치를 추구할 권리가 있지만 그들은 그들의 선을 추구할 권리가 없다는 개념적 문제 때문에 부정되지 않는다.

그렇다면 우리에게는 이 장의 앞 부분에서 제기한 대립 주장의 문제가 남아 있다. 우리는 인간과 인간 이외 존재 사이의 충돌을 해결하기 위해 우선순위 원칙을 찾고자 노력해야 하는데, 그 원칙은 인간에게 더 큰 본래적 가치를 부여하지 않으며 모든 당사자가 같은 가치를 지닌다고 간주해야 한다. 달리 말하자면, 그 원칙은 종-공정성이라는 기본 요건을 충족해야 한다. 그래야만 충돌이 진정으로 공정하게 해결될 수 있다.

3. 상충하는 권리 문제를 공정히 해결하기 위한 다섯 가지 우선순위 원칙

이제 나는 다음과 같이 지정하는 다섯 가지 원칙을 철저히 살펴볼 것이다.

(1) 자기 방어의 원칙

(2) 균형의 원칙.

(3) 최소 잘못의 원칙.

(4) 분배적 정의의 원칙.

(5) 보상적 정의의 원칙.

나는 이 다섯 가지 원칙으로 인간 윤리와 환경 윤리의 충돌로 생기는 대립 주장 사이에서 공정한 판결을 내리는 모든 주요 방법을 다룰 수 있다고 믿지만, 시작하면서 나는 모든 충돌 상황에 대해 완벽한 해결책을 내놓지 않는다는 점을 강조한다. 각 원칙은 도덕적으로 관련 있는 고려 사항의 집합 하나를 대표하며, 그 고려 사항은 어떤 의무가 다른 의무보다 더 중요하다는 결정을 내릴 때 대략적인 지침으로 쓰일 수 있다. 그러나 원칙은 연역적 주장의 전제로 기능하지 않는다. 우리는 모든 것을 고려하여 사례의 사실 관계와 원칙으로부터 무엇을 해야 한다는 규범적 진술로 표현되는 진정한 결론을 추론할 수 없다. 우리는 관련 사항을 바탕으로 결정을 내리고자 노력해야 하며, 그 적절성은 원칙을 적용하여 판단한다. 이에 성공하는 만큼 판단이 공정하다고 확신할 수 있다. 그럼에도 불구하고 불확실성은 항상 어느 정도 있으며, 따라서 실수를 저질렀을 가능성에 대해 우리의 마음이 열려 있어야 한다. 우리는 새로운 사실 정보에 비추어볼 뿐 아니라 원칙의 정확한 의미와 적절한 적용 조건에 관해 더욱 비판적으로 숙고하여 판단을 수정할 준비가 되어 있어야 한다.

의사 결정에서 다섯 가지 원칙을 규범적 지침으로 사용하더라도 '어려운 경우' 를 피할 수 없다. (인간 윤리나 환경 윤리 내 의무의 충돌에서도 마찬가지다.) 대립 주장이 너무 복잡하고 너무 강력해서 원칙만으로 해결할 수 없는 경우가 있다. 그러나 이런 불가피한 간극이 의사 결정 과정에 있지만 그렇다고 해서 어떻게 할지 임의로 선택한다는 뜻은 아니다. 우리는 갈등을 공정하게 해결하기 위해 또 다른 단계를 밟아야 한다. 그 단계에서는 다섯 가지 원칙과 적용 가능한 조건에 포함된 우선순위 체계의 바탕을 이루며 그 체계를 이끄는 (그 '정신' 을 규정하는) 윤리적 이상에 호소한다. 나는 다섯 가지 원칙을 논의한 후에 윤리적 이상이 무엇인지 분석하고 설명할 것이다. 그것은 자연의 생명 질서라는 더 큰 세계 내 인간 가치의 위치에 대해 총체적인 비전을 제공한다. 우리는 그것을 '자연과 인간 문명의 이상적인 조화' 로 칭할 수 있다. '가능한 최고의 세계' 에 대한 이 비전이 다섯 가지 원칙의 문구에 담긴 정신을 표현하고, 그 원칙들을 통합하고 일관성 있게 서로 연결하며, 전체 요지와 목적을 부여한다. 이 윤리적 이상에 비추어볼 때 어려운 경우는 결국 모두 해결되어야 한다. 따라서 대립 주장의 문제를 공정하게 해결하는 결정은 원칙 중 하나에 의해 전적으로 결정되지 않을 때조차 다섯 가지 원칙의 바탕을 이루며 그 원칙들을 통합하는, 인간 문명과 자연에 관한 전반적인 비전과 일관성 있게 부합한다. 윤리적 이상에 대한 고려는 나중으로 미뤄두고, 이제 나는 다섯 가지 우선순위 원칙을 앞서 말한 목록의 순서대로 살펴볼 것이다.

(1) 자기 방어의 원칙

자기 방어의 원칙은 도덕 행위자가 위험하거나 해로운 유기체를 죽임으로써 그들로부터 자신을 보호하는 것이 허용된다고 말한다. 그러나 이는 도덕 행위자가 합당한 주의를 기울여도 그런 유기체에게 노출되는 것을 피할 수 없고 도덕 행위자로서의 존재와 기능에 필요한 환경 조건이 심각한 해를 입지 않도록 미리 막을 수 없는 경우에만 해당된다. 더욱이 이 원칙은 자기 보호의 수단을 무엇이든 허용하는 것이 아니라, 도덕 행위자의 존재와 기능을 유지하려는 목적에 부합하며 유기체에 최소한의 해를 입히는 수단만 허용한다. 그 수단과 효과는 같지만 '공격하는' 유기체에게 해를 덜 입힐 수 있는 대안이 없어야 한다.

자기 방어의 원칙은 도덕 행위자의 존재를 유지하고 도덕 행위자의 능력을 행사할 수 있게 하는 데 절대적으로 필요한 행동을 허용한다. 도덕 행위자가 사람으로서 가질 수 있는 이익이나 가치를 단순히 증진하는 경우에는 유기체를 죽이는 행동을 허용하지 않는다. 자기 방어는 해롭고 위험한 유기체에 대한 방어이며, 여기서 해롭거나 위험한 유기체는 그 활동이 도덕 행위자로 살아가려면 정상 기능의 신체가 필요한 존재의 생명이나 기본 건강을 위협하는 경우로 이해된다.

이것은 인간 윤리 영역에서 발견되는 자기 방어의 원칙과 매우 유사하다. 우리에게 도덕적 생명권이 있다면, 우리에게는 우리의 생명이 다른 사람들에 의해 위협받을 때 필요하다면 강압적인 수단을 써서 우리 자신을 보호할 도덕적 권리도 있다. 그러나 이것은 우리 자신의 목적과 가치를 증진하기 위해 다른 사람들에게 물리력을 써도 된다는 의미가 아니다. 정신 이상자가 광포해져 물리력으로 저지되지 않는다면 우리를 해치게 될 경우처럼, 비록 공격자가 무고한 인간이더라도, 자기 방어의 권리는 우리 자신이 죽임을 당하는 것을 피할 다른 방법이 없다면 자신을 보호하기 위해 그를 죽이는 것까지 허용한다. 따라서 이는 환경 윤리에서 인간 이외 존재에 대항하는 자기 방어와 유사하다. '공격자' 가 도덕적으로 무고하다는 사실이 원칙을 무효화하지 않는다.

이 우선순위 원칙의 완전한 의미와 근거는 다음의 세 가지 사항을 고려할 때 이해하기 쉬울 수 있다.

(i) 우리 자신을 보호해야 할 대상인 유해한 유기체와 무해한 유기체를 떼어놓을 수 없어서 무해한 생명체에게 해를 입히는 것이 불가피한 경우가 아니라면, 자기 방어의 원칙은 우리를 해치지 않는 생명체에게 해를 입히는 것을 정당화하지 않는다. 이 점에서 자기 방어의 원칙은 앞으로 고려할 두 번째, 세 번째, 네 번째 원칙과 다르다. 다른 세 가지 원칙들이 적용되는 상황에서는 우리 자신을 해로부터 보호하는 문제가 아닌 경우에도 적어도 몇몇 무해한 생명체에게 해를 입힐 수 있다.

(ii) 다른 종보다 인간을 선호하는 편향으로 보일 수 있지만, 자기 방어 원칙은 사실 종-공정성 요건과 일치한다. 이 원칙은 도덕 행위자가 어떤 유기체가 특정 종에 속하기 때문에 그 유기체의 이익을 증진하는 것을 허용하지 않는다. 특히 인간은 단순히 인간이라는 이유로 이익을 얻지 못한다.

이 원칙의 종-공정성을 뒷받침하는 내용이 두 가지 있다. 우선, 자기 방어 원칙은 종을 구별하지 않는 방식으로 공식화된다. 이 원칙의 진술은 도덕 행위자와 (어떤 종이든) 도덕 행위자가 아닌 유기체만 언급한다. 인간과 인간 이외 존재에 대한 언급은 없다. 물론 원칙의 다양한 측면과 암시하는 바를 논의할 때, 삶의 실제 상황에 원칙을 적용하는 전형적인 상황으로 보통 인간 이외 존재로부터 자신을 방어하는 인간을 언급한다. 그러나 엄밀히 말하자면, 종에 대한 어떤 언급도 필요하지 않다. (대부분의) 인간이 도덕 행위자고 (대부분의) 인간 이외 존재는 도덕 행위자가 아니라는 사실은 원칙과 도덕적 관련이 없는 우연한 진실이다. 도덕 행위자는 도덕 행위자가 아닌 유해하거나 위험한 유기체로부터 자신을 보호하는 것이 허용된다. 이것이 자기 방어 원칙이 허용하는 전부다. 인간 아닌 도덕 행위자가 존재하고 도덕 행위자로서의 그의 존재가 (정신 이상이나 심각한 지체 등으로) 도덕 행위자가 아닌 인간의 행동에 의해 위험에 처하는 경우, 인간 아닌 존재의 도덕 행위자 지위를 보존하는 데 필요하고 그를 보호할 대안이 없다면, 원칙에 따라 문제의 인간 아닌 존재가 그를 위험에 빠뜨리는 인간을 죽이는 것이 허용된다.

이 원칙의 종-공정성을 뒷받침하는 두 번째 내용은 인간이든 아니든 모든 생명체가 동일한 본래적 가치를 지닌다는 생각과 이 원칙이 완전히 일치한다는 점이다. 여기서 인간 윤리 영역의 자기 방어 원칙을 다시 한 번 언급하는 것이 도움이 된다. 우리를 공격하는 다른 인간에게 물리력을 사용할 권리는 우리가 공격자보다 본래적 가치가 더 크다는 의미가 아니다. 그것은 우리 자신의 존재를 보존하기 위해 '최소한으로 사악한' 수단을 정당하게 사용할 수 있다는 의미다. 실제로 우리는 다른 사람의 인격을 존중하므로 방어에 절대적으로 필요한 것보다 큰 해를 입히지 않을 의무가 있다.

인간 윤리에서 공격자와 방어자의 가치가 동등함은 우리가 자기 방어 원칙을 기꺼이 보편화하는 데서 나타난다. 도덕적 관점에서 볼 때, 우리는 우리가 공격자라면 다른 사람이 우리로부터 자신을 방어하는 것이 옳다고 판단할 것이다. 이런 가역성 개념(A가 B에게 X를 하는 것이 옳다면 B가 A에게 X를 하는 것도 옳다)에는 행위자와 주체의 가치가 동등하다는 함의가 있다.

동물과 식물은 도덕 주체의 위치에 있을 수 있지만 도덕 행위자의 역할을 할 수 없기 때문에, 동물과 식물의 자기 방어의 경우, 보편화 가능성과 가역성 검사를 적용할 수 없다. 그들의 활동은 도덕 기준이나 규칙의 범주에 들지 않기 때문에 그들이 우리에게 하는 것은 옳지도 않고 잘못도 아니다. 그럼에도 불구하고, 그들에 대항하여 우리 자신을 보호하는 것이 허용되더라도 가치 면에서 그들은 우리보다 열등하지 않으며, 이는 다음 내용에서도 볼 수 있다. 우리는 자존감이 확고할 때 사람으로서 우리의 존재에 내재적 가치를 둔다. 우리의 인격이 보전될 가치가 있다는 판단이 자기 존중에서 우러나온다. 동시에 우리는 가치 면에서 우리가 동물이나 식물보다 열등하지 않다고 믿는다. 그런데 우리가 그들에 대항하여 우리 자신을 보호하지 않고 그들이 우리를 죽이게 허용한다면, 우리는 자신의 존재 자체를 그들에게 희생하는 것이다. 그런 희생을 도덕적 의무로 요구하는 것은 그들이 우리보다 본래적 가치가 더 크다는 근거가 있을 때에만 정당화된다. 그 근거를 받아들일 합당한 이유가 없다면, 우리 자신을 희생해야 할 의무에 유효한 구속력이 없다고 결론지을 수 있다. 그러므로 본래적 가치 면에서 그들이 우리와 동등하더라도 우리가 그들에 대항하여 우리 자신을 방어하는 것은 도덕적으로 허용된다.

(iii) 세 번째 사항은 원칙에 따라 취한 행동의 불가피성과 관련이 있다. 인간 윤리에서 유사한 경우에, 다른 사람의 공격을 피할 수 없거나 상황을 벗어날 수 없을 때에만 우리의 생명을 지키고자 다른 사람에게 물리력을 쓰는 것이 허용된다. 누군가가 우리를 위협하지만 우리가 안전하게 벗어날 수 있다면 우리는 그렇게 해야 한다. 자기 방어 원칙을 참조하여 대립 주장을 해결하는 유사한 경우에도, 우리는 인간 이외 존재가 우리를 해칠 것 같은 상황을 피하기 위해 합당한 모든 노력을 다해야 하며, 우리 자신을 강하고 건강하게 유지하여 약한 상태 때문에 위험에 빠질 가능성을 낮춤으로써 다른 생명체를 죽일 필요를 줄여야 한다.

마지막으로, 자기 방어를 근거로 인간 이외 유기체를 해치는 일을 허용하기 전에, 도덕 행위자는 질병, 독극물, 또는 다른 생물학적 원인으로 위험성이 높아지는 상황을 막기 위해 합당한 예방 조치를 취해야 한다.

이렇게 제한과 조건을 두는 것은 인간에게 해가 있든 없든 모든 생명체는 본래적 가치가 있고, 따라서 존중 태도의 적절한 대상이기 때문이다. 그런 생명체를 죽이거나 다른 식으로 해치는 것은 그 자체로 도덕적 악행이며 실행 가능한 대안이 없을 때에만 정당화될 수 있다. 동시에 그렇게 하는 유효한 도덕적 이유가 있어야 하고, 그에 반대하는 명백한 이유를 무시할 수 있을 만큼 충분히 중요한 이유가 있어야 한다. 자기 방어는 도덕 행위자의 존재를 보존하는 데 절대적으로 필요한 행동으로 이해될 때 최우선의 이유일 수 있다. 그런 조건에서만 자기 방어 원칙이 적용된다.[3]

(2) 균형의 원칙

나머지 네 가지 우선순위 원칙을 각각 상세히 살펴보기 전에, 그 원칙들 사이의 연관성을 알아보는 편이 좋겠다. 첫째, 네 가지 원칙은 모두 인간 이외 관련 유기체가 무해한 경우에 해당된다. 내버려두면 그들의 활동은 인간의 생명과 건강을 위험에 빠뜨리거나 위협하지 않을 것이다. 따라서 네 가지 원칙은 모두 인간과 인간 이외 존재 사이에 충돌이 생겼는데 자기 방어 원칙으로 다룰 수 없는 경우에 적용된다.

다음으로, 우리는 기본 이익과 비기본 이익을 구별해야 한다.[4] 이 구별에 따라 네 가지 원칙을 다음과 같이 설정할 수 있다. 균형 원칙과 최소 잘못 원칙은 동식물의 기본 이익과 인간의 비기본 이익이 충돌하는 경우에 적용된다. 반면에, 분배적 정의의 원칙은 관련 당사자의 이익이 모두 기본 이익인 충돌을 다룬다. 마지막으로, 보상적 정의의 원칙은 과거에 최소 잘못의 원칙이나 분배적 정의의 원칙이 사용된 경우에 해당

3. 도덕 원칙으로서 자기 방어에 대한 이 설명은 다음에 힘입은 것이다. Charles Fried, Right and Wrong (Cambridge, Mass.: Harvard University Press.,1978), pp. 42–53.

4. 인간과 인간 이외 존재 사이의 우선순위 원칙에 대한 몇몇 체계적인 연구 중 하나에서 도널드 밴더비어는 기본 이익과 '지엽적'(비기본) 이익의 구별이 이익이 있다고 말할 수 있는 모든 종에 적용될 수 있으며 도덕적으로 타당한 차이라고

된다. 각 원칙은 어떤 형태의 보상이나 배상이 인간 이외 유기체에 이루어져야 하는 상황을 만들며, 따라서 보상이라는 개념이 적용된다.

기본 이익과 비기본 이익은 어떻게 구별하는가? 이에 답하기 위해 먼저 '이익' 이라는 용어가 의미하는 바를 정의하고 그 다음에 이익이 기본인지 비기본인지 정하는 기준을 명시할 필요가 있다. 현재 맥락에서는 유기체의 삶에서 그들의 선의 실현으로 통하는 사건과 조건은 그들의 이익을 증진하거나 촉진하거나 높인다고 말하는 편이 편리할 것이다. 그들의 선의 구현에 해로운 사건과 조건은 그들의 이익에 불리하거나 반하거나 비우호적이라고 표현할 것이다. 나는 또한 생명체의 선을 어느 정도 보전하거나 보호하는 데 도움이 되는 대상이나 사건을 언급하기 위해 '이익' 이라는 용어를 사용할 것이다. 유기체가 그것을 좋아하든 싫어하든, 기쁨을 느끼든 고통을 느끼든, 의식적인 욕망, 목표, 또는 목적이 있든 없든, 자신에게 일어나는 일에 신경을 쓰거나 관심을 보이든 그렇지 않든, 심지어 의식이 있든 없든, 나는 그들의 이익을 이런 식으로 이야기할 것이다.

이익이 어떻게 기본과 비기본으로 구분되는지 살펴볼 때, 우리는 유기체의 이익이 상대적 중요도 면에서 서로 다를 수 있다는 사실을 고려해야 한다. 이익 중 하나가 다른 것보다 더 중요하다면, 전자의 발생이 후자보다 유기체 선의 실현에 더 크게 기여하거나, 전자의 발생이 유기체 존재의 보존에 필수적인 조건인 반면에 후자의 발생은 그렇지 않다는 것이다. 우리는 한 가지 이익의 불이행이 다른 이익의 불이행보다 더 심각한 결핍이나 손실을 야기하면, 그만큼 전자가 후자보다 더 중요하다고 말할 것이다. 유기체가 살아남으려면 이행되어야 하는 이익이 가장 중요하다.

인간 이외 동식물의 이익의 상대적 중요도를 우리가 판단하는 것이 가능한데, 그것은 일단 우리가 그들의 선을 보호하거나 증진하는 것을

주장한다. VanDeVeer, "Interspecific Justice," *Inquiry* 22/1–2 (Summer 1979): 55–79를 볼 것. 그러나, 밴더비어는 만족스러운 삶을 사는 심리적 능력이 있는 존재의 이익이 그런 능력이 없는 존재의 똑같은 기본 이익보다 더 중요하다고 보며 그 근거는 그런 심리적 능력이라고 생각하기 때문에 그는 우선순위 원칙 중 어느 것도 받아들이려고 하지 않을 것이다. 그가 순수한 종-평등주의를 반대하는 주된 이유는 그런 견해가 반직관적이고 "특별한 경우에 대한 우리의 가장 깊고 강렬한 선험적 확신"과 모순된다는 점인 것 같다 (58쪽; 66쪽과 76쪽도 볼 것). 나는 3장에서 말한 이유 때문에, 아무리 깊더라도 선험적 확신에 호소하는 것은 철학적으로 적절하다고 보지 않는다. 밴더비어의 입장을 최근에 로빈 아트필드가 *The Ethics of Environmental Concern* (New York: Columbia University Press, 1983) 9장에서 옹호했다. 아트필드는 "…서로 다른 능력이 실현되는 삶에 붙는 *내재적* 가치는 다양하다" (이탤릭체는 아트필드의 표시, 176쪽). 이것은 3장에서 내가 비판적으로 검토한 루이스 G. 롬바르디의 견해와 비슷하다. 롬바르디의 주장과

달리, 아트필드의 주장은 내재적 가치 개념을 본연의 가치 개념과 구별하지 못하기 때문에 결함이 있다. 아트필드가 지지하는 공리주의는 그도 수용하는 원칙, 즉 각 유기체가 개체로서 본연의 가치를 가진다는 원칙과 논리적으로 양립 불가능한 것 같지 않다. 두 개념의 양립 불가능성은 톰 레건이 The Case for Animal Rights 7장과 8장에서 명쾌히 설명했다. 아래의 각주 6도 볼 것.

실제로 인식하면 그들의 전반적인 안녕에 관한 한 그들의 관점을 취하고 그들의 삶에서 무엇이 중요하고 무엇이 중요하지 않은지 그들의 관점에서 판단할 수 있기 때문이다. 따라서 우리는 어떤 조건이 그들의 삶에서 사라지면 그들이 얼마나 심각하게 해를 입고 좋은 것을 빼앗기게 되는지 합리적으로 짐작할 수 있다.

물론, 심각한 해나 결핍으로 간주되는 것은 관련 유기체의 종류에 따라 다르다. 각 유기체가 고유의 선을 가지고 있어서 종 특유의 특성에 맞게 살 수 있는 만큼 그들이 잘 살고 있다 혹은 그렇지 못하다고 말하는 것이 이해된다면, 심각한 해나 결핍은 그런 삶을 살 능력을 심각하게 저해하거나 전적으로 그렇게 살지 못하게 만드는 것이라고 간주할 수 있다.

인간의 경우 정신적 또는 신체적 불능 상태를 포함하여 합리성과 자율성을 빼앗거나 심하게 저해하여 인간이 의미 있는 삶을 살지 못하게 만드는 것은 무엇이든 심각한 해나 결핍일 것이다. 기관이 적절히 기능하며 신체의 다른 구성 요소가 건실하고 건강한 상태가 인간의 안녕에 필수적이기 때문에, 신체 부위를 손상시키는 것은 모두 해다. 해의 심각성은 그 부위가 입는 피해의 정도와 지속성, 그리고 유기체 전체가 건강하게 기능할 수 있는 능력에 기여하는 정도에 달려 있다. 인간의 심리면에서는 심각한 정신 이상, 심한 정서 장애, 그리고 합리성과 자율성이라는 기본 능력의 발달과 발휘를 막는 정신 지체를 야기하는 것은 무엇이든 심각한 해에 포함될 것이다.

나는 인간의 경우 기본 이익은 합리적이고 사실에 깨어 있는 사람들이 인간으로서 자신의 존재에 필수적인 부분으로 평가할 이익임에 유의한다. 그것은 사람들이 삶을 의미 있고 가치 있게 만드는 목표와 목적을 추구할 때 필요한 것이다. 따라서 인격체인 인간의 경우, 기본 이익은 도덕적으로 정당할 때 이행할 권리가 있는 이익이다. 앞의 장에서 보았듯이 우리는 우리를 행복하게 만들거나 우리의 가치 체계 실현에 기여하는 것에 대한 권리가 없고, 우리 인격의 유지와 계발에 필요한 조건에 대한 권리가 있다. 이 조건에는 생존과 안전 ('생명권'), 자율, 자유가 포함된다. 사람들의 도덕적 권리를 침해하는 것은 의미 있고 가치 있는 삶을 사는 데 필수적인 것을 박탈하기 때문에 사람들에게 일어날 수 있는 최악의 상황이다. 그리고 그런 삶에 기본이고 필수인 조건은 모든 사람들에게 동일하기 때문에 우리의 인간의 권리는 보편적 가치, 즉 일차적인 선과 관련이 있다. 그것은 우리를 인격체로 만들고 인격체로서 우리 존재를 보전하게 하는 것에 대해 우리 모두 사람으로서 가지는 권리다.

기본 이익을 구성하는 보편적 가치, 즉 일차적인 선과 대조적으로, 비기본 이익은 개별적 가치 체계를 구성하며 추구할 가치가 있다고 생각하는 목표와 그 목표를 이루는 데 최선으로 간주하는 수단이다. 따라서 인간의 비기본 이익은 사람마다 다른 반면, 기본 이익은 모두에게 공통이다.

기본 이익과 비기본 이익에 대한 이 논의는 균형 및 최소 잘못 원칙, 즉 목록상 두 번째 및 세 번째 우선순위 원칙을 소개하기 위한 것이었다. 두 원칙 모두 기본 이익과 비기본 이익을 구별하기 때문에 검토 전에 이 구분을 명확히 할 필요가 있었다.

두 원칙은 대립 주장이 충돌하는 경우 중에서 서로 다른 두 유형에 적용된다. 둘 다 동식물의 기본 이익과 인간의 비기본 이익이 충돌하는 상황을 다룬다. 그런데 각 원칙이 적용되는 인간의 비기본 이익의 유형이 다르다. 그 유형을 구별하려면 우리는 인간의 비기본 이익이 자연 존중 태도와 연관되는 다양한 방식을 살펴보아야 한다.

첫째, 자연 존중 태도와 본질적으로 양립할 수 없는 인간의 비기본 이익이 있다. 이것의 충족과 관계있는 행동과 의도는 자연을 착취하는 태도를 직접 구현하거나 표현하기 때문에 자연을 존중하는 사람은 이 이익의 추구를 포기할 것이다. 이 태도는 야생 생물이 인간의 목적을 위한 도구적 가치만 있다고 간주하기 때문에 존중 태도와 양립할 수 없다. 이 첫 번째 유형의 비기본 이익을 충족하려면 동식물의 본래적 가치를 부인해야 한다. 이 이익을 충족하려는 행동의 예는 다음과 같다 (모두 현대에 실제로 일어나는 일이다.)

· 관광 사업용 조각품 생산에 상아를 사용하려고 코끼리를 도살함.

· 뿔을 단검 손잡이로 사용하려고 코뿔소를 죽임.

· 난초와 선인장 같은 희귀한 야생화를 개인 수집용으로 채집함.

· 열대 조류를 포획하여 새장 속 애완 동물로 판매함.

· 값비싼 신발, 핸드백 및 기타 '패션' 제품 생산을 위해 뱀, 악어, 악어거북, 거북이 같은 파충류를 죽여서 동물의 껍질을 사용함.

· 호화로운 모피 사업을 위해 표범과 재규어 같은 희귀한 야생 포유류를 사냥하고 죽임.

· (죽인 동물을 식용으로 쓰는지 여부와 관계 없이) 인간의 기본 이익을 충족하는 데 필요하지 않지만 즐거운 취미로 행해지는 모든 사냥과 낚시 활동. 여기에는 모든 스포츠 사냥과 취미 낚시가 포함된다.

이 관행의 목적과 목표 및 관행에 동기를 부여하는 인간의 이익은 다음과 같은 의미에서 자연 존중 태도와 본질적으로 양립할 수 없다. 다양한 관행과 그 중심 목적이 자연에 대한 인간의 태도를 드러낸다고 본다면, 그 태도는 착취로 설명될 뿐이다. 다양한 목적을 달성하기 위해 이런 활동에 참여하는 사람들과, 제품이 만들어지는 방식을 알면서도 제품을 즐기거나 소비하는 사람들 모두 진정으로 자연을 존중한다고 말할 수 없다. 이 관행은 모두 야생 생물을 인간의 목적을 위한 단순한 도구로 취급하고 따라서 그들의 본래적 가치를 부인한다. 야생의 동식물은 인간에게 즐거움을 주는 것 또는 인간에게 즐거움을 주기 위해 조작되거나 사용될 수 있는 것으로만 가치가 있다고 보는 것이다.

이 관행을 뒷받침하는 인간의 이익이 비기본 이익이라는 사실을 인식하는 것이 중요하다. 사냥꾼과 낚시꾼이 자신이 죽인 것을 먹더라도, 그것은 스포츠라는 중심 목적과 지배적인 목적에 부수적일 뿐이다. (나는 여기서 생존형 사냥과 낚시라는 완전히 다른 경우는 고려하지 않는데, 그 활동은 취미를 즐기는 것이 아니라 필요로 인한 것이기 때문이다.) 그들이 죽인 것을 먹는 일은 즐거움의 문제이며 따라서 비기본 이익일 뿐이라는 점은, 비록 건강이나 편의를 이유로 그들이 죽인 포유동물, 새 또는 물고기를 먹지 않더라도 사냥이나 낚시를 계속한다는 사실로도 드러난다. 그들은 사는 데 필요한 충분한 식량을 얻기 위해 사냥이나 낚시를 하는 것이 아니다.

이 사실과 기타 모든 사례를 참고할 때, 이 중 어떤 행동도 인간의 권리를 침해하지 않음에 유의해야 한다. 실제로, 우리가 인간 윤리의 범주에만 머무른다면 사람들은 그렇게 할 권리가 있는데, 그것은 사람들이 간섭을 받지 않고 자신의 정당한 이익을 추구할 자유권이 있으며, 경계 내에서 추구하면 그리고 다른 인간에게 전혀 잘못을 저지르지 않는다면 그 이익은 '정당'하기 때문이다.

자유권의 행사를 자연 존중 윤리의 요구와 비교하여 따져보아야 하는 것은 환경 윤리 원칙이 행동에 적용되는 경우에 한한다. 그러면 모든 것을 고려할 때 문제의 관행이 잘못임을 알 수 있다. 그 행동이 허용되는 것으로 판단된다면, 동물과 식물의 기본 이익에는 인간의 비기본 이익보다 더 낮은 가치 또는 중요도가 부여되는 것이고, (사람 존중 태도뿐 아니라) 자연 존중 태도도 가지고 있는 사람은 아무도 이를 받아들일 수 없을 것이다. 아무튼 인간은 새장에 야생의 새를 소유하거나, 모피와 파충류 가죽으로 만든 겉옷을 입거나, 희귀한 야생화를 모으거나, 오락과 취미로 사냥과 낚시를 하거나, 상아 조각품을 사거나, 뿔 손잡이가 달린

단검을 쓰지 않더라도 여전히 잘 살 수 있다. 그러나 이 관행을 따르는 사람들은 모두 인간의 선호를 충족하는 수단이라는 가치 외에는 존재 가치가 전혀 없는 것처럼 야생의 동식물을 취급한다.

야생 동식물의 기본 이익과 충돌할 수 있는 인간의 비기본 이익의 또 다른 유형을 살펴보자. 이것들은 방금 살펴본 것과는 대조적으로, 그 자체가 자연 존중과 양립할 수 없는 것이 아니다. 그런데도 이익의 추구가 자연 존중 관점에서 볼 때 바람직하지 않은 결과를 낳을 수 있으므로 가능한 한 피해야 한다. 어떤 경우에는 관련된 인간의 비기본 이익이 그 이행으로 인한 나쁜 결과보다 충분한 가치가 없을 것이다. 이 경우 자연을 존중하는 사람은 기꺼이 이익 추구를 멀리할 것이다. 다른 경우에는 인간의 비기본 이익이 매우 가치가 커서 자연을 진정으로 존중하는 사람들조차 이익 추구를 기꺼이 포기할 수 없을 것이다. 후자의 경우, 비록 그 일에 관심을 가지고 이익을 추구하는 행동이 자연 존중 태도를 구현하거나 표현하지 않지만, 자연을 완전히 착취하는 태도를 구현하지도 표현하지도 않는다. 야생 동식물은 단지 인간의 목적을 위한 수단으로 사용되거나 소비되지 않지만, 이익을 추구하는 행동의 결과로 야생 생물이 해를 입는다. 이 유형의 비기본 이익은 다음과 같다.

· 자연 서식지 파괴를 피할 수 없는 곳에 미술관이나 도서관을 세움.

· 자연 생태계에 심각한 교란을 일으키는 공항, 철도, 항구 또는 고속도로를 건설함.

· 천연의 숲을 목재 조림지로 바꿈.

· 수력 발전 프로젝트를 위해 자유롭게 흐르는 강에 댐을 건설함.

· 자연림을 조경하여 공원을 만듦.

진정으로 자연을 존중하는 사람들이 이런 상황과 관련 있는 활동을 포기할지 여부는 증진되는 다양한 이익에 얼마나 가치를 두는지에 달려 있다. 이것은 다시 사람들의 가치 체계 전체와 대안 가능성—특히,

환경에 해를 덜 입히는 대안이 있는지 여부와 관심의 일부 또는 전부가 다른 방식으로 충족될 수 있는지 여부—에 달려 있을 것이다.

인간의 비기본 이익의 분류는 다음의 우선순위 원칙 검토에서 중요하므로 다시 정리해보자. 첫째, 자연을 착취하는 태도를 직접 표현하는 이익이 있다. 이 이익을 충족하기 위한 행동은 본질적으로 자연 존중 태도와 양립할 수 없다. 둘째, 이익 자체가 자연을 착취하는 태도를 드러내지 않지만, 자연을 존중하는 사람의 눈으로 볼 때 이 이익을 충족하기 위해 취하는 수단은 여러 실제 상황에서 자연계에 미치는 영향 때문에 가능한 한 피해야 하는 것이다. 이 두 번째 유형의 이익 중에는 그 추구로 얻는 것이 야생 생물에 미치는 바람직하지 못한 결과를 능가할 만큼 충분히 중요하기 않은 (높이 평가되지 않는) 것들이 있다. 다른 것들은 그 가치가 바람직하지 않은 결과를 능가하는 것인데, 자연을 완전히 존중하는 사람조차 그렇게 평가하는 것이다.

이 분류는 지금부터 살펴볼 두 가지 우선순위 원칙, 즉 균형의 원칙 및 최소 잘못의 원칙과 관련이 있다. 위에서 언급한 인간의 비기본 이익 두 가지는 각각 그중 한 원칙의 적용 범위를 결정한다. 균형의 원칙은 야생 동식물의 기본 이익과, 본질적으로 자연 존중과 양립할 수 없는 인간의 비기본 이익이 충돌하는 상황에 적용된다. 반면에 최소 잘못의 원칙은 야생 동식물의 기본 이익과, 이익 추구로 인해 자연계에 해로운 조건을 생길 것을 알면서도 자연을 존중하는 사람조차 추구를 삼가지 않을 정도로 높이 평가되는 인간의 비기본 이익 사이의 충돌에 적용된다.

아래의 표는 우선순위 원칙 다섯 가지와 그 적용 범위의 관계를 도식적으로 보여준다.

<table>
<tr><td rowspan="2">야생의 동물과 식물</td><td rowspan="2">인간에게 유해</td><td colspan="3">인간에게 무해
(또는 해를 합리적으로 피할 수 있음)</td></tr>
<tr><td colspan="2">기본 이익</td><td>기본 이익</td></tr>
<tr><td rowspan="2">인간</td><td rowspan="2"></td><td colspan="2">비기본 이익과 충돌하고 있음</td><td rowspan="2">기본 이익과 충돌하고 있음</td></tr>
<tr><td>본질적으로 자연 존중과 양립할 수 없음</td><td>본질적으로 자연 존중과 양립할 수 있지만, 야생 생물과 자연 생태계에 해로움</td></tr>
<tr><td rowspan="2">우선순위 원칙</td><td rowspan="2">(1)
자기 방어</td><td rowspan="2">(2)균형</td><td>(3)최소 잘못</td><td>(4)분배적 정의</td></tr>
<tr><td colspan="2">(3) 또는 (4)가 적용되었을 때...
(5) 보상적 정의</td></tr>
</table>

최소 잘못의 원칙은 나중에 살펴보기로 하고, 지금은 균형의 원칙에 대해 논의할 것이다. 균형 원칙의 중심 생각은 인간의 가치와 (무해한) 야생 동식물의 선 사이의 충돌에서 인간이든 아니든, 어떤 종에서 비롯되든, 비기본 이익보다 기본 이익을 더 중요시해야 한다는 것이다. 적절한 적용 범위 내에서 이 원칙은 비기본 이익이 인간의 이익이고 기본 이익이 동식물의 이익인 경우조차 비기본 이익이 기본 이익보다 우선하여 허용되는 것을 금지한다.[5]

이 원칙의 적용 조건은 관련된 인간의 이익이 자연 존중 태도와 본질적으로 양립할 수 없는 비기본 이익이고, 대립 주장은 야생 동식물의 기본 이익에서 비롯되며, 그 동식물은 인간에게 무해하다(자기 방어가 문제되지 않는다)는 것이다. 충돌의 예는 앞에서 보았다. 오락으로 낚시와 사냥을 즐기고 야생 생물 가죽으로 만든 사치스러운 모피를 사는 등의 관행이 실제로 수백만 명의 사람들에 의해 도덕적으로 허용되는 것으로 받아들여진다는 점에 유의해야 한다. 의심의 여지 없이 이 사실은

5. 나의 균형 원칙은 톰 레건의 "Worse-off Principle" 과 유사한데, 주된 차이는 "Worse-off Principle"이 권리로 서술되며, 레건이 "삶의 주체 기준"이라고 부르는 것을 충족하는 동물과 인간 사이의 갈등에 한하다는 점이다. 이 동물들은 "…신념, 욕망, 인식, 기억, 자신의 미래를 포함하는 미래 감각, 즐거움과 고통의 느낌,

자연을 바라보는 관점과 야생 생물에 대한 태도가 전적으로 인간 중심임을 보여줄 뿐이다. 이 책에서 옹호하는 생명 중심 환경 윤리 체계의 관점에서 볼 때, 이 관행은 야생 생물을 착취하는 사람들과 마찬가지로 본래적 가치를 지닌 존재들을 근본적으로 착취하는 것이므로 비난받아 마땅하다.

감정적 삶, 선호도와 행복에 대한 관심, 욕망과 목표를 추구하여 행동을 개시하는 능력, 시간에 따른 정신적 신체적 정체성, 다른 사람에게 유용하거나 다른 사람의 이익을 위한 대상인 것과 논리적으로 무관하게 자신의 경험적 삶이 좋거나 나쁘다는 의미의 개체의 행복이 있다" (The Case for Animal Rights, 243쪽). "Worse-off Principle" 은 톰 레건이 그의 책307-312쪽에서 제시하고 논의한다.

(3) 최소 잘못의 원칙

최소 잘못의 원칙은 (i) 동식물의 기본 이익이 불가피하게 인간의 비기본 이익과 대립하고, (ii) 문제의 인간 이익이 본질적으로 자연 존중과 모순되지 않고, (iii) 그러나 그 이익을 충족하는 데 필요한 행동은 동식물의 기본 이익에 해로우며, (iv) 관련된 인간 이익이 중요하기 때문에, 야생 생물에 대한 바람직하지 않은 결과를 고려하더라도 자연을 진정으로 존중하고 합리적이며 사실에 깨어 있는 사람들조차 그 이익 추구를 기꺼이 포기하지 않을 상황에 적용된다.

이런 상황의 예는 앞에서 보았듯이, 자연 서식지 파괴를 피할 수 없는 곳에 미술관이나 도서관을 세우거나, 자연 생태계에 심각한 교란을 일으키는 공항, 철도, 항구 또는 고속도로를 건설하거나, 수력 발전 프로젝트를 위해 강에 댐을 건설하거나, 천연의 숲을 목재 조림지로 바꾸거나, 자연림을 조경하여 공원을 만드는 경우다. 이런 상황의 우선순위 문제는 다음의 질문이다. 인간의 비기본 이익 추구가 야생 동식물의 기본 이익에 악영향을 미칠 때에도 인간의 행동이 도덕적으로 허용되는 경우는 어떻게 알 수 있을까?

균형 원칙의 경우와 마찬가지로, 인간 윤리만이 (미술관을 짓기 위해 야생 생물 서식지를 파괴하는 것과 같이) 다른 생명체의 기본 이익을 희생하여 인간의 비기본 이익을 증진하는 행동을 허용함은 여기서도 사실이다. 이것은 인간에게 정당한 이익을 추구할 자유권이 있고, 그 추구로 다른 인간에게 잘못을 저지르지 않는 한 정당하기 때문이다. 그러나 환경 윤리의 원칙이 들어오는 순간, 권리 문제에서 더 이상 다른 사람의 관련성이 결정적이지 않다. 다른 생명체의 안녕이 고려되어야 한다.

그런데 이 상황에서 인간의 비기본 이익이 매우 중요해서 자연 존중 태도를 가진 사람들조차 그 이행이 야생 생물을 해치지만 가치가 있다고 간주한다. 이 특별한 중요성의 근거는 무엇인가? 답은 첫째, 합리적이고 사실에 깨어 있는 사람들이 세계관의 일부로 자율적으로 채택하는 문명화된 삶에 관한 견해에서 그 이익이 담당하는 역할에 있다. 둘째, 그 이익의 특별한 가치는 자신의 진정한 선에 대한 개인의 합리적 개념에서 그 이익이 차지하는 중심 위치에 있다. 첫 번째 사항은 가치 있는 이익의 문화적 또는 사회적 측면, 더 구체적으로 말하자면, 광범위한 역사적 관점상 그 이익이 인간 문명에 기여하는 중요성과 관련이 있다. 두 번째 사항은 개인적 상황과 능력이라는 조건하에서 가장 가치 있는 삶의 유형에 대한 개인의 견해와 관련이 있다.

첫 번째 사항에서, 역사적으로 발달한 공통된 삶의 방식이라는 기준으로 볼 때 사람들은 문제의 이익이 사회 전체가 높은 문화 수준을 유지하는 데 필수라고 판단한다. 여기서 나는 높은 문화 수준에 기여한다는 판단이 완전히 합리적이고 깨어 있는 사람들에 의해 내려진다고 가정한다. 그 이익에는 지성적이고 미학적인 인류 문화 차원에서 칭찬할 만한 작품을 만들고 가치 있는 발견을 이룬 노력뿐 아니라 공동체가 높은 문명 수준으로 꾸준히 발전하는 데 필요한 법, 정치, 경제 제도도 포함될 것이다. 따라서 합리적이고 깨어 있는 사람들이 보는 공동체 최고 가치의 핵심 목표와 실천이라는 문제는, 인간 이외 지구상 거주자의 (기본) 이익과 대립할 때 심지어 그 거주자가 인간과 동등한 본래적 가치를 지닌다고 보는 사람들의 마음에서도 큰 비중을 차지하는 이익일 것이다.

이 책의 앞 부분에서 소개한 내재적 가치와 고유한 가치라는 개념을 사용한다면, 삶의 방식의 중심이고 사회 전체가 공유하며 내재적 가치가 있는 목표 체계, 그리고 합리적이고 깨어 있는 사회 구성원이 최고의 고유한 가치가 있다고 판단하는 인간의 창조물 및 생산물이다. 최소 잘못의 원칙이 적용되는 충돌 상황에서 동식물의 이익에 대항하여 비중을 두어야 할 인간 이익을 결정하는 것이다. 어떤 문화의 삶의 방식을 역사적 관점에서 바라보고 그 문화의 사람들에게 미치는 역사적 의미를 고려할 때, 우리는 그 문화와 역사의 관점에서 보존할 가치가 가장 큰 문명의 유형을 합리적으로 그리고 사실 정보에 입각하여 판단할 수 있다. 인간이 보는 내재적 가치와 고유한 가치의 실현이 문명이라는 개념의 중심이지만, 그 가치의 실현으로 인해 야생의 서식지와 자연 생태계 파괴가 불가피하다면, 그 가치의 중요성은 그런 바람직하지 않은 결과에 견주어보아야 한다.

이와 유사하게, 합리적인 인간의 어떤 이익이 자신이 자율적으로 선택한 목표 체계의 중심에 있고 개인의 진정한 선 개념을 통합하는 역할을 한다면, 자연 존중 태도를 채택했더라도 그 사람은 그 이익의 추구가 자연계에 미칠 바람직하지 않은 영향보다 그 이익이 가져올 가치에 더 큰 비중을 둘 수 있다.

우리는 지금까지 최소 잘못의 원칙이 적용되는 충돌의 유형을 다루었다. 이제는 이 원칙의 내용을 분명히 할 때다. 이 원칙은 자연 존중 태도를 채택한 합리적이고 사실에 깨어 있고 자율적인 사람들이 비록 어떤 가치 추구의 결과로 야생 동식물이 입을 해를 알고도 위에서 언급한 두 유형의 가치를 포기하지 않을 때, 그 가치의 추구가 허용되는 것은 그런 행동이 그 가치를 추구하는 다른 어떤 대안보다 잘못(의무 위반)을 적게 범하는 경우에 한함을 밝힌다.

이 원칙은 우리가 지금 관심을 두고 있는 두 유형의 인간의 가치 추구에 도덕적 제약을 가한다. 공동체가 고도의 문명을 실현하는 기반인 사회 제도와 관행의 경우, 이 원칙은 공동체의 특정 제도와 관행이 자연계에 초래하는 잘못을 최소화할 것을 요구한다. 여기서 '최소 잘못'은 자연 존중 윤리 체계의 무해의 규칙을 위반하는 횟수가 가장 적다는 의미다. 잘못의 횟수가 최소라면 자연 생태계의 야생 생물에게 잘못을 더 적게 범하면서도 공동체가 동일한 목적을 달성할 수 있는 제도와 관행에 있어 대안은 없다고 추정된다.

두 번째 유형의 인간의 가치와 관련하여 최소 잘못의 원칙이 요구하는 바는 합리적인 개인이 진정한 선 개념의 핵심 목표를 추구하면서 취하는 행동의 경우 야생 생물에게 잘못을 더 적게 범하면서도 그 목표를 달성할 수 있는 대안이 없어야 한다는 것이 있다. 앞에서처럼, 도덕적 허용 가능성 심사의 핵심은 자연 생태계에서 인간 이외 존재에게 행해지는 잘못을 최소화하는 조건에서만 인간의 비기본 이익이 증진될 수 있다는 것이다.

이 원칙은 야생 동식물에게 본래적 가치가 있다는 생각과 부합하는가? 이에 답하려면 결과를 계산하는 공리주의적 견해와, 잘못을 최소화하는 의무론적 즉 비결과주의적 견해의 차이를 고려해야 한다.[6] 공리주의의 윤리 체계에 따르면, 어떤 사람들에게 이익을 주는 중에 다른 사람에게 해를 끼쳐야 할 때는 언제나 이익과 해의 비중을 비교하여 해가 최소가 되도록 행동할(또는 규칙을 따를) 의무가 있다. 단지 내재적 가치와 내재적 반가치의 양을 평가하여 최선의 결과를 계산하는 것이다. 반면에 최소 잘못의 원칙은 이익을 보거나 해를 입는 존재를 수많은 내재적 가치나 반가치를 담고 있는 '그릇'으로 간주하지 않는다. 그들은 명백히 의무의 내용이다. 예를 들어, 우리는 인간과 인간 이외 존재 모두에게 무해의 의무가 있다. 각 존재는 개체로서 본래적 가치가 있으며, 따라서 어떤 종에 속하든 간에 존중받아야 한다. 그런 존재를 해치는 행동

6. 가장 덜 나쁜 결과를 계산하는 공리주의와 의무 위반을 최소화하는 비결과주의 원칙의 구별은 톰 레건이 The Case for Animal Rights, 8.9절 "Should the Numbers Count?"와 8.10절 "The Minirise and Worse-Off Principles" (pp 297-312) 에서 제시하고 신중히 검토했다. 이 분야에서 레건의 연구는 인간과 동물 사이 도덕적 관계에 대한 이해뿐만 아니라 인간 윤리에도 독창적이고 중요한

은 명백히 잘못이며, 도덕 행위자는 그런 행동을 삼가야 할 의무가 있다. 그런 존재를 여럿 해치는 것은 단지 내재적 반가치를 초래하여 내재적 가치로 균형을 맞추어야 하는 것이 아니다. 그것은 해를 입는 생명체의 수만큼 수많은 의무 위반을 범하는 것이다.

기여를 했으며, 나도 그의 연구에서 도움을 받았다.

그렇다면 이와 같은 상황에서 인간이 자신의 이익을 추구할 수 있는 여러 방법 중 하나는 일정 수의 생명체에 해를 입히는 반면, 똑같은 이익을 추구하는 또 다른 방법은 더 적은 수의 생명체에 해를 입힌다고 가정해보자. 우리가 첫 번째 대안을 선택한다면 두 번째 대안을 선택하는 것보다 더 많은 수의 잘못을 알고도 범하는 것이다. 여기서 관련 있는 것은 반가치 또는 해의 총량이 아니라 다른 존재에 대한 의무를 수행하지 못하는 경우의 수다. 해를 입는 개체는 각각 부당한 대우를 받는 것이다. 무해의 의무는 개별 유기체 각각에 해당되므로 더 많은 수의 유기체에 해를 입히는 것이 도덕적으로 정당화되지 않을 것이다. 어떤 유형의 특정 행동이 그 유형이기 때문에 잘못이라면, 그 유형의 행동을 더 많이 할수록 더 많은 잘못을 범하는 것이다. 이것이 최소 잘못의 원칙을 이루는 기반의 중심이다.

이런 점을 고려해보면, 이제 우리는 일반적으로 개별 유기체보다 종-개체군을 해치는 것이 더 나쁘고, 생물 군집 전체를 해치는 것은 훨씬 더 나쁜 이유를 알 수 있다. 개체군을 이루는 유기체를 아주 많이 해치지 않으면서 종-개체군을 해칠 수는 없다. 하나의 종-개체군을 해치는 것은 단지 도덕 주체 하나에 잘못을 저지르는 것이 아니다. 각각 동일한 본래적 가치를 가지는 수많은 도덕 주체가, 다시 말하자면 죽거나 다친 개체군 구성원 모두가 부당한 대우를 받는 것이다. 마찬가지로 생물 군집 전체의 안녕을 좌우하는 생태계 균형과 온전성을 손상하거나 파괴한다면 그 군집을 이루는 여러 종-개체군이 해를 입는다. 이 경우 의무 위반 사례의 수는 더욱 많다.

최소 잘못의 원칙을 바라보는 이 방식에는 알도 레오폴드의 '토지 윤리', 또는 홈즈 롤스턴의 '생태 윤리'[7]같은 전체론적 즉 유기체론적 환경 윤리 견해가 필요하지 않다.

7. Aldo Leopold, A Sand County Alamac (New York: Oxford University Press, 1949), pp. 201-26에 실린 "The Land Ethic." Holmes Rolston III, "Is There an Ecological Ethic?" Ethics 85/2 (January 1975): 93-109. 3장 각주 5도 볼 것.

전체론적 견해는 (자연계를 상호 의존 시스템으로 보는) 생명 중심 관점의 두 번째 구성 요소와 관련하여 3장에서 비판적으로 논의했다. 현재 맥락과 관련 있는 것은 인간이 자연계와의 관계에서 수행해야 할 역할이다. 전체론적 견해에 따르면, 올바른 행동의 기본 기준은 행동이 행해지는 자연 환경에서 생태적 온전성을 보존하는 경향성이다. 이 관점은 인간의 생명이 지구라는 전체 생태계의 한 구성 요소일 뿐이며 생태적 온전성은 그 자체로 가치가 있다는 전제에서 출발한다. 그리하여 지구에서 인간의 적절한 도덕적 역할이 행성의 생물권에서 생물적으로 건실한 방식으로 기능하는 것이라고 주장한다. 인간은 자신이 차지하고 있는 생태적 지위에 따라 자신이 속해 있는 전세계 생태계와 건강한 관계를 유지할 수 있도록 자신의 행동을 다스려야 한다는 것이다. 개별 유기체가 각각 본래적 가치를 지니며 도덕 행위자에게 개별 유기체에 대한 의무가 있다는 개념이 전체론적 견해에는 없다.

이와 대조적으로, 최소 잘못의 원칙은 각 생명체가 도덕적 배려를 받을 자격이 있다고 전제한다. 각각 본래적 가치가 있으므로, 어느 한 생명체가 해를 입었다면 명백히 잘못을 범한 것이다. 종-개체군 전체 또는 생물 군집이 해를 입었다면 더 큰 잘못을 범한 것이 사실이다. 이것은 집단이 개체보다 존중받을 권리가 더 크기 때문이 아니라 집단을 해치는 경우 필연적으로 여러 개체가 해를 입기 때문이다. 그러므로 최소 잘못의 원칙이 적용되는 상황에 처할 때마다 우리는 알고도 명백히 잘못인 행동을 저지른다. 그런 행동을 가장 적게 행하는 경우에만 우리가 생명체에게 하는 일이 정당화된다. 이 상황에서 우리의 주요 책무는 해를 가져오는 행동의 수가 가장 적은 대안을 선택하는 것이다.

그런데 이 상황에서 우리를 구속하는 책무가 하나 더 있다. 우리는 자연 존중 태도에 부합되게 행동하려면 이 책무를 이행해야 한다. 그것은 인간과 인간 이외 존재 사이의 종-공정성 원칙이 부과하는 의무다. 우리는 대립 주장을 공정하게 해결하고자 하므로, 우리 인간의 가치를 추구하다가 동식물에 해를 입힐 때마다 그들에 대한 우리의 대우가 명백한 잘못임을 인정해야 한다. 그 인정은 우리가 범한 불의를 보상해야 한다는 도덕적 요구를 받아들이는 실천으로 표현된다. 우리는 최소 잘못의 원칙에 따라 행동했을 수 있지만, 우리 자신과 동등하게 본래적 가치를 지닌 생명체 중 적어도 일부가 부당한 대우를 받았다. 우리 자신과 그들 사이의 정의가 균형을 회복하게 하려면, 야생 동식물에게 어떤 형태로든 보상해야 한다. 그렇게 할 때에만, 우리가 최소 잘못의 원칙에 따라 행한 행동은 종-공정성 기준을 충족할 수 있고, 따라서 모든 것을 고려할 때 도덕적으로 정당화될 수 있다. (나는 이 문제를 보상적 정의의 원칙을 다루면서 더 논의할 것이다.)

원칙에 따라 부과되는 도덕적 제약은 제약을 받는 바로 그 존재들이 완전히 받아들일 수 있다. 왜냐하면 그들이 자연 존중 태도를 채택했고 자연계와의 관계를 생명 중심 관점에서 보는 행위자이기 때문이다. 따라서 그들은 가치가 커서 포기하고 싶지 않은 목표를 추구하는 동안 야생 생물에게 행해지는 잘못을 최소화하기를 원한다. 그 목표에 가치를 두더라도 그들의 자연 존중 태도가 줄어들거나 약해지지 않는다. 따라서 그들은 최소 잘못의 원칙을 채택할 책무를 기꺼이 인정하고 자신의 결정과 행동에 유효한 도덕적 제한을 가할 것이다. 달리 말하자면, 그 원칙은 그들이 자발적으로 동의하고 규범 지침으로 따르는 원칙이 될 것이다.

최소 잘못의 원칙이 적용되는 상황에서 피해를 최소화한다는 의미는 실제로 어떤 것인가? 나는 해를 입히는 주요 방식으로 (i) 서식지 파괴,

(ii) 환경 오염, (iii) 직접적 살상, 세 가지를 논의하면서 이 질문을 검토할 것이다.

(i) 서식지 파괴

인간이 고도로 발달한 문명의 문화적 이상과 개인의 진정한 선 개념의 기본인 가치 있는 목적을 추구하려면, 야생 생물이 서식지로 사용하는 지구 자연 환경의 일부를 인간의 목적을 위해 사용해야 한다. 이것은 불가피한 일이지만, 그럼에도 불구하고 사람들은 자유와 책임이 있는 행위자로서 서식지 파괴를 최소화하는 생활 방식을 선택할 수 있다. 사람들은 생태계의 황폐화를 피하고 생물 군집 전체의 몰살을 막기 위해 특별한 노력을 기울일 수 있다. 다른 종의 선을 염두에 두고 고속도로, 공항 및 항구의 위치를 정하고 건설할 수 있다. 자연계에 대한 관심이 충분하다면, 인구 증가를 통제하고 소비 습관을 바꾸며 기술을 규제하여 적어도 지표 일부를 야생 동식물의 서식지로 남겨놓을 수 있다.

서식지 파괴를 최소화하는 한 가지 방법은 이미 인간의 목적을 위해 쓰였지만 현재 상태가 나빠지고 있거나 버려진 지역을 활용하는 것이다. 아직 자연 상태인 토지를 잠식하기보다는 더 이상 자연 환경의 일부가 아닌 곳을 다시 점유하는 것이 가능할 것이다. 이 방법으로 지구의 이미 사용된 지역을 '재활용' 할 수 있고 야생 지역은 다른 종의 서식지로 보존할 수 있다. 일부 서식지의 파괴를 피할 수 없더라도 가장 덜 해로운 대안을 선택해야 할 의무는 여전히 남는다. 이것이 최소 잘못의 원칙이 우리에게 요구하는 바다.

(ii) 환경 오염

자연 환경을 오염시키는 것은 자연 환경의 질을 떨어드리는 것이며, 살아 있는 인간이든 아니든 생명체에 해롭다. 오염은 필연적으로 개별 유기체의 관점에서 볼 때 바람직하지 않은 어떤 것이다. 본질적으로 그것은 생물의 안녕을 좌우하는 삶의 조건에 악영향을 미친다. 그런 악영향의 결과는 인간에게 피해되지 않을 수도 있다.

서식지 파괴와 달리 환경 오염은 인류 문화의 발달에서 절대적으로 불가피한 것이 아니지만, 그래도 사람들이 과학과 인간에 대한 지식을 꾸준히 발전시켜 고도의 문명을 이어가고 심미적으로 풍부한 문화를 즐기려고 한다면, 그리고 개인이 자율적으로 가치를 선택하고 추구한다면, 자연 환경의 질은 적어도 어느 정도 저하될 것이다.

이 갈등에 최소 잘못의 원칙이 적용되는 방식은 명확하다. 이 원칙을 따르려면 종의 종류와 상관없이 관련된 모든 존재에게 미치는 해를 최소화하기 위해 가능한 모든 조치를 취해야 한다. 이것은 위험한 형태의 오염을 최소한만 허용하고 인간뿐 아니라 인간 이외 존재들에게도 유해한 현재의 오염된 환경을 정화하는 보편적인 정책을 따라야 한다는 뜻이다. 물론 모든 종류의 오염을 완전히 피하는 것이 우리가 궁극적 목표로 추구해야 할 이상일 것이다. 그러나 우리가 그 목표를 추구하면서 취할 수 있는 실질적인 조치들도 많다. 우리는 땅이나 물속에 버리기 전에 쓰레기를 재활용하거나 생물적으로 무해하게 만들 수 있다. 대기 오염을 막기 위해 자동차 배기관과 공장 굴뚝에 오염 방지 장치를 설치할 수 있다. 독성 화학 물질과 방사성 물질의 투기를 방지하고 현재와 과거 하치장의 독성을 없애는 방법을 배울 수 있다. 특정 방사성 폐기물과 화학 폐기물을 처리할 안전한 방법이 없음이 밝혀지면, 우리는 그야말로 그 폐기물 생산을 그만두어야 한다.

자연 환경에 관심이 있는 사람들은 모두 이런 조치가 도덕적으로 필요하다고 인정한다. 이런 정책과 관행을 인간만을 위해서가 아니라 야생 생물들을 위해서도 지키는 데 특별한 관심을 둔다. 정책과 관행은 우리의 사람 존중만이 아니라 우리의 자연 존중도 구체적으로 표현한다.

환경 오염을 없앰으로써 야생 생물의 선을 위한 변화를 기꺼이 이루려는 노력에서 특히 중요한 것은 '적정 기술'[8]을 개발하려는 시도다.

8. 적정 기술 아이디어는 경제학자 E. F. 슈마허의 유명한 책, Small Is Beautiful (New York: Harper and Row, 1973)[문예출판사, 2002]에서 비롯되었다. 이 주제는 그의 책, Good Work (New York: Harper and Row, 1979)에서 더욱 자세히 다뤄졌다. 전세계 여러 나라에서 현재 사용되는 적정 기술의 사례는 George McRobie, Small is Passible (New York: Harper and Row, 1981)에서 많이 찾아볼 수 있다.

이것은 에너지 효율적이고 환경 친화적인 방식으로 제품과 서비스를 제공하기 위해 신중히 통제되고 소규모로 운영되며 단순화된 산업이다. 우리는 현대 산업 사회의 전형인 대규모 기계화 및 복잡한 기술 없이 사는 법을 배움으로써 자연계와 더 잘 조화를 이룰 수 있다. 자연 환경에 적합한 인간의 작업 방식과 생산성을 고안함으로써 우리는 오염으로 자연에 미치는 피해를 최소화한다. 이런 방식으로 우리는 최소 잘못의 원칙을 고수하며, 사람 존중과 자연 존중이라는 대립 주장을 모두 공정하게 고려한다.

(iii) 직접적인 살상

최소 잘못의 원칙이 적용되는 상황의 세 번째 유형은 인간이 야생 동식물을 고의로 죽이는 행동으로 그들의 죽음을 초래하는 경우다. (이 행동은 서식지 파괴나 환경 오염을 통해 간접적으로 죽음을 야기하는 관행과 구별된다.) 이를테면 자연 서식지에서 동식물을 가져가 예술이나 교육 목적으로 사용하고, 과학 연구를 위해 동식물을 표본으로 수집하며, (예를 들어 고속도로와 전력선을 따라) 야생 생물 서식지에 제초제와 살충제를 뿌리는 사례가 있다. 이런 관행은 모두 인간의 목적을 위해 인간이 천연 지역으로 들어가 동식물을 죽이는 것이다. 최소 잘못의 원칙을 적용하면, 이 목적은 비기본 이익과 연결되며 그 이익은 사회의 생활 방식이나 개인의 가치 체계의 중심이다.

이 상황에서 최소 잘못의 원칙은 대립 주장의 문제를 어떻게 정당하게 해결할까? 다음 사항을 고려해야 한다. 첫째, 우리는 증진되는 인간의 가치가 야생의 생명체에 가해지는 극단적인 비용을 감수할 만한 것인지 자문해야 한다. 이와 관련하여 우리 자신의 가치 체계와 우리 사회의 생활 방식을 숙고하고, 근본적으로 가치관을 조정하거나 시각을 바꿀 수 없는지 살펴보아야 한다. 그런 변화가 인간 이외 존재를 직접 죽이는 일을 적어도 일부는 막을 것이다. 둘째, 우리는 우리의 가치와 삶을 추구하는 방식에 관해 우리에게 열려 있는 모든 가능성을 주의 깊게 검토해야 한다. 최소 잘못의 원칙은 우리가 직접적인 살상을 완전히 없애거나 죽는 생명체의 수를 최소화하는 대안을 선택할 것을 요구한다. 마지막으로, 자연 존중 태도는 우리로 하여금 어떤 살상이든 혐오로 반응하게 하고, 자연계의 생명체에 입힌 해를 배상하거나 어떤 형태로 보상할 의무를 인정하게 한다. 배려심과 양심에 따라 이 세 가지를 철저히 이행하는 것이 이 유형의 사례에 최소 잘못의 원칙을 적용할 때 공정성 감각을 발휘한다는 표시다.

이것으로 세 번째 우선순위 원칙에 대한 나의 설명을 마친다. 위에서 우리는 서식지 파괴, 환경 오염, 직접적인 살상으로 분류한 충돌 상황에서 최소 잘못 원칙의 규정대로 해를 최소화한다는 일반적인 요구가 전적으로 모호하거나 불분명하지 않음을 알았다. 이 원칙은 실질적인 문제 해결을 위한 지침을 몇 가지 제시한다. 우리는 또한 원칙이 적용되는 제한적 조건에 유의했다. 단순히 '이렇게 하라', '그렇게 하지 말라'는 방안이 원칙에서 나올 수 없지만, 원칙은 도덕적으로 고려해야 할 사항에 주의를 집중시키는 역할을 한다.

(4) 분배적 정의의 원칙

이 네 번째 우선순위 원칙은 다음 두 가지 조건하에 인간과 인간 이외 존재 사이의 대립 주장에 적용된다. 첫째, 인간 이외 유기체가 우리를 해치지 않아서 자기 방어의 원칙이 적용되지 않는다. 둘째, 대립 주장을 야기하는 이익은 상대적으로 중요성이 동일하며 모두 기본 이익이기 때문에 균형 원칙과 최소 잘못 원칙이 적용되지 않는다. 네 번째 원칙의 적용 범위는 첫 세 가지 원칙에 해당하지 않는 경우다.

이 원칙은 관련 이익이 모두 기본 이익이고 당사자들에게 동등하게 중요할 때 모든 당사자들 사이에서 이익을 공정하게 분배하기 위한 기준을 제공하기 때문에 분배적 정의의 원칙이라고 불린다. 이익이 동등하게 중요하기 때문에 도덕적 비중이 동일하다고 간주된다. 충돌 해결을 위한 결정이 모두에게 공정하다면 비중의 동등성이 결정에서 유지되어야 한다. 분배적 정의의 원칙은 당사자의 이익이 모두 기본 이익이며 당사자 모두를 위해 쓰일 수 있는 이익의 원천이 자연에 있을 때 각 당사자가 동등하게 할당받을 것을 요구한다. 이 상황에서 공정한 공유는 동등한 공유다.

그러나 분배적 정의의 원칙을 실천에 옮기고자 할 때, 우리는 가장 공정한 분배 방법조차 각 개별 유기체에게 동등성을 완벽히 보장할 수 없음을 안다. 그 결과, 우리는 분배적 정의를 토대로 내린 모든 결정을 보상적 정의 원칙이라는 다섯 번째 우선순위 원칙에 따라 부과되는 추가 의무로 보완해야 한다. 우리는 완벽히 공정하게 분배적 정의를 실천하지 못하므로, 야생 생물에 대한 배상 또는 보상 조치를 해야 한다. 최소 잘못 원칙의 경우에도 마찬가지로, 본래적 가치를 지닌 존재에게 행해진 잘못이 인정되면 그 잘못을 보상하는 추가 의무가 우리에게 생긴다. 이런 식으로 공정성 개념은 우선순위 원칙 체계 전체에서 지켜질 것이다.

우리는 분배적 정의의 원칙을 실천할 수 있는 다양한 방법을 모색할 때 우리가 관심을 두는 야생의 동식물 자체가 우리에게 해롭지 않다는 사실을 염두에 두어야 한다. 따라서 우리는 자기 방어를 위해 그들을 죽일 필요가 전혀 없다. 그들이 우리를 '공격'하지 않기 때문에 우리는 그들의 생존과 우리의 생존 중에서 한쪽을 선택해야 하는 상황을 피하거나 없앨 수 있다. 결과적으로 분배적 정의의 원칙은 가능할 때마다 대립하는 상황을 서로 수용하는 상황으로 전환할 방법을 찾을 것을 요구한다. 이런 식으로 우리는 지구 생명 공동체의 다른 구성원들과 지구의 유익한 자원을 동등하게 공유할 수 있다. 우리의 목표는 야생 동식물이 인간의 문화와 나란히 자연에 존재하는 것이다.

그러나 때로는 인간의 기본 이익과, 인간 이외 존재의 동등한 기본 이익의 충돌을 피할 수 없다. 아마도 가장 명백한 예는 인간이 인간 이외 존재를 식량으로 소비해야 하는 경우일 것이다. 대부분의 사람들이 동물 대신 식물을 먹을 수 있지만, 나는 이것이 모든 사람들에게 해당되지는 않는다고 잠시 후에 지적할 것이다. 그리고 동물을 먹는 것보다 식물을 먹는 것이 더 바람직한 윤리적 이유는 무엇인가?

우선, 심각한 환경 조건 때문에 야생 동물을 식량원으로 이용해야 하는 상황을 살펴보자. 달리 말하자면, 생존형 사냥과 낚시가 필요한 상황이다. 예를 들어, 북극에서 고래와 바다표범을 사냥하거나, 고산 지대에 사는 사람들이 야생 염소와 양을 죽여서 먹는 경우를 생각해보자. 이 경우에 가축을 충분히 키워서 그 문화권 서민들에게 식량을 공급하는 것은 불가능하며, 지리적 조건 때문에 식물을 영양 공급원으로 삼을 수도 없다. 분배적 정의의 원칙은 이 상황에 적용된다. 원칙에 따라 인간이 야생 동물을 죽여서 식량을 마련하는 것이 도덕적으로 허용된다. 이것은 인간과 동물의 가치가 동등하기 때문이다. 이 상황에서 인간이 동물을 먹지 않는다면 인간은 사실상 동물을 위해 자신의 목숨을 희생하는 것이며, 자연 존중 때문에 그렇게 해야 할 의무는 없다. 동물은 더 큰 가치를 지니지 않으며, 따라서 인간의 기본 이익을 희생하여 그들의 이익을 증진할 의무는 없다.

그러나 생태계 전체를 파괴하지 않는 것이 환경 윤리의 일차적 의무이기 때문에 (무해와 불간섭 의무), 식량원으로 동물을 선택하고 사냥 방법을 정할 때 가능한 한 최소 잘못 원칙의 지침을 따라야 한다. 야생 동물을 사냥하여 식량으로 쓰는 관행은 자연 생태계에 영향을 미치므로 가능한 다른 대안보다 잘못을 더 많이 범해서는 안 된다.

환경 조건 때문에 인간의 생존을 위해 가축이나 식용 식물 이용이 불가능한 경우에 (아프리카에서 영양과 물소를 이용하는 것처럼) 야생 동물을 잡아서 식량으로 공급하는 관행에서는 동일하게 다음을 고려해야 한다. 첫째, 분배적 정의의 원칙에 따라 야생 동물을 먹는 것이 허용되는지 여부를 고려하고, 둘째, 그 지역의 야생 생물 모두에게 입히는 해가 최소가 되도록 포획 동물의 종과 포획 방법을 선택함으로써 도덕적으로 올바른 결정을 내려야 한다. 그리하여 자연 생태계와 생물 군집 전체에 입히는 심각한 해를 가능한 한 피해야 한다.

이제 나는 적어도 환경 윤리 원칙의 적용 범위 내에서 육식 대 채식의 문제를 다루고자 한다. 중요한 고려 사항이 두 가지 있다. 우선, 식량으로 이용하려고 동물을 기르고 도살할 때 우리가 범하는 잘못은 단순히 고통을 야기하는 데 있지 않다. 살아 있을 때 그들을 대하는 방법만이 아니라 고통이 거의 또는 전혀 없는 도살 방법을 고안해내더라도 우리는 그들을 소비함으로써 명백한 의무를 여전히 위반할 것이다. 그들은 여전히 우리의 목적에 맞는 수단에 불과한 것으로 취급될 것이고, 따라서 부당한 대우를 받을 것이다. 그런데 우리는 위에서 우리의 생존을 위해 필요한 경우에 동물을 죽이는 것이 허용됨을 보았다. 그러나 식물도 동물과 마찬가지로 본래적 가치 면에서 우리와 동등하다는 사실에 비추어보면, 식물을 죽이는 일에도 동일한 문제가 있는 게 아닐까? 생명체에 통증이나 의식적인 고통이 없더라도, 그럼에도 불구하고 우리는 전적으로 우리 자신의 목적을 위해 식물을 이용하는 것이다. 그러므로 우리가 먹기 위해서 그들을 죽일 때 그들은 부당한 대우를 받는다. 그러나 그들을 위해 우리를 희생할 의무가 우리에게 없으므로 이 일은 허용된다. 그렇다면, 우리가 동물을 다루든 식물을 다루든 둘 다 분배적 정의의 원칙이 적용된다 (그리고 이와 함께 보상적 정의의 원칙도 적용됨을 나중에 볼 것이다).

그런데, 채식보다 육식에서 더 큰 잘못을 저지르는 것이 아니더라도 동물의 고통이라는 요인은 실제로 중요한 고려 사항이다. 고통 민감성으로 인해 동물의 본래적 가치가 더 높은 것은 아니지만, 어떤 식으로든 고통을 의식하는 것은 지각력 있는 생명체의 삶에서 본질적으로 불쾌한 일이다. 관련 동물의 관점에서 보면, 그런 경험이 없는 삶이 고통을 경험하는 삶보다 낫다. 전반적인 안녕에 도움이 되지 않는 방식으로 고통을 겪을 때 그 존재의 선은 완전히 실현되지 않는다. 우리는 우리 자신의 경우에 그러함을 알고 있으며, 따라서 그들의 경우에도 그렇다고 추론해야 한다.

그런데 지각력 있는 동물을 존중한다면, 그들의 안녕에 대한 도덕적 배려와 관심으로 그들의 삶에서 본질적인 악행을 최소화하려고 시도할 것이다. 따라서 식물 또는 지각력 있는 동물 중에서 식량을 선택해야 할 때 식량으로 이용되는 동물이 고통을 당한다면, 식물을 죽이는 선택이 잘못을 줄여줄 것이다.

이제, 나는 환경 윤리 원칙이 육식 대 채식주의 쟁점과 관련 있는 주된 문제를 살펴보겠다. 식물과 동물이 본래적 가치가 동일하더라도, 이 문제에 비추어보면, 자연을 존중하는 사람은 채식주의 편에 설 것임이 분명하다. 여기서는 인간이 직접 소비하기 위해 곡물 및 기타 식물을 기를 때 필요한 경작지의 면적과, 사람이 소비할 동물을 먹이기 위해 곡물 및 기타 식물을 기를 때 필요한 경작지의 면적을 비교하는 것이 중요하다.

예를 들어, 사람이 소비하기 위해 단백질 1파운드를 생산하려면 수송아지에게 식물에서 공급되는 단백질 21파운드를 먹여야 한다. 돼지고기의 경우 그 비율은 고기 1파운드 당 8.3파운드, 가금류의 경우 5.5파운드다.[9] 필요한 토지 면적으로 설명하면, 토지 1에이커에서 나오는 곡물을 인간의 식량으로 사용하면 육류 생산에 사용되는 1에이커보다 단백질을 5배 많이 생산할 수 있다. 1에이커에서 자라는 콩과 식물(완

9. 세계 식량 문제, 대통령 과학 자문위원회 보고서, 2권, May 1967, p. 249. 이 문제에 대한 충분한 논의는 다음 책에서 볼 수 있다. Frances Moore Lapp Diet for A Small Planet (New York: Friends of the Earth/Ballantine Books, 1971), part I.

두콩, 렌즈콩 등)은 10배 이상 생산할 수 있고, 1에이커에서 자라는 잎채소의 경우 15배 더 많다.[10] 그래서 자연 존중 태도에 기초한 채식주의의 시각은 다음과 같다. 우리는 육식 문화를 채식 문화로 바꿈으로써 인간의 식량 생산에 필요한 경작지의 면적을 대폭 줄일 수 있다. 이렇게 해서 남겨진 땅은 아래에서 논의될 영구 서식지 할당이라는 개념에 따라 야생 생물 보호 구역으로 확보될 수 있다. 궁극적으로 자연 생태계의 파괴가 지금보다 훨씬 적게 일어날 것이다. 간단히 말하자면, 채식주의자는 고기를 먹는 사람보다 자신을 지탱하는 데 지구 표면을 훨씬 더 적게 사용한다. 그리고 인간이 자신을 위해 더 적게 사용할수록 다른 종을 위해 남겨지는 것이 더 많다.

10. Lapp , Diet for A Small Planet, pp. 7-8. Singer, Animal liberation, pp. 178-184도 볼 것.

우리는 인간과 인간 이외 존재 사이 기본 이익의 충돌이 불가피한 상황과, 그 상황에서 분배적 정의의 원칙이 시사하는 바를 살펴보고 있다. 이제 나는 기본 이익이 충돌을 일으키는 경우에도 인간이 야생 동식물과의 관계에서 어떤 조정을 할 수 있는 상황을 검토하겠다. 이때 인간과 인간 이외 존재를 동등하게 대우하는 접근법이 실현될 수 있다. 이 접근법은 대결과 경쟁의 상황을 상호 수용과 관용의 패턴으로 전환한다.

나는 이 과업을 달성하기 위한 방법 네 가지를 논의할 것이다. 방법은 (i) 영구 서식지 할당, (ii) 공동 보존, (iii) 환경 통합, 그리고 (iv) 순환이다.

(i) 영구 서식지 할당

이 방법에는 지구 표면의 토지와 수역 일부를 '영원한 야생 지역'으로 확보하는 일이 포함된다. 이것은 우리에게 익숙한 야생 보존 정책이다. 이 방법만으로 세계의 야생 생물 군집 중 적어도 일부라도 자연 상태에 가깝게 유지될 수 있고 지구의 물리적 환경의 혜택을 받을 수 있다는 사실이 이런 정책을 정당화한다. 우리는 지표의 일부를 영구히 그들에게 할당함으로써 우리 자신만큼 그들의 선도 배려받을 만하며 우리가 그들을 존중함을 명확히 표현한다. 그래서 우리는 야생의 생물 군집이 인간 문명의 작품과 함께 태양 아래 자리를 잡는 것이 공정할 뿐이라고 판단한다. 우리가 자연 환경과 자원의 일부를 우리 자신의 용도로 쓰는 것을 피할 수 없지만, 그럼에도 불구하고 여전히 우리는 적어도 일부 야생 생물 군집이 자연 상태로 존속하며 인간의 간섭에서 자유로이 진화하는 운명으로 살게 할 수 있다.[11]

(ii) 공동 보존

공동 보존이라는 방법은 모두가 사용하는 자원을 인간과 인간 이외 존재가 공유하는 것이다. 사람들이 사막이나 물 공급이 제한되는 기타 지역에 마을을 조성한다면, 공동 보존 정책은 생존을 위해 물이 필요한 다른 종과 인간이 물 공급을 공유한다는 뜻이다. 그곳에 사는 조류, 파충류, 곤충 및 포유동물만이 아니라 사막의 식물도 모두 사람들과 함께 정당한 물 사용자로 인정된다. 기본 개념은 우리가 우리 자신을 위해 자원을 모두 차지하지 않고, 우리만큼 그 자원이 필요한 다른 존재들을 위해서 남겨두는 것이다.

보존은 인간이 실천하지만 인간의 이익만을 위해 이행되어야 하는 것은 아니다. 보존의 의미에서 다른 생명체의 안녕을 증진하기 위한 보존을 배제할 이유가 전혀 없다. 도덕 행위자로서 우리는 우리 자신의 선을 위해 사용해야 하는 천연 자원의 일부를 다른 존재들도 사용할 수 있도록 자유롭게 선택할 수 있다. 재사용 가능성 여부와 관계없이 자원을 보존하는 것은 자원을 신중하고 현명하게 사용하여 현재만큼 필요할 미래를 위해 남겨두는 것이다. 자원 중 어떤 것도 낭비하거나 오염으로 사용에 부적합하게 만들지 않는다. 공동 보존은 자원 사용을 다른 존재들과 공유하고 모든 존재들의 상호 이익을 위해 자원을 보존하는 인간의 실천을 말한다.

11. 물론, 야생 보전에 인간 중심적 이유도 많다. 다음을 볼 것 H. J. McCloskey, Ecological Ethics and Politics, 5장과 9장; Donald H. Regan, "Duties of Preservation"; Terry L. Leitzell, "Extinction, Evolution, and Environment Management"; Bryan G. Norton, "On the Inherent Danger of Undervaluing Species." 마지막 논문 세 편은 메릴랜드 대학의 철학과 공공 정책 센터에서 구할 수 있으며, Bryan G. Norton 엮음, The Preservation of Species: The Value of Biological Diversity (Princeton, N.J.: Princeton University Press, 1986)에 나온다. 노턴은 "America's Public Lands: To Use or Not to Use," Report from the Center for Philosophy and Public Policy 3/3 (Summer 1983): 9–12에서 인간 중심과 생명 중심의 야생 보전 이유의 차이를 논한다. Albert J. Frisch, Science Action Coalition, Environmental Ethics: Choices for

Concerned Citizens (New York: Doubleday Anchor Books, 1980)의 1장 "Why Fare well to Plants and Animals?"와 William Godfrey Smith, "The Value of Wilderness," Environmental Ethics 1/4 (Winter 1979): 309-319도 볼 것.

공동 보존은 우리가 자연의 혜택을 그 혜택을 받을 자격이 있는 모든 존재들에게 분배하고자 한다면 우리와 같은 종인 구성원들만이 아니라 인간 이외 종들도 기본 이익에 필요한 것을 이용할 수 있어야 한다는 뜻이다. 제한된 자원을 두고 경쟁할 때, 우리는 그것을 독점해서는 안 된다. 독점은 합법적으로 모두에게 속하는 어떤 것을 가져가버리는 것이다. 우리 인간이 지구상의 모든 생명체들의 동등한 본래적 가치를 인정할 때 할 수 있는 최소한의 것은 우리 모두가 필요로 하는 것의 일부를 그들 스스로 요구할 수 없는 것들에게 할당하는 것이다. 그러므로 모두의 마땅한 요구를 공정하게 다루려면 많은 종에게 공통되는 이익 원천은 무엇이든 공유해야 한다.

(iii) 환경 통합

이것은 지역 전체의 생태학적 온전성을 보전하는 방식으로 건설과 '개발' 을 주변의 자연에 맞추려고 하는 시도다. 사무실 건물과 가게, 공장과 창고, 호텔과 모텔, 주택과 아파트 단지, 공항과 고속도로, 학교와 도서관, 교량과 터널 및 기타 대규모 인공물은 심각한 생태 교란과 환경 파괴를 피할 수 있도록 설계하고 배치한다. 지역에서 생태계 안정성에 필수적인 자연 구역은 변형하지 않고 남겨둔다. 따라서 야생 종-개체군이 사용하는 서식지는 파괴되지 않으며, 야생 동물에게는 인간 문화의 작품과 함께 생존할 수 있는 기회가 주어진다.

자연 환경에 인공 생태계가 배치될 때, 경계 지역은 다양한 동물이 지나가고 야생의 나무, 관목, 기타 식물이 경계의 양쪽에서 번식할 수 있게 계획할 수 있다. 그러면 인간이 자신의 목적을 위해 마련한 물리적 환경에서 어떤 종-개체군이 서식지를 만들 수도 있다. 새가 이웃 나무로 날아와 둥지를 틀고, 거북과 개구리가 관상용 연못에 서식하고, 곤충이 정원에서 자라는 꽃들의 수분을 돕고, 잔디 가장자리를 따라 자생종 나무가 자라며, 수백만 미생물이 토양에서 살 수 있다. 여러 형태의 야생 생물이 이런 식으로 천연이 아닌 환경에서 자연의 생활사를 계속할 수 있다. 이를 염두에 두고 골프 코스, 레크리에이션 호수, 공원과 피크닉장, 교외 주택가, 해변 및 산악 리조트를 설계할 수 있다.

다음 목록은 인간의 지역 사회가 그들 지역에서 환경 통합을 실현하고 유지하기 위해 채택할 수 있는 여러 구체적 조치 중 몇몇을 간략히 보여준다. (이 조치는 대부분 '토지 이용 계획' 이라는 규정에 따라 지역 사회에서 검토된다.)

(가) 자연 배수 시스템은 온전히 유지하고 지하 대수층은 오염에서 보호한다. 하천은 자유롭게 흐르도록 둔다. 자생 식물은 산비탈에서 자라게 한다. 범람원에는 건설을 허용하지 않는다.

(나) 범람, 하수 문제 및 인간이 자연의 토지를 훼손하여 환경에 미치는 기타 해로운 영향을 피하기 위해 지역의 다양한 토양 유형을 특별히 고려해야 한다.

(다) 건설을 통제하고 '열린 공간' 을 확보하기 위해 특정 지역에서는 건설을 금지한다. 삼림, 습지, 모래 언덕, 바위 비탈과 절벽 등등은 구역으로 정해 그대로 남겨둔다.

(라) 농업 지역에서는 화학 비료와 제초제 사용을 제한한다. 유기 농법을 권장한다.

(마) 대규모보다 소규모 기술을 선호한다.

(바) 공기 오염을 막기 위해 오염 방지 장치를 설치한다. 독성 폐기물 투기를 금지한다. 비독성 폐기물은 최소로 유지하며 가능한 경우 폐기물 재활용 시스템을 갖춘다. 지역의 토지나 물의 과거 오염은 정화한다.

(사) 재생 가능하지 않은 자원은 드물게 소비하며, 재생 가능한 자원은 가장 효율적으로 사용하기 위한 새로운 기술을 채택한다.

이는 모두 개발 지역의 환경 건전성을 구현하고 보존하는 방법의 예다. 이 조치들은 야생 동식물에게 혜택을 주며, 인간의 이익을 위할 뿐 아니라 야생 동식물도 이롭게 하는 수단으로 채택될 수 있다. 따라서 환경 통합은 인간과 인간 이외 존재가 공유해야 할 유익한 자원을 공정하게 분배한다는 이상에 부합하는 방법이다. 그로써 완벽히 평등한 대우가 이루어지지는 않지만, 야생 생물의 안녕이 신중히 고려되고 최소한의 기본 이익 일부라도 보장되도록 실질적인 조치가 취해진다. 인간의 기본 이익이 증진되는 동시에 인간 이외 존재 또한 보호를 받는다.

(iv) 순환

혜택을 공정하게 분배하는 네 번째 방법은 순환 즉 '교대'로 이용하는 방법이다. 규칙은 우리 인간이 지구 자연 환경 내 특정 구역에서 이익을 추구하면서 일정 기간 동안 이득을 보았다면, 가능할 때마다(즉, 그 상황에 적용되는 다른 모든 윤리 원칙들에 부합되게 이행할 수 있을 때마다) 야생 생물 군집의 종-개체군에게 그곳에 서식함으로써 이익을 얻을 기회를 주는 것이다. 인간과 인간 이외 존재들이 차례로 우호적인 환경과 서식지를 이용하는 것은 공정한 것이다. 우리는 이 방법을 주어진 장소에 대한 시간 할당으로 볼 수 있으며, 이와 대조적으로 영구 서식지 할당이라는 방법은 공간 할당의 한 형태다.

순환 체계는 일반적으로 다음과 같이 작동한다. 생태계의 생물학적 건전성을 훼손하지 않고 제한된 시간 동안 일정 수의 인간이 기본 이익을 충족하는 데 쓰일 수 있는 구역이 자연 환경에 있다고 가정한다. 인간은 나중에 야생의 생물 군집이 그곳에서 기본 이익을 충족하는 것이 가능하도록 그곳의 환경과 거주 생명체들을 대해야 한다. 그곳을 서로 다른 시간대에 차지함으로써 인간과 인간 이외 존재 모두 기본 필요를 충족할 수 있다. 이때 순환 원칙에 따라 인간 이외 생물 군집이 생태적 기능면에서 적정한 기간 동안 그곳을 독점하고, 인간은 다른 시기에 그곳에 대한 접근권을 가진다. 이런 식으로 시간이 지남에 따라 환경 내 특정 구역에서 인간과 인간 이외 존재에게 이익이 공정하게 분배된다. 다음의 예는 순환 체계가 어떻게 다양한 유형의 환경에 적용될 수 있는지 보여준다.

(가) 인간의 질병 치료에 사용되는 기계와 도구의 제조에 특정 광물이 필요하다고 가정해보자. 제한된 시간 (말하자면, 50년) 동안 특정 산악 지역에서 채굴하면 필요한 광물을 얻을 수 있다. 광물 자원 채굴 후 토지의 원래 상태와 윤곽이 거의 복원될 수 있도록 채광 작업이 통제된다. 순환 원칙에 따라 복원이 요구되며, 그 후에 그 지역은 야생 생물을 위한 보호 구역으로 남을 것이다.

(나) (과학 지식이 인간의 기본 필요를 충족하는 데 사용된다고 가정할 때) 과학적 관찰과 연구를 위한 해양 생물의 표본 수집이 목적인 스쿠버 다이빙이 열대 수역의 산호초 지역에서 허용된다. 이후에 그 해저 지역은 인간의 방해를 받지 않는 해양 자연 보존 구역으로 확보한다.

(다) 자연 환경에 영구적인 생태적 피해가 생기지 않는 방식으로 임시 주택이나 기타 건축물을 짓는다. 나중에 도시나 교외 지역의 이미 사용된 땅에 영구 주택이나 기타 건축물을 지을 때 이 임시 건물을 철거하고 환경을 자연 상태로 되돌린다.

(라) 극심한 가뭄 동안 물 공급을 보충하기 위해 깨끗한 호수를 인간이 사용한다. 사용 후 강수량이 정상으로 돌아오면 물이 차도록 호수를 내버려두고 생존 가능한 생물 군집이 서식할 수 있게 한다.

(마) 갯벌을 인간이 소비할 조개, 굴 및 기타 해양 생물을 채취하는 장소로 일정 기간 지정하고, 그 다음에 동일한 기간 동안 야생 생물 보호 구역으로 남겨둔다. 그 후에 그곳을 다시 인간이 사

용하다가 다시 사용을 멈추는 식으로 무한히 반복할 수 있다.

다양한 순환 계획이 작동하려면 위의 예에서 언급된 인간 활동이 모두 엄격한 모니터링과 통제를 받아야 한다. 그런데 그 활동에 관여하는 사람들이 (여기서 가정하고 있는) 자연 존중 태도를 받아들였다면, 그들은 모니터링과 활동 통제를 기꺼이 받을 것이다. 실제로 그들은 자율적으로 절제하고 나중에 다른 생명체에게 부적합할 정도까지 지역을 훼손하지 않기 위해 자제력을 발휘할 것이다. 자연을 존중하는 마음에서 분배적 정의라는 우선순위 원칙을 지키고, 특정 장소에서 다른 생명체가 자연의 혜택을 받을 기회를 가지는 것이 공정하다고 생각할 것이다. 그렇다면 관련된 인간 행위자가 야생 생물의 선을 고려하여 자발적으로 자신의 행동에 제한을 가할 것이기 때문에 다양한 순환 체계는 사람 존중 태도와 자연 존중 태도를 모두 구현한다고 말할 수 있다.

영구 서식지 할당, 공동 보존, 환경 통합 및 순환이라는 정책과 실천은 인간과 인간 이외 존재가 기본 이익을 놓고 대립할 상황을 다양한 상호 수용 상황으로 바꿔놓는 일이 어떻게 가능한지를 보여준다. 이런 상황은 야생 동식물이 인간과 동등하게 본래적 가치가 있다는, 언뜻 보기에 터무니없을 수 있는 것에 대한 답을 제공한다. 인간이 생명을 유지하려면 인간이 인간 이외 유기체를 적어도 일부 소비해야 함이 명백한데도, 그런 입장이 과연 어떻게 이해될 수 있을까? 나는 생태학과 (이제는 종종 '환경과학' 이라고 불리는) 기타 관련 분야의 과학 지식으로 깨우치고 양심적인 노력을 기울임으로써 자연을 존중하는 인간이 야생 생물과 인간 사이의 공정한 분배에 적어도 근접할 수 있는 방법이 있음을 보여주었기를 바란다. 위에서 논의한 네 가지 방법으로 삶과 죽음의 투쟁을 '살아가고 살리는' 관계로 바꿀 수 있다. 인간 가치의 실현과 야생 생물 군집의 자연 상태 유지 능력 사이의 경쟁은 적어도 때때로 극복할 수 있다.

이 모든 것에서 이상적인 정의는 혜택과 부담을 당사자들에게 균등하게 분배하는 것이다. 공정한 몫이란 동등한 몫이다. 우리는 이 이상이 결코 완벽히 실현될 수 없음을 보았다. 충돌 상황에서 네 가지 방법을 잘 받아들이더라도 도덕 행위자의 행동은 인간이든 아니든 각 유기체를 항상 완벽히 동등하게 다루기에 역부족이다. 그러므로 분배적 정의의 원칙은 또 다른 우선순위 원칙인 보상적 정의의 원칙으로 보완해야 한다.

(5) 보상적 정의의 원칙

(도덕 주체가 부당한 대우를 받은 뒤 정의의 균형을 회복하는) 보상적 정의의 원칙이라는 개념은 이 책에서 앞서 두 번 살펴보았다. 4장에서는 자연 존중 윤리 체계의 네 번째 기본 의무로 포함되었다. 5장에서는 인간의 권리와 관련하여 언급했는데, 그때 나는 한 사람의 권리가 다른 사람의 권리와 충돌하고 각각의 권리가 모두 충족될 수 없는 경우, 권리가 침해당하는 사람에게 보상을 제공할 특별한 의무가 생긴다고 주장했다. 현재의 우선순위 원칙 맥락에서 보상적 정의 원칙은 최소 잘못의 원칙과 분배적 정의의 원칙을 따르는 경우마다 적용할 수 있다. 두 경우 모두 무해한 동식물에게 해를 입히며, 따라서 우리의 행동이 자연 존중 태도와 완전히 부합하려면 어떤 형태의 배상이나 보상이 요구된다. (최소 잘못의 원칙과 분배적 정의의 원칙을 적용하는 경우, 인간에게는 아무런 피해가 없으므로, 인간 이외 존재는 불평등한 대우를 받는 상황에 놓인다.) 그러므로 인간과 인간 이외 존재 사이 충돌을 해결하는 공정한 방법을 결정할 때 보상적 정의 원칙의 역할은 최소 잘못의 원칙과 분배적 정의의 원칙을 보완하는 것이다.

어떤 종류의 배상이나 보상이 적합한가? 두 가지 요소가 이 문제의 지침이 될 수 있다. 첫 번째 요소는 피해가 클수록 요구되는 보상이 크다는 점이다. 동식물의 선을 증진하거나 보호함으로써 인간과 인간 이외 존재 사이에서 균형을 회복하려는 실천은 어떤 행동이든 보상해야 하는 악행의 양에 상응하는 양의 선행이어야 한다.

두 번째 요소는 특정 개체의 선보다 전체 생태계와 생물 군집의 건전성과 건강에 관심을 집중하는 것이다. 이는 실질적인 조치로 가장 많은 수의 유기체의 선을 증진하는 가장 효과적인 방법이다. 게다가 자연 서식지를 확보하고 물리적 환경을 자연 상태로 유지함으로써 야생 생물에 대한 보상을 적절한 방식으로 '지불' 할 수 있다.

야생 보존이라는 보편적인 실천은 두 가지 면에서 야생 동식물에 대한 공정성 문제로 이해된다. 한편으로는 분배적 정의의 원칙에 해당하는 실천이고, 다른 한편으로는 보상적 정의의 요구 사항을 이행하는 방법이다. 첫 번째 측면에서 야생 보존은 자연의 하사품을 다른 생명체와 공유하는 것일 뿐이다. 모두가 혜택을 보도록 이익의 원천을 일정 부분 할당하는 것이다. 어느 정도가 공정한지는 단편적인 방식으로 결정할 수 없다. 자연과 인간 문명이 근본적으로 조화를 이루는 상태로 지구 전체를 상상해볼 필요가 있다. 어떤 야생 지역, 어떤 생태계, 그리고 어떤 생물 군집이 보존되어야 하는지 결정하는 것은 전체 질서다. (윤리적 이상 세계의 비전은 곧 더 자세히 논의할 것이다.)

두 번째 측면의 공정성은 인간이 야생 생물에게 자행한 불의를 보상하는 방법으로 야생 보존이 적합하기 때문이다. 야생의 생물 군집이 자신의 선을 실현할 수 있도록 서식지를 확보하고 그곳의 환경 조건을 보호하는 것은 그들과 정의의 균형을 회복하는 가장 적절한 방법인데, 왜냐하면 우리 자신이 이익을 얻기 위해 다른 생명체에 해를 입혔을 때조차 우리의 자연 존중 태도를 온전히 표현하기 때문이다. 이를테면 우리는 그들을 위해 무엇인가를 함으로써 그들이 우리에게 베푼 호의를 갚을 수 있다. 따라서 우리는 그들을 이용했다는 (그리고 앞으로도 계속 그들을 이용할 것이라는) 이유로 영원히 죄책감이라는 짐을 지지 않아도 된다. 보상할 수 있는 방법이 있기 때문이다.

이것으로 인간과 인간 이외 존재의 충돌로 인한 대립 주장을 해결하는 다섯 가지 우선순위 원칙의 검토를 마친다. 앞의 연구에서 가장 중요한 함의는 인간과 다른 종 사이의 충돌에 관한 한 생명평등주의를 무너뜨린 책임에 대한 합리적인 답변이라는 점이다. 나는 모든 생명체의 본래적 가치가 동등함을 마땅히 인정함으로써 모두에게 공정성을 확대하는 방식으로 갈등을 해결할 다양한 방법이 있음을 보여주고자 노력했다. 이 논의에 비추어볼 때, 우리는 적어도 모든 종을 공정하게 배려하는 생명 중심 환경 윤리 이론의 가능성을 받아들일 수 있다. 나는 불가피한 생물적 경쟁에 직면할 때 이런 견해야말로 부조리에 빠지지 않는다고 생각한다. 다섯 가지 우선순위 원칙은 서로 다른 종에 속하는 유기체의 이익이 모두 충족될 수 없는 상황에서 종 사이의 정의 개념의 체계적인 토대가 된다. 이런 식으로 정의라는 합리적인 원칙에 따라 도덕 질서에 의한 제약이 '생존 투쟁' 을 대체할 수 있다.

4. 인간 문명과 자연의 조화라는 윤리적 이상

나는 인간 윤리의 의무와 인간 윤리의 의무가 상충하는 모든 상황에서 앞서 말한 우선순위 원칙이 논리적으로 완전한 체계를 형성하여 우리가 해야 할 일을 알려주지 못함을 미리 지적했다. 충돌 상황에서 어떻게 해야 옳은지 결정할 수 없는 경우가 늘 있을 것이다. 그런 경우에 어떤 우선순위 원칙이 적용되어야 하는지 명확하지 않아서, 우리는 주장이 대립하는 상황을 어떻게 해결해야 하는지 쉽게 알 수 없다. 그렇다면 바로 의문이 생긴다. 그런 경우는 해결책을 무작위로 선택하여 임의로 결정해야 하는가?

우리가 받아들인 규범적 원칙 체계에 따라 이상적인 세계 질서를 그리고 그 비전을 참조함으로써 우리는 그런 상황에서 임의성과 무작위성을 피할 수 있을 것이다. 통일되고 종합적인 비전에 비추어보는 것이 갈등의 해결책을 찾는 데 필요한 지침이다. 우리는 이상으로 그린 세계 질서에 일관되는 적합한 해결책을 찾기 때문이다. 이 '일관된 적합성'은 우리의 결정이 그 세계 질서의 일반적인 속성, 즉 널리 깊이 퍼져 있는 두드러진 특성과 모순되지 않는다는 의미일 뿐 아니라, 또한 그 결정에 의해 그 특성이 명확해지고 강화된다는 의미다. 문제의 특성은 세계 질서를, 이 책에서 앞서 제기한 인간 윤리와 환경 윤리 체계에 포함된 규칙과 기준, 그리고 앞 절에서 논의한 우선순위 원칙을 우리가 철저히 따르기로 한다면 우리 모두 진정으로 추구할 이상적인 삶과 환경의 조건으로 만들 것이다.

이상은 모든 도덕 행위자가 사람을 존중하고 자연을 존중하는 두 가지 태도를 성품과 행동으로 드러내는 것이 어떤 의미인지를 상상의 그림으로 보여준다. 가장 단순한 용어로 이 '가능한 최고의 세계'를 묘사하는 가장 적절한 문구는 우리 행성의 세계 질서에서 인간의 문명이 자연과 조화를 이루는 것이다. 이 구절에서 사용된 '조화'의 의미를 이해함으로써 이상의 핵심 특징을 더 잘 파악할 수 있다. 그러나 우리는 우선 '인간 문명'이라는 용어가 가리키는 바를 검토해야 한다.

여기서 인간 문명은 주어진 시간에 존재하는 지구상 모든 문화의 집합과 동등한 것으로 간주해야 한다. 모든 문화가 자연과 조화를 이루는 윤리적으로 이상적인 세계에서는 각자 사람 존중이라는 인간 윤리의 제약 내에서 자신의 삶의 방식을 이어간다. 따라서 각 공동체에서 개체와 조직은 서로 도덕적 권리를 침해하지 않으면서 다양한 이익을 추구한다.

동시에 그들은 그들의 권리를 보호하는 법과 정치 제도 내에서 법률과 명령의 구속을 받는다. 현실에 대한 그들의 신념이 어떻게 다양하든, 역사와 전통의 의미를 어떻게 이해하든, 종교적 신념이 어떻든, 가장 가치 있는 삶을 어떻게 상상하든, 그들의 신념과 가치는 사람 존중이라는 근본적인 도덕적 태도와 충돌하지 않는다.

문화가 인간 이외 생명체를 대하는 방식과 자연계 내 인간의 적절한 위치에 대한 견해로 주제를 돌리면, 마찬가지로 윤리적 이상 세계에서 인간 문명을 구성하는 요소도 크게 다양할 것이다. 그러나 그 다양성은 항상 자연 존중 태도와 부합해야 한다. 문화가 인간 영혼의 정체성에 대한 신비한 견해를 세계 정신과 함께 받아들이든, 아니면 (낭만적 원시주의, 종교적 초월주의, 애니미즘, 지구 관리자, 실존적 소외 등등) 비신비주의 방식으로 인간과 인간 이외 생명체의 관계를 바라보든, 문제의 신념 체계는 자연 존중 태도의 채택과 실천을 허용해야 한다. 어떤 문화에서 생명 중심 관점 중 일부 또는 전부가 세계관의 일부로 받아들여지지 않더라도, 자연을 바라보는 관점에서 야생 생물을 착취하는 태도 또는 존중 태도와 모순되는 다른 태도를 지지해서는 안 된다. 따라서 윤리적 이상 세계에서 종교 공동체가 일신교나 다신교 신앙을 가지고 그 신앙에 따라 인간이 모든 지구상 야생 생물을 사랑하고 돌볼 것을 신(들)이 명령하는 것은 완벽히 가능하다. 인간 의식의 최고 상태를 자연계와 하나 되는 문제로 이해하는 신비주의도 자연 존중이라는 도덕적 태도와 양립할 수 있다. 생명 중심 관점은 자연계 내 인간의 위치에 관한 합리적이고 과학적으로 깨어 있는 방식이지만, 인간 문명과 자연 사이의 조화라는 윤리적 이상이 달성될 때 문화가 받아들이는 유일한 세계관일 필요는 없다.

나아가 이상의 내용을 명확히 하기 위해 조화라는 개념을 설명해야 한다. 여기서 사용되듯이 '조화'는 인간의 가치와 자연 생태계 내 동식물의 안녕이 균형을 유지한다는 의미다. 그것은 사람들이 개인의 관심사와 그들이 채택한 문화의 삶의 방식을 추구하는 동시에 매우 다양한 자연 생태계에 있는 많은 생물 군집이 간섭 없이 존재를 이어갈 수 있게 하는 지구상의 조건이다. 그 생물 군집의 개별 구성원에게 미치는 해는 인간의 행동이 아니라 자연 환경에서 진행되는 진화, 적응 및 자연적 변화 과정에서 비롯된다.

이 윤리적 이상에서 도덕 행위자로서 우리의 역할은 (4장에서 제시한) 환경 윤리의 네 가지 기본 규칙에 따라 야생의 동식물을 대하는 우리의 행동을 다스리는 것이다. 우리가 문화적 가치와 개인적 가치를 추구하는 동안 자연계의 교란을 피할 수는 없지만, 그럼에도 불구하고 우리는 가능한 한 자연 생태계와 그 생물상에 끼치는 간섭을 최소화하기 위해 끊임없이 스스로 제한을 가해야 한다. 자연의 영역은 인간만의 목적을 위해 소비되거나 착취되거나 통제되는 어떤 것으로 간주되지 않고, 다른 생명체와 공유된다. 비록 인간 문명의 일부인 생물 배양 분야에서 인간의 이익을 위해 다른 생명체를 소비하고 이용하지만, 인간과 야생 생물 사이에서는 그런 지배와 복종 관계를 찾아볼 수 없다.

지표의 서로 다른 영역이 인간과 야생의 생물 군집에 배분될 뿐 아니라, 좋은 서식지의 경우 기간 할당제를 실시하여 인간과 인간 이외 존재들이 차례로 그곳을 사용하고 이익을 누릴 수 있다. 균형은 '공동 보존'이라는 정책에서 더 잘 드러나는데, 그 경우 인간과 인간 이외 존재가 특정 천연 자원을 공유한다. 윤리적 이상 세계는 이런 방식 및 기타 방식으로 인간 가치의 (부분적으로 통제되는) 구현과 함께 인간 이외 존재의 선이 실현될 수 있는 곳이다.

5. 윤리적 이상의 규범적 기능

나는 위에서 서술한 윤리적 이상이 그것을 받아들이는 사람들의 실제 의사 결정에서 어떻게 규범으로 기능하는지를 간략히 설명하면서 마무리할 것이다. 이상의 주된 기능은 실질적 목표에 초점을 제공하는 것이다. 도덕 행위자가 도구적 합리성 발휘를 넘어 영구적이고 장기적인 도덕적 목표로 삼아 점진적으로 실현해나갈 세계 질서를 이상이 명시한다. 이상의 내용을 명확히 파악한 행위자는 실질적인 목표를 정할 때 자신이 원하는 전체 방향을 안다.

스스로 정하는 당면 과제는 실제 세계를 자신이 생각하는 이상 세계에 더욱 가깝게 만드는 변화를 목표로 삼는다. 노력의 최종 결과를 윤리적 이상으로 마음속에 그리기 때문에 실질적 목표와 그 목표를 위한 최선의 방법을 선택할 때 사실에 기반한 지식을 활용한다. (사실을 기반으로 지식 수준을 높인다는 목표는 물론 가장 중요한 실질적 목표 중 하나다.)

윤리적 이상은 도구적 합리성의 궁극적 목표를 명확히 할 뿐 아니라, 그 자체도 가치가 있다. 윤리적 이상 자체가 최고선을 대표하므로, 도덕 행위자가 이상을 점진적으로 실현하고자 스스로 정하는 목표는 최선의 노력을 기울일 가치가 있다고 판단된다. 실질적인 당면 목표는 달성시 도구적 가치만 있다. 최종적인 목표와 수단을 추구하는 것은 그 자체를 위한 것이 아니라 이상을 위한, 즉 마땅히 그래야 할 모습에 한 발 더 가까이 감으로써 세상을 더 나은 곳으로 만들기 위한 것이다. 그렇게 바뀌는 세계는 그런 변화 없이 도달하게 될 세계보다 더 나을 거라고 판단되는데, 왜냐하면 윤리적 이상 세계는 현실 세계에서 경험할 수 있는 것보다 (도덕적이든 도덕과 관계없든) 좋은 점이 더 많기 때문이다.

사람 존중과 자연 존중 태도를 받아들임에 따라 도덕 행위자의 삶에서 도구적 합리성의 초점인 윤리적 이상의 규범적 기능이 그들의 삶에 이미 확립된 체계를 대체한다고 생각하면 안 된다. 도덕 행위자가 문명과 자연이 더욱 조화로운 방향으로 실제 세계를 어떤 방식으로 변화시키든 간에, 그들이 취하는 수단은 결코 사람 존중과 자연 존중에 의한 기본적인 도덕적 제약을 위반해서는 안 된다. 미래 세계를 이상에 가깝게 만들기 위해 사람과 그 밖의 생명체들을 실질적 또는 잠재적 유용성 면에서 바라보아서는 안 된다. 도덕 행위자로서의 의무가 도구적 합리성에 의해 무시될 수 없다. 이상에 더욱 가까이 다가가는 과정은 도덕적인 과정이다. 선한 목적을 달성하기 위함이더라도 이행되는 행동이 악한 수단 때문에 잘못이라면, 모든 것을 고려할 때 그런 악한 수단을 사용해서는 안 된다. 윤리적 이상을 실현하고자 '이행하는 최선의 수단'인 행동은 인간 윤리와 환경 윤리의 의무 규칙이 정하는 경계 내에서만 허용된다.

자연 존중 윤리에 관한 이 책의 연구가 사람들이 이 윤리를 실천에 옮길 수 있음을 명확히 보여주었기를 바란다. 인간 문명과 자연이 조화를 이루는 세계는 앞선 분석에서 지적한 방식으로 체계화될 때 현실에서 확실히 가능하다. 나는 윤리적 이상을 향해 첫걸음을 떼기 위한 구체적인 조치로 현재 세계의 정치적, 법적 또는 경제적 변화를 제안하지 않았는데, 생명 중심 관점과 자연 존중 태도의 논의에서 보았듯이 도덕적 신념과 약속이라는 우리의 내적 변화가 필수적인 첫 단계임이 명확할 것이다. 그리고 이 내적 변화 자체는 정신적으로 가능하다. 어떤 사람들은 실제로 그런 변화를 일으키고 자율권을 행사하여 자연 환경과 생명체를 대하는 새로운 도덕 원칙을 채택하기로 결정한다. 그들은 적어도 환경 윤리 영역에서 생명 중심 관점이라는 기본을 받아들인다. 따라서 인간 중심에서 생명 중심으로 가는 도덕적 변화는 도덕 행위자인 인간의 정신이 성취 불가능한 것이 아니다.

이런 맥락에서 우리는 과제의 어려움을 실행 불가능과 혼동해서는 안 된다. 많은 사람들이 진정으로 자연 존중 태도를 받아들이고 그에 따라 행동하려고 한다면, 가치, 신념, 삶의 방식을 바꾸는 것이 얼마나 힘들지에 대한 착각이 없어야 한다. 그렇게 하려면 정신적으로 중대한 도덕적 방향 전환이 필요할 것이다. 현대 사회의 우리는 대부분 다른 종보다 인간이 본래 우월함을 당연시하는 철저히 인간 중심적인 문화에서 자랐다. 그런 식으로 인간 이외 동물과 식물을 바라보는 확립된 방식에서 우리 자신이 해방되려면 많은 노력을 기울여야 할 것이다. 그러나 실제로 불가능한 일은 아니다. 세상을 마땅히 그래야 하는 세계에 점점 더 가깝게 만들고자 자율성과 합리성을 발휘하는 우리를 어떤 것도 방해하지 못할 것이다.

해제

우리는 자연의 생명체를 어떻게 대해야 하는가

박종무(수의사, 생명윤리학 박사)

인간 중심적 사고를 극복하기 위한 모색으로서의 생명 중심주의

복잡계인 현실을 살아가는 우리는 다양한 문제들 속에서 삶을 살아가고 있다. 수많은 문제들 중에 오늘날 우리가 특히 심각하게 고민을 해봐야만 하는 문제는 무엇일까? 사람들마다 관심 영역에 따라 생각의 차이는 있겠지만, 우리 모두가 함께 심각하게 고민해야만 하는 문제는 환경과 관련된 문제다.

2018년 국가간 기후변화협의회(IPCC) 평가 보고서는 2040년 전후로 지구 평균 온도가 1.5도 상승할 것이라고 전망했다. 또 2019년 호주 기후복원센터 정책 보고서는 2050년에는 전 세계 대부분의 주요 도시가 사람이 생존 불가능하게 될 것이라고 전망했다. 이러한 암울한 전망이 얼마나 현실화될지는 알 수 없지만, 북극의 거대한 얼음이 녹아 북극곰의 개체수가 급감하고 있고 태평양 연안의 섬들이 불어난 바닷물에 잠겨 그곳의 원주민들이 환경 난민이 되어 바다를 떠도는 것을 보면, 그저 환경론자들의 과도한 기우라고만 간주해버릴 수만은 없게 되었다.

환경은 변화하는 대로 적응해서 살아가면 되는 그런 단순한 외부 조건이 아니다. 환경은 그 환경 내에 살고 있는 모든 생명체의 기본적인 토대로서, 환경에 심각한 변화가 생기는 경우 그곳에 적응하여 살아왔던 생명체는 심각한 위기 상황에 놓이게 된다. 2019년 UN 보고서는 지구 생물 중 50만~100만 종이 멸종 위기에 처해 있으며 야생 포유류 82% 가량이 지구상에서 사라졌다고 발표했다. 이러한 지구 생명의 위기를 초래하는 환경의 심각한 변화는 기후 온난화로 인해 유발되고 있다. 이 기후 온난화를 야기한 것은 두말할 것도 없이 인간이다.

지금까지 인류는 스스로 가장 우월한 존재라고 생각하며 자연과 자연 속의 동식물을 끝없는 욕망을 채우기 위한 수단으로 삼으며 생태계를 마구 파괴하였다. 이러한 행위를 가능하게 한 근원으로 지목받고 있는 것이 생명을 인간 우월적 시각에서 이해하는 인간 중심적 사고이다. 이러한 인간 중심적 사고를 극복하기 위해 다양한 모색이 이루어지고 있으며 그중에 하나가 생명중심주의이고, 생명중심주의를 가장 완전하게 발전시키고 철학적으로 세련되게 정당화해주었다고 평가받는 책이 바로 이 책 폴 테일러의 《자연에 대한 존중》이다.

생명 중심 윤리학

생명 중심 윤리학(biocentric ethics)은 모든 생명체가 본래적 가치를 가진다고 보는 생명관을 바탕으로 한다. 생명 중심 윤리학의 초기 형태는 슈바이처(A. Schweitzer)의 생명 외경(Die Ehrfurcht vor dem Leben) 원리다. 슈바이처는 "나는 살려고 하는 생명에 둘러싸여 살려고 하는 생명"이라며, 언제나 자신을 생명 의지 한 가운데 서 있는 생명 의지로 파악하였다.[1] 슈바이처는 자신 뿐만 아니라 주변의 무수한 생명들 또한 긍정적인 생명 의지로 파악하였다. 슈바이처의 생명에 대한 태도나 윤리 의식은 여기에서부터 시작한다.

1. 알베르트 슈바이처, 《나의 생애와 사상》, 천병희 옮김, 문예출판사, 2016, 200쪽.

> 사고하는 인간은 다른 생명 의지를 대할 때에도 자신의 생명 의지를 대할 때와 똑같은 생명에 대한 외경심을 갖고 대하지 않으려야 않을 수 없다. 그는 남의 생명을 자신의 생명 속에서 체험한다. 그가 선으로 생각하는 것은 생명을 유지하는 것, 생명을 촉진하는 것, 그리고 발전할 수 있는 생명을 그 최고의 가치에까지 끌어올리는 것이다. 그리고 그가 악으로 생각하는 것은 생명을 파괴하는 것, 생명을 손상하는 것, 그리고 발전할 수 있는 생명을 억압하는 것이다. 이것이 도덕적 사고의 필연적 절대 원리다.[2]

2. 알베르트 슈바이처, 같은 책, 201쪽.

슈바이처는 자신의 긍정적인 생명 의지를 체험하는 것과 같이 다른 생명의 생명 의지를 인식하게 되면 생명에 대한 외경심을 갖지 않을 수 없으며 그에 따라 그들 생명을 유지하고 촉진하는 것이 선이며 그에 반해 생명을 파괴하고 손상시키는 것을 악이라고 규정하였다. 하지만 슈바이처는 "지금까지 윤리는 인간에 대한 인간의 태도만을 문제삼아왔으며 그것은 큰 과오"라며, "실제로 문제가 되는 것은 인간이 세계와 자신의 영역에 나타나는 모든 생명에 대해 어떤 태도를 취하는가" 라고 말한다.[3] 슈바이처는 다른 생명들과의 관계에서 발생하는 문제를 극복하기 위해 "인간은 인간의 생명이든 동식물의 생명이든 생명을 생명으로서 신성시하고 곤궁에 빠진 생명을 헌신적으로 도와줄 때에만 윤리적이다"라고 말하였다.[4] 그리고 아프리카 오지에서 생명을 살리는 실천의 삶을 살았다.

3. 알베르트 슈바이처, 같은 책, 202쪽.

4. 알베르트 슈바이처, 같은 책, 202쪽.

슈바이처가 주장하는 생명에 대한 외경(Ehrfurcht)은 단순히 존중 이상의 의미를 갖는다. 외경은 경외(awe)와 경이(wonder)의 태도를 함축한다.[5] 그에 따라 생명에 대한 외경심의 윤리는 사랑, 헌신, 동정, 공동의 기쁨, 협력 등으로 불릴 수 있는 모든 것을 포괄한다.[6] 이러한 윤리 의식은 고귀한 생명과 미천한 생명, 가치 있는 생명과 가치 없는 생명을 구별하지 않으며,[7] "모든 생명체에 대해 무한한 책임감을 체험하는 보편적 윤리만이 사고에 근거를 두고 있다."[8] 하지만 슈바이처의 이러한 생명에 대한 태도는 관점이 지나치게 낭만적이고 또 전문 철학자들의 요구에 학술적인 형태의 답변을 내놓지 못했다고 하여 폭넓은 호응을 얻지 못했다.[9]

5. 조제프 R. 데자르댕, 『환경윤리』, 김명식 · 김완구 옮김, 연암서가, 2017, 280쪽.
6. 알베르트 슈바이처, 앞의 책, 202쪽.
7. 알베르트 슈바이처, 같은 책, 287쪽.
8. 알베르트 슈바이처, 같은 책, 202쪽.

9. 조제프 R. 데자르댕, 앞의 책, 283쪽.

슈바이처의 생명 중심 윤리를 발전시켜 철학적으로 세련되게 다듬은 것이 테일러의 자연 존중사상이다.

테일러의 자연 존중

지난 세기의 대규모 산업화, 급격한 인구 증가, 그리고 고도의 소비를 자극하고 또 그에 의존하는 경제의 확장 때문에 우리가 생존하는 행성은 자연 생태계의 수와 다양성이 급격히 감소하였다. 따라서 테일러는 우리 행성 자연 생태계의 안정성과 균형을 어떻게 유지하고 강화해야 하는지가 환경 윤리 영역의 핵심 질문이며, 인간이 자연 생태계와 야생의 생물 군집을 어떻게 다루어야 하는지 도덕 원칙 체계의 합리적 바탕을 확립할 필요가 있다고 말한다.[10] 환경 윤리는 인간과 자연계의 도덕적 관계를 다루며, 그 관계를 지배하는 윤리 원칙에 따라 지구의 자연환경과 그곳에 서식하는 모든 동식물에 관한 우리의 의무, 책무, 책임이 결정될 것이기 때문이다.[11]

10. 폴 테일러, 《자연에 대한 존중》, 김영 옮김, 도서출판리수, 2020, 20-21쪽.

11. 폴 테일러, 같은 책, 15쪽.

① 도덕 행위자와 도덕 주체

테일러는 먼저 우리에게는 인간 이외 존재에 대한 의무가 있으며, 있다면 그 의무의 근거는 무엇이며, 또 도덕적 행위자와 도덕 주체는 누구인가를 묻는다.

인간 중심 환경 윤리는 자연계에 대한 우리의 도덕적 의무가 모두 본질적으로 인간으로서 서로에게 갖는 의무에서 나온다고 본다. 환경을 피폐해지도록 방치하는 것은 미래 세대의 생존과 안녕에 영향을 끼치기 때문에 피해야 하며, 위험에 처한 야생 생물종을 보호해야 하는 것도 인간의 유용성과 연관된다. 그에 비해 생명 중심 윤리는 야생 생물 군집이 우리의 도덕적 관심과 배려의 대상이 되어야 하는 이유에 대해 그들 자체가 본래적 가치를 지니고 있기 때문이라고 본다.[12]

12. 폴 테일러, 같은 책, 22-23쪽.

이 두 이론에서 도덕 행위자와 도덕 주체는 다음과 같이 구분된다. 도덕 행위자는 도덕적으로 혹은 비도덕적으로 행동할 수 있고, 의무와 책임을 가지며, 자신이 하는 일에 대해 책임을 질 능력이 있는 존재라고 본다.[13] 그렇기에 두 이론 모두 기본적으로 인간이 도덕 행위자이다. 하지만 인간이라고 하여 모두 도덕 행위자가 되지는 않는다. 영아나 심한 질병으로 의식이 없는 사람의 경우 책임 질 수 있는 행위를 결정할 수 없기 때문에 도덕 행위자가 아니다. 하지만 도덕 행위자가 아니라고 하여 다른 사람들이 그들을 그릇되게 대해서는 안 되므로 그들은 여전히 도덕 주체이며 도덕 행위자가 가지는 의무의 대상이다. 테일러는 도덕 주체는 올바르게 또는 그릇되게 대우받을 수 있고, 도덕 행위자가 의무와 책임을 지는 대상인 존재로 정의한다. 따라서 모래나 돌과 같은 자연의 무생물은 인간에 의해 그릇되게 대우받을 수 없기 때문에 도덕 주체가 아니다. 그에 비해 자연의 생물은 인간에 의해 그들의 선이 증진되거나 악화될 수 있기 때문에 도덕 주체가 된다. 그렇기에 도덕 행위자는 도덕적 주체를 그릇되게 대하면 안 된다는 규범적 주장이 발생한다. 이러한 자연의 생물까지로 확장한 규범적 주장을 인간 중심 윤리는 받아들이지 않지만 생명 중심 윤리는 수용한다.

13. 폴 테일러, 같은 책, 24쪽.

생명 중심 윤리는 이러한 규범적 주장을 받아들임으로 인하여 동식물에 대한 의무와 책임이 우리에게 있다고 생각하며, 그 의무와 책임은 종종 인간의 정당한 도덕적 주장과 대립하는 딜레마가 발생한다. 테일러는 책의 후반부에 이러한 딜레마를 해결하기 위한 방법으로 행위의 기본 규칙과 다섯 가지 우선순위 원칙을 제시한다.

② 자연 존중 태도

테일러는 자연 존중의 태도를 가진다는 것에 대해 지구 자연 생태계의 야생 동식물이 본래적 가치를 지닌다고 보는 것이라고 주장한다. 본래적 가치는 누군가의 가치 평가와 관계없이 또 어떤 목적을 위한 도구적 가치와 무관하게 가치를 가지는 것이다. 본래적 가치를 지니는 존재는 자기만의 선을 가지며, 도덕적 주체로서 도덕적 관심과 배려를 받을 자격이 있다. 모든 도덕 행위자는 그 자체를 목적으로 존재의 선을 증진하고 보호할 명백한 의무가 있다.[14] 이러한 의무에 대하여 기존의 인간 중심 윤리는 인간에 한하여 모든 사람들이 의무의 대상이 되는 도덕 주체로서 동일한 지위를 가지며, 누구도 다른 누군가의 목적을 위한 수단으로 대우받아서는 안 된다고 이야기한다.

14. 폴 테일러, 같은 책, 83쪽.

테일러는 이러한 논의를 자연 생명체에까지 확장하여 야생 동식물들 또한 본래적 가치가 있다고 본다. 그리하여 어떤 종이든 다른 종보다 우월한 종이 없으며 모두 동등한 배려를 받을 자격이 있고, 각각은 인간의 목적을 위한 수단으로 대우받아서는 안 되며, 각자의 선을 증진하고 보호하는 일은 궁극적 목적이며 그 일은 그 존재를 위한 것으로 간주되고, 도덕 행위자는 그런 존재의 선을 고려하고 존중할 의무가 있다고 주장한다.[15]

15. 폴 테일러, 같은 책, 86쪽.

테일러는 도덕 행위자의 다음과 같은 일련의 성향을 자연 존중 태도라고 말한다. 도덕 행위자는 지구 자연 생태계의 모든 야생 생물이 본래적 가치를 지닌다고 바라보며(평가 측면), 목표를 세우고 추구하며(능동 측면), 행동에 대해 찬성 또는 반대의 이유를 곰곰이 생각하여 결론을 내리고 그 결론에 따라 행동을 실행하거나 자제하고(실천 측면), 지구상 야생의 생물 군집이나 종-개체군, 또는 개별 구성원이 존재를 온전히 유지할 것으로 예상되는 일에 기쁨을 느끼는 경향(감정 측면)이 있다.

자연 존중 태도는 단지 개인의 취향이나 좋아하고 싫어함에 따라 특정 종을 예뻐하거나 돌보는 것이 아니다. 자연 존중 태도는 일련의 도덕 규칙과 기준을 유효한 윤리 규범으로 채택하는 것이다. 또 테일러는 이러한 자연 존중 태도는 도덕적 태도일 뿐 아니라 궁극적 태도라고 말한다.[16]

16. 폴 테일러, 같은 책, 98쪽.

테일러는 생명 중심 윤리의 핵심을 다음 네 가지 믿음으로 정리한다.

(a) 다른 생명체가 지구 생명 공동체의 일원인 것과 동일한 의미 및 동일한 조건으로 인간도 그 공동체의 일원이다. (b) 인간은 다른 모든 종들과 함께 상호 의존하는 시스템을 구성하는 요소이며, 각 생명체가 잘 살거나 잘못되는 기회뿐 아니라 그 생명체의 생존도 환경의 물리적 조건과 더불어 다른 생명체와의 관계에 의해 결정된다. (c) 모든 유기체는 각각 자신의 방식으로 고유의 선을 추구하는 유일한 개체라는 의미에서 목적론적 삶의 중심이다. (d) 인간은 다른 생명체보다 본질적으로 우월하지 않다.[17]

17. 폴 테일러, 같은 책, 109쪽.

이러한 믿음을 바탕으로 생명 중심 윤리는 자연의 생물권 전체와 그 환경을 서로 연결된 사물과 사건의 질서로 바라보며, 생물권은 각 생태계에서 발견되는 것과 유사한 매우 복잡한 상호 의존 관계로 이해한다.[18]

18. 폴 테일러, 같은 책, 124-125쪽.

③ 인간 우월성의 부정

테일러는 자연 존중 태도를 취하는 생명 존중 관점을 구성하는 요소 중에 인간이 다른 생명체보다 우월하다는 생각을 전적으로 거부하는 것이 가장 중요하다고 말한다.[19] 하지만 서양을 비롯한 대다수의 문명은 인간을 가장 고등한 존재로 생각하며 다른 생명체는 '하등한' 존재로 취급한다. 이런 인간 우월적 시각은 서양의 경우 그리스의 고전 인본주의를 시작으로 하여 전통적 기독교 유일신 사상, 그리고 인간에게는 신체에 더해 정신이 있지만 동물은 정신이 없는 자동 기계에 불과하다고 본 르네 데카르트에 이르기까지 일관되게 이어져왔다.

19. 폴 테일러, 같은 책, 135쪽.

과거에도 그랬지만 현대에도 많은 철학자들은 인간에게는 이성과 자유 의지가 있기 때문에 다른 생명체보다 더 우월하다고 생각한다. 물론 인간은 다른 생명체에게 없는 특정 능력이 있다는 점에서 다른 생명체와는 다르다. 하지만 그 능력이 우리가 그들보다 우월하다는 표시로 간주되는 이유가 무엇이냐고 테일러는 반문한다. 인간에게는 이성이나 자유 의지와 같은 능력이 있지만 다른 생명체에게는 인간에게 없는 저마다의 능력이 있다. 새들은 비행, 치타의 속도, 식물의 광합성 능력 등등. 왜 이런 능력보다 인간의 능력이 우월하다는 표시로 간주되어야 하는가?

이것은 철저히 인간의 관점, 즉 인간의 선을 판단의 기준으로 보기 때문에 인간이 우월하다고 보는 것이라고 테일러는 주장한다. 이러한 관점에서 벗어나기 위하여 우리가 해야 할 일은 동물과 식물의 능력을 그들의 선의 관점에서 바라보는 것이 필요하다고 테일러는 말한다.[20] 사람들은 사람이 가지고 있는 특별한 능력을 기준으로 인간의 우월성을 말하지만 다른 생명체에게 왜 그런 능력이 비교의 기준이 되어야만 하는지 생각해봐야 한다.

20. 폴 테일러, 같은 책, 136쪽.

> 비교적 좁은 범위의 능력을 가진 생명체는 우호적인 환경 조건에서 그 능력을 구현함으로써 최적 수준으로 고유의 선을 실현할 수 있다. 그들은 그들 종의 생명체에게 좋은 삶을 살아가는 데 어떤 능력도 추가로 필요하지 않다.[21]

21. 폴 테일러, 같은 책, 155쪽.

테일러는 인간 우월성 관념 더 넓게는 어떤 종이 다른 종보다 본질적으로 우월하다는 생각을 거부하면, 그에 대응되는 긍정적 개념, 즉 종-공정성 원칙도 받아들이게 될 것이라고 말한다.[22]

22. 폴 테일러, 같은 책, 161쪽.

④ 동물과 식물에게 권리가 있는가

동물에 대한 관심이 높아지면서 동물권에 대한 관심 또한 높아지고 있다. 테일러는 동물 더 나아가 식물의 권리에 대해서 권리에 대한 개념을 법적 권리와 도덕적 권리로 나누어 분석한다.

법적 권리는 확립된 법률 체계에 의해 합법적인 청구권이나 자격을 가지는 것이다. 이러한 권리는 법에 의해서 규정되어진다. 법률 체계는 자신이 권리 소유자임을 이해할 수 없는 존재에게도 권리를 부여할 수 있다. 예를 들어 어린 아이, 정신적 장애가 있는 사람의 경우이다. 이들은 다른 사람들과 맞서 자신의 권리를 주장할 수 없지만 대리인이나 보호자가 그 주장을 대신할 수 있다. 또 법에 의해 인간이 아닌 재단과 같은 단체가 법적 권리의 주체가 될 수 있다. 법적 권리는 때와 장소에 따라 달라진다. 미국 여성들에게는 투표권이 없었지만 1920년 이후 투표권이 생긴 것처럼 사람들 그리고 공동체가 법적 지위를 부여하면 법적 권리가 생긴다. 동식물에 대해서도 1973년 멸종 위기종에 관한 법률이 제정되면서 특정 동식물 종-개체군은 법적 지위를 갖게 되었으며, 야생 지역 보존법은 그곳에 서식하는 동식물 군집에 법적 권리를 부여한다. 동식물의 법적 권리는 한 사회가 동식물에게 법적 권리를 부여하느냐 여부에 의해서 달라진다. 하지만 테일러는 자연 존중 윤리에 비추어볼 때 야생 생물의 법적 권리를 인정하는 사회가 그렇지 않은 사회보다 인간과 자연계의 관계에 유익한 사회라고 말한다.[23]

23. 폴 테일러, 같은 책, 231쪽.

그에 비해 도덕적 권리는 (a) 도덕적 권리 소유자는 도덕 행위자 공동체의 일원으로 추정되며, (b) 자기 존중을 할 수 있어야 하며, (c) 권리를 행사하거나 누릴 것을 선택할 수 있어야 하고, (d) 도덕적 권리로 인한 이차적인 자격이 부여되는 네 가지 측면을 갖는다.[24] 도덕적 권리 소유자는 자기 존중을 할 수 있어야 하며, 자기의 권리를 주장하고 또 피해를 입었을 때 추가적인 권리 주장도 가능해야 한다. 하지만 동물과 식물은 이러한 행위를 할 수 없다. 그렇기에 테일러는 동식물은 논리적으로 도덕적 권리 소유자라고 생각할 수 없다고 말한다. 대신에 동식물을 본래적 가치를 지닌 존재로 간주하는 경우 그들의 선은 모든 도덕 행위자에게 존중받을 권리로 이해하게 되어 행위자에게 의무를 부과할 수도 있다고 말한다.[25] 하지만 권리라는 용어가 사람 존중 원칙을 근거로 하

24. 폴 테일러, 같은 책, 250

25. 폴 테일러, 같은 책, 257쪽.

여 이루어진 개념이기 때문에 자연의 생명체를 대상으로 권리라는 용어를 사용하지 않는 편이 덜 혼란스러울 것이라고 말한다.[26] 테일러는 자연 존중 태도를 취하고 그들을 본래적 가치를 지닌 존재로 간주하는 것만으로도 동식물의 선을 인식하고 존중하기에 충분하다고 말한다.

26. 폴 테일러, 같은 책, 258쪽.

⑤ 대립 주장과 우선순위 원칙

인간 중심적 사고로 보면 산을 개간하거나 케이블카를 설치하는 등 자연을 대상으로 하는 인간의 다양한 활동은 인간 윤리의 어떤 규칙도 위반하지 않고 이루어질 수 있다. 하지만 자연 존중 태도로 보면 인간이 자연 환경을 이용하는 다양한 활동은 야생 동식물의 서식지를 파괴하거나 생물 군집을 파괴하고 또 인간의 생존을 위한 먹거리 소비로 야생 동식물의 본래적 가치를 침해하게 된다. 여기에서 인간 윤리와 환경 윤리가 충돌하는 딜레마가 발생한다.

테일러는 상충하는 이러한 문제를 해결하기 위해 ①자기 방어의 원칙, ②균형의 원칙, ③최소 잘못의 원칙, ④분배적 정의의 원칙, ⑤보상적 정의의 원칙 다섯 가지 우선순위 원칙을 제시한다. 자기 방어의 원칙은 도덕 행위자가 위험한 상황에서 해로운 유기체를 죽임으로써 자신을 보호하는 것을 허용한다. 균형의 원칙은 기본 이익과 비기본 이익이 충돌하는 경우 기본 이익을 우선시한다. 최소 잘못의 원칙은 야생 동식물에 해가 되는 행위를 할 수밖에 없는 경우에 해를 최소화할 수 있는 대안을 모색한다. 분배적 정의의 원칙은 인간의 기본 이익 못지않게 야생 동식물의 기본 이익도 중요하기 때문에 야생 동식물의 생존을 위해 영구 서식지를 할당하거나 토지를 순환하여 사용하는 등 지구의 유익한 자원을 동등하게 공유한다. 마지막으로 보상적 정의는 인간과 인간 이외 존재 사이에 발생하는 문제를 공정하게 처리한다고 하여도 불가피하게 야생 생물에 손상이 가해진 경우 보상하는 것이다.[27]

27. 폴 테일러, 같은 책, 270–307쪽.

테일러는 인간은 자연과의 조화를 위해 노력해야 하며 자연에 대한 간섭을 최소화하는 것이 최상의 방법이라고 말한다. 또 현대 사회의 우리는 다른 종보다 인간이 우월함을 당연시하는 철저히 인간 중심적인 문화에서 자랐기 때문에 이러한 시각에서 벗어나기 위해서는 많은 노력을 해야 하지만 그것이 또 불가능한 일만은 아니라고 말한다.

우리는 자연의 생명체를 어떻게 대해야 하는가

오늘날 발생하고 있는 심각한 환경 · 생태 문제를 해결하기 위하여 우리는 무엇보다도 먼저 생명을 대하는 태도를 변화시켜야 한다. 그것은 지금 발생하고 있는 환경 · 생태 문제가 인간 중심적 사고를 바탕으로 자연의 생명체를 마구 대하면서 발생했기 때문이다. 그렇기에 테일러는 야생 동식물을 본래적 가치를 지닌 존재로 인식하고 그들에 대해 존중하는 태도를 가져야 한다고 말하고 있다. 하지만 테일러 또한 이야기했듯이 지금 진행되고 있는 환경 · 생태 문제의 근원이기도 한 인간 중심적 사고는 사람들 사이에 너무나 뿌리가 깊기 때문에 그 해결책을 모색하는 것이 결코 쉽지 않다.

이것은 마치 갈릴레오 갈릴레이의 지동설을 부인하고 천동설을 옹호하던 로마시대의 가톨릭 교회를 보는 듯하다. 많은 사람들 특히 철학자들은 다양한 방식으로 인간의 우월성을 주장한다. 그들은 테일러가 제기한 "왜 야생 생물들 각각의 독특한 능력보다 인간의 능력이 우월하다는 표시로 간주되어야 하는가?"라는 질문을 이해하지 못한다. 그저 끝없이 인간의 특별한 능력을 기준으로 인간의 우월성만을 강조할 뿐이다. 이것은 인간 우월적 사고가 너무도 당연시되어왔기 때문에 자신이 인간 중심주의에 매몰되어 있다는 것조차 모르거나, 인간 중심주의가 왜 문제가 되냐고 반문한다. 이것은 남성 우월주의자들이나 백인 우월주의자들이 그러한 우월주의가 갖는 문제를 인식하지 못하는 것과 다를 바가 없다.

오늘날 인간 우월적 인간 중심주의를 바탕으로 한 생명에 대한 이해는 심각한 오류를 발생시키고 생명의 관계에 많은 문제를 유발하고 있다. 다윈은 생명이 창조되어졌다는 고정된 틀을 깨고 오랜 세월에 걸쳐 진화되어왔다는 진화론을 발표함으로써 생명의 이해에 큰 공헌을 하였다. 하지만 "자연 선택은 개체 간의 경쟁을 통해 작용하므로 자연 선택은 생물이 동료들보다 완벽함을 갖추었을 때에만 그들을 선택한다"[28]는 다윈의 진화론은 진화에 있어서 개체들 간의 경쟁을 강조함으로써 사람들로 하여금 생명들 간의 관계를 경쟁 위주로 오해하도록 만들었다. 이러한 다윈의 경쟁주의적 생명관은 그가 살았던 19세기 서양 사회에서 산업주의를 바탕으로 한 제국주의가 횡횡하던 시대상을 반영한 결과일 뿐 생명의 온전한 모습이 아니다.

이렇게 우리는 경쟁하는 생명관에 익숙하지만 실제로 생명은 때로 경쟁하지만 더 많은 경우 협력한다. 그것은 상호 이익을 위해서 친밀하게 함께 살아가는 것이 따로따로 생존하는 것보다 더 효과적인 경쟁자가 되기 때문이다.[29] 태초의 생명체로 세균이 나타난 이후 시간이 지나면서 다양한 생명체가 등장하는데 식물과 동물뿐만 아니라 모든 생물들의 세포는 서로 다른 종류의 세균들이 특정한 순서로 융합되어 이루어졌다.[30] 모든 원생생물은 궁극적으로 세균 공생을 통해 진화했으며, 곰팡이, 식물, 동물은 각기 다른 원생생물에서 진화되었다.[31] 이와 같이 장기간 지속적으로 공생 관계가 확립됨으로써 새로운 조직, 기관, 생물, 더 나아가 종이 생성되는 것을 진화 용어로 '공생 발생(symbiogenesis)'이라고 한다.[32] 세균들 간의 공생 발생은 생물 진화의 핵심적 역할을 하였을 뿐만 아니라 오늘날에도 세균은 모든 생명과 공

28. 찰스 다윈, 《종의 기원》, 김관선 옮김, 한길사, 2017, 487쪽.

29. 크리스토퍼 윌스 · 재프리 배더, 《생명의 불꽃: 다윈과 원시 수프》, 고문주 옮김, 아카넷, 2014, 300쪽.

30. 린 마굴리스, 《공생자 행성》, 이한음 옮김, 사이언스북스, 2007, 65–67쪽.

31. 린 마굴리스, 같은 책, 116–117쪽.

32. 린 마굴리스, 같은 책, 23쪽.

생 관계를 맺고 있고 또 생태계 순환의 토대가 되고 있다.

인간의 몸에도 내장 미생물 군집(microbiome)에는 약 1,000개의 주요 세균 그룹이 유지되고 있다.[33] 이들 장내 정상 세균은 장세포가 정상적인 기능을 할 수 있도록 촉진하는 기능을 하는데, 그런 장내 세균을 모두 없앤 상태에서 태어나고 자란 쥐는 면역 체계와 위장관 발달이 제대로 이루어지지 않는다.[34] 동물에 대한 다양한 연구를 통해 알 수 있는 것은 동물에게는 다양한 공생자가 대사 경로를 완성하고 다른 생리 기능을 제공하는 역할을 하면서 존재한다는 사실이다. 따라서 해부학적 또는 생리학적 기준에 의하면 개체로 존재하는 유기체는 없다.[35] 사람들은 자신을 하나의 단일 유기체라고 생각하지만 사실은 세균을 비롯한 수많은 생명체의 공생명체인 것이다. 마굴리스는 "생명은 자기 완결적이고 자율적인 개체라기보다는 오히려 다른 생물과 물질과 에너지, 그리고 정보를 서로 교환하는 공동체다. 숨을 쉴 때마다 우리는, 비록 느리기는 하지만 역시 호흡하는 생물권의 나머지 생물들과 연결된다"고 말한다.[36] 각각의 유기체가 상호 대립하고 경쟁하여 오늘에 이른 것처럼 보이지만 다양한 유기체는 다양한 방식으로 공진화해온 것이다.

33. Qin J. et al., "A human gut microbial gene catalogue established by metagenomic sequencing", Nature, 464, 2010, p. 59.
34. Lee YK, Mazmanian SK, "Has the Microbiota Played a Critical Role in the Evolution of the Adaptive Immune System?", Science, 330(6012), 2010, p. 1768.
35. Gilbert SF, Sapp J. Tauber AI, "A symbiotic view of life: we have never been individuals", Q Rev biol. 87(4), 2012, p. 325.
36. 린 마굴리스 · 도리언 세이건, 《생명이란 무엇인가》, 김영 옮김, 리수출판사, 2016, 42쪽.

생명에 있어 중요한 것은 유기체의 지속 가능성이다. 생명이 지속 가능할 수 없다면 생명은 더 이상 존재할 수 없다. 지구에 생명이 넘쳐나는 것은 지속 가능할 수 있었기 때문이다. 지구의 생명이 지속 가능할 수 있도록 유기물을 순환시키는 역할을 하는 것은 눈에 보이는 동식물이 아니라 눈에 띄지 않는 세균을 비롯한 미생물들이다. 그 미생물들이 우리 눈에 띄지는 않지만 지구 생태계의 순환 시스템 역할을 해준 덕분에 다양한 유기체들이 수억년에 걸쳐서 지속 가능했고 또 번창했던 것이다. 그렇기에 우리는 생명을 생각함에 있어서 지구의 순환 시스템 역할을 해주고 있는 미생물들을 어떻게 하면 온전히 공존할 수 있는지 또한 고민하여야 한다. 그럼 여기에서 한발 더 나아가 미생물을 도덕적 고려의 대상으로 삼을 수 있는가를 생각해볼 수 있다.

과거 대부분의 철학자들은 인간만을 도덕적 고려의 대상으로 삼았다. 그러한 영역을 동물 영역으로 확장한 철학자로 손꼽히는 이는 피터 싱어와 톰 레건이다. 싱어는 고통을 느끼고 즐거움을 경험하는 능력을 유정성(有情性, sentience)이라고 언급하며, 유정성이 있는 존재는 이해 관계를 갖기 때문에 도덕적 지위를 갖는다고 주장한다. 리건은 동물 또한 '삶의 주체' 로서 고유의 가치를 갖는 존재들이기 때문에 사람들의 이익이나 욕구, 사용 가치 등으로 평가해서는 안 된다고 주장한다. 그런데 싱어는 무척추동물이나 나무는 자신들에게 일어난 일에 대해 신경 쓰거나 고통을 느끼지 못하기 때문에 복지를 고려할 필요가 없으며, 리건은 삶의 주체라는 기준을 '1년 혹은 그 이상 된 정신적으로 정상적인 포유동물들' 에게만 적용하였다.[37] 이들은 인간에게 한정되어 있던 도덕적 영역을 확장하는 데 기여하기는 하였지만 그 확장은 소위 고등 동물까지로 한정되었다. 따라서 그들은 종차별주의라며 인간 중심주의를 비판하고 있지만 그들 또한 위계주의자라는 비판으로부터 자유로울 수 없다.

37. Tom Regan, The Case for Animal Rights, Berkeley, CA: The University of California Press, 2011, pp. 77-78.

이러한 다양한 차별주의로부터 벗어날 수 있는 방법은 테일러의 견해처럼 생명을 자신만의 독특한 방식으로 고유의 선을 실현하려고 애쓰는 목적론적 삶의 중심으로 보는 것이다.[38] 그 범주에는 인간은 말할 것도 없고 동물을 넘어 식물과 미생물까지도 포함한다. 그리고 이들 생명은 개별적으로 존재하는 것이 아니라 상호 의존적인 관계로 존재한다. 그렇기에 우리는 이들 모든 자연의 생명체들을 도덕적 고려의 대상으로 삼아야 하며 이들이 상호 원만한 관계를 유지할 수 있도록 숙고해야 한다.

38. 폴 테일러, 앞의 책, 128쪽.

사람들은 생명이 경쟁을 통하여 더 강하거나 나은 방향으로 진화를 한다고 생각하지만 생명은 어느 한 방향을 향하여 경주하듯이 진화하지 않는다. 생명은 제각각 자신의 생태적 적소(niche)에 맞춰 다양한 방향으로 진화해왔다. 그렇기 때문에 어떤 하나의 기준을 설정하여 고등 동물이나 하등 동물로 구분할 수 없다. 그래서 다윈조차도 '고등(higher)' 이나 '하등(lower)' 이라는 말을 사용하지 않겠다고 하였다. 또 유기체는 개별적인 존재로만 파악할 수 없으며 경쟁만을 삶의 방식으로 삼지도 않고 다양한 형태로 공생하며 살아간다.

그럼에도 불구하고 사람들은 고대로부터 동물에 대해서뿐만 아니라 사람 사회 내에서도 끊임없이 위계적 틀을 만들어 우열을 구분하려고 하였다. 이렇게 끝없이 우열을 구분하려고 한 이유는 워런(Karen J. Warren)의 억압적 틀 개념으로 이해될 수 있을 것이다. 워런은 억압적 틀 개념의 세 가지 특성을 다음과 같이 설명한다. 첫 번째는 가치 위계적 사고로서 상위의 가치와 하위의 가치가 있다는 생각이다. 두 번째는 가치 이원론으로 서로 반대되는 배타적인 두 가치 쌍들이 있다는 것이다. 마음-몸, 이성-감정, 남성-여성이 그런 예들인데, 이런 가치 이원론은 가치 위계적 사고와 맞물려서 앞의 것들이 뒤의 것들보다 상위의 가치를 갖는다고 생각한다. 세 번째는 앞의 것이 뒤의 것을 지배하는 것은 정당하다는 논리로서, 종속을 정당화하는 논리 구조이다. 이러한 가치 위계적 사고와 가치 이원론이 결합된 사고는 종속을 정당화하는 지배 논리이다. 워런은 모든 억압 체계에 이런 지배 논리가 개념적으로 유지되어 있다고 말한다.[39] 즉 인간 사회에서 인종, 성, 계급과 같은 차이를 이유로 차별하고 지배하고 착취하는 행위를 정당화하는 데 억압적 틀 개념이 지배의 논리로 이용된 것이다. 인간이 자연의 생명에 대해서도 위계적 틀 속에서 인간을 우위적 존재로 이해하려는 것은 자연에 대한 지배와 착취를 정당화하기 위한 수단으로 이해될 수 있다.

39. Karen J. Warren, "The Power and the Promise of Ecological Feminism", Environmental Ethics, Vol 12, Issue 2, Summer 1990, pp. 128–132.

오늘날 자연에 대한 인간의 심각한 착취로 인하여 환경 · 생태 문제가 심화되었다. 그렇기 때문에 우리는 인간의 행위에 대하여 반성적으로 되돌아보아야 할 것이다. 야생의 동식물을 그들에게 자유 의지가 있는지 이성이 있는지와 같이 인간의 특성을 기준으로 위계적으로 바라보는 시각에서 벗어나야 한다. 우리가 숨 쉬는 것, 우리가 영양을 섭취하며 생존을 이어갈 수 있는 것 또 인간이 사용한 화학 물질을 포함한 모든 배설물들을 정화하고 순환시켜주는 것은 자연의 생명체들이다. 인간은 우리가 잘나서가 아니라 공존하는 생명체들 덕분에 생존하고 있다. 그렇기에 우리에게 필요한 것은 자연에 대한 존중과 경외의 태도일 것이다.

참고 문헌

Attfield, Robin. *The Ethics of Environmental Concern*. New york: Columbia University Press, 1983.

Auxter, Thomas. "The Right Not to Be Eaten." *Inquiry* 22(Summer 1979): 221-230.

Baier, Annette. "For the Sake of Fture Generations." In T. Regan, ed., *Earthbound: New Introductory Essays in Environmental Ethics*. New York: Random House, 1984.

Baier, Kurt. *The Moral Point of View: A Rational Basis of Ethics*. Ithaca, N. Y.: Cornell University Press, 1958.

Barbour, Ian G. *Technology, Environment, and Human Values*. New York: Praeger, 1980.

Blackstone, William T., ed., *Philosophy and Environmental Crisis*. Athens, Ga.: University of Georgia Press, 1974.

——. "Ethics and Ecology." In W. T. Blackstone, ed. *Philosophy and Environmental Crisis*. Athens. Ga.: University of Georgia Press, 1974.

——. "The Search for an Environmental Ethic." In T. Regan, ed., *Matters of Life and Death: New Introductory Essays in Moral Philosophy*. New York: Random House, 1980.

Callicott, J. Baird. "Non-Anthropocentric Value Theory and Environmental Ethics." *American Philosophical Quarterly 21* (October 1984):299-309.

Clark, Stephen R. L. *The Moral Status of Animals*. Oxford: Oxford University Press, 1977.

——. "The Rights of Wild Things." *Inquiry 22* (Summer 1979): 171-187.

——. "Gaia and the Forms of Life." In R. Elliot and A. Gare, ed., *Environmental Philosophy: A Collection of Readings*. University Park, Pa.: Pennsylvania State University Press, 1983.

Daly, Herman E. *Steady-State Economics: The Economics of Biophysical Equilibrium and Moral Growth*. San Francisco: W. H. Freeman, 1977.

Darwall, Stephen. *Impartial Reason*. Ithaca, N. Y.: Cornell University Press, 1983.

——. "Two Kinds of Respect." *Ethics* 88 (October 1977):36-49.

Devall, Bill, and George Sessions. *Deep Ecology: Living As If Nature Mattered*. Layton, Utah: Gibbs M. Smith, Inc., 1985.

Disch, Robert, ed. *The Ecological Conscience: Values for Survival*. Englewood Cliffs, N. J.: Prentice-Hall, 1970.

Donagan, Alan. *The Theory of Morality*. Chicago: University of Chicago Press, 1977.

Ehrenfeld, David W. *Conserving Life on Earth*. New York: Oxford University Press, 1972.

——. *The Arrogance of Humanism*. New York: Oxford University Press, 1978.

Elliot, Robert, and Arran Gare, eds., *Environmental Philosophy: A Collection of Readings*. University Park, Pa.: Pennsylvania State University Press, 1983.

Feinberg, Joel. *Social Philosophy*. Englewood Cliffs, N.J.:Prentice-Hall, 1973.

——. *Rights, Justice, and the Bounds of Liverty: Essays in Social Philosophy*. Princeton, N.J.: Princeton University Press, 1980.

Foot, Philippa, *Virtues and Vices and Other Essays in Moral Philosophy*. Oxford: Basil Blackwell, 1978.

Forstner, Lorne J., and John H. Todd, eds., *The Everlasting Universe: Readings on the Ecological Revolution*. Lexington, Mass.: D.C. Heath, 1971.

Frankena, William K. "The Concept of Morality." *Journal of Philosophy* 63(1966):688-696.

——. "On Defining Moral Judgements, Principles, and Codes." *Etyka*, 2(1973):45-56.

——. "Ethics and the Environment." In K. E. Goodpaster and K. M. Sayre, eds., *Ethics and Problems of the 21st Century*. Norte Dame, Ind.: University of Notre Dame Press, 1979.

Fried, Charles. *Right and Wrong*. Cambridge, Mass.: Harvard University Press, 1978.

Frisch, Alfred J., and Science Action Coalition. *Environmental Ethics: Choices for Concerned Citizens*. Garden City, N.Y.: Anchor Press/Doubleday, 1980.

Godfrey-Smith, William. "The Value of Wilderness." *Environmental Ethics* 1(winter 1979):309-319.

Goodpaster, Kenneth E., ed., *Perspectives on Morality: Essays by William K. Frankena*. Notre Dame, Ind.: University of Notre Dame Press, 1976.

——. "On Being Morally Considerable." *Journal of Philosopyh* 75(june 1978):308-325.

——. "From Egoism to Environmentalism." In K. E. Goodpaster and K. M. Sayre, eds., *Ethics and Problems of the 21st Century*. Notre Dame, Ind.: University of Notre Dame Press, 1979.

Goodpaster, Kenneth E., and K. M. Sayre, eds., *Ethics and Problems of the 21st Century*. Notre Dame, Ind.: University of Notre Dame Press, 1979.

Gunn, Alastair S. "Preserving Rare Species." In T. Regan, ed., *Earthbound: New Introductory Essays in Environmental Ethics*. New York: Random House, 1984.

Hardin, Garrett. *Exploring New Ethics for Survival: The Voyage of the Spaceship* Beagle. New York: Viking Press, 1972.

——. "The Tragedy of the Commons." *Science* 162(December 1968): 1243-1248. (Reprinted in G. Hardin, *Exploring New Ethics for Survival*.)

Hill, Thomas E., Jr. "Servility and Self-Respect." *The Monist* 57 (January 1973):87-104.

Johnson, Edward. "Treating the Dirt: Environmental Ethics and Moral Theory." In T.

Regan, ed., *Earthbound: New Introductory Essays in Environmental Ethics*. New York: Random House, 1984.

Johnson, Lawrence E. "Humanity, Holism, and Environmental Ethics." *Environmental Ethics* 5 (Winter 1983):345-354.

Kant, Immanuel. *Foundations of the Metaphysics of Morals*(1785). Translated by Lewis White Beck. Indianapolis: Bobbs-Merrill, 1959.

——. *The Doctrine of Virtue: Part II of the Metaphysics of Morals*(1797). Translated by Mary J. Gregor. Philadelphia: University of Pennsylvania Press, 1964.

Kassiola, Joel. "The Limits to Economic Growth: Politicizing Advanced Industrial Society." *Philosophy and Social Criticism* 8(Spring 1981): 87-113.

Lappé, Frances Moore. *Diet for a Small Planet*. New York: Friends of the Earth/Ballantine Books, 1971.

Leitzell, Terry L. "Extinction, Evolution, and Environment Management." In Bryan G. Norton, ed., *The Preservation of Species: The Value of Biological Diversity*. Princeton, N.J.: Princeton University Press, 1986.)

Leopold, Aldo. *A Sand County Almanac and Sketches Here and There*. New York: Oxford University Press, 1949.

Lewis, Clarence Irving. *An Analysis of Knowledge and Valuation*. LaSalle, Ill.: Open Court, 1946.

Lockwood, Michael. "Singer on Killing and the Preference for Life." *Inquiry* 22(Summer 1979):157-170.

Lombardi, Louis G. "inherent Worth, Respect, and Rights." *Environmental Ethics* 5(Fall 1983):257-270.

Lovejoy, Arthur O. *The Great Chain of Being: A Study of the History of an Idea*. Cambridge, Mass.: Harvard University Press, 1936.

MacCallum, Gerald C., Jr. "Negative and Positive Freedom." *Philosophical Review* 76(July 1967):312-334.

McCloskey, H.J. *Ecological Ethics and Politics*. Totowa, N.J.: Rowman and Littlefield, 1983.

——. "Moral Rights and Animals." *Inquiry* 22(summer 1979):23-54.

McGinn, Colin. "Evolution, Animals, and the Basis of Morality." *Inquiry* 22(Summer 1979):81-99.

McRobie, George. *Small Is Possible*. New York: Harper and Row, 1981.

Naess, Arne. "The Shallow and the Deep, Long-Range Ecology Movements: A Summary." *Inquiry* 16(1973): 95-100.

——. "Self-Realization in Mixed Communities of Humans, Bears, Sheep, and Wolves."

Inquiry 22(Summer 1979): 231-241.

Nash, Roderick. *Wilderness and the American Mind.* New Haven, Conn.: Yale University Press, 1967. (Second edition, 1973: third edition, 1982)

Nell, Onora. Acting *On Principle: An Essay On Kantian Ethics.* New York: Columbia University Press, 1975.

Norton, Bryan G. "On the Ingerent Danger of Undervaluing Species." In Bryan G. Norton, ed., *The Preservation of Species: The Value of Biological Diversity.* Princeton, N. J.: Princeton University Press, 1986.

Norton, Bryan G, ed., *The Preservation of Species: The Value of Biological Diversity.* Princeton, N.J.: Princeton University Press, 1986.

Ophuls, William. *Economics and the Politics of Scarcity: A Prologue to a Political Theory of the Steady State.* San Francisco: William H. Freeman, 1977.

Partridge, Ernest, ed. *Responsibilities to Future Generations: Environmental Ethics.* Buffalo, N. Y.L Prometheus Books, 1981.

Passmore, John. *Man' s Responsibility for Nature: Ecological Problems and Western Traditions.* New York: Charles Scribner' s Sons, 1974.

——, "Attitudes to Nature." In R. S. Peters, ed., *Nature and Conduct.* New York: St. Martin' s Press, 1975.

Paton, H. J. *The Categorical Imperative: A Study in Kant' s Moral Philosophy.* London: Hutchinson and Co., 1947.

Pluhar, Evelyn B. "The Justification of an Environmental Ethic." *Environmental Ethics* 5 (Spring 1983): 47-61.

Rawls, John. *A Theory of Justice.* Cambridge, Mass : Harvard University Press, 1971.

Regan, Donald H. "Duties of Preservation." In Bryan G. Norton, ed., *The Preservation of Species: The Value of Biological Diversity.* Princeton, N.J.: Princeton University Press, 1986.

Regan, Tom. *All That Dwell Therein: Animal Rights and Environmental Ethics.* Berkeley and Los Angeles: University of California Press, 1982.

——. *The Case for Animal Rights.* Berkeley and Los Angeles: University of California Press, 1983.

——. ed., *Earthbound: New Introductory Essays in Environmental Ethics.* New York: Random House, 1984.

——. "The Nature and Possibility of an Environmental Ethic." *Environmental Ethics* 3(Spring 1981):19-34.(Reprinted in T. Regan, *All That Dwell Therein.*)

——. "On the Right Not to be Made to Suffer Gratuitously." *Canadian Journal of Philosophy* 10 (September 1980): 473-478.

Regan, Tom, and Peter Singer, eds. *Animal Rights and Human Obligations.* Englewood Cliffs, N. J.: Prentice-Hall, 1976.

Rodman, John. "The Liberation of Nature?" *Inquiry* 20 (Spring 1977): 83-145.

——. "Animal Justice: The Counter-Revolution in Natural Right and Law." *Inquiry* 22 (Summer 1979):3-22.

Roelofs, R. T., J. N. Crowley, and D. L. Hardesty, eds., *Environment and Society: A Book of Readings on Environmental Policy, Attitudes, and Values.* Englewood Cliffs, N.J.: Prentice-Hall, 1974.

Rolston, Holmes III. "Is There an Ecological Ethic?" *Ethics* 85(1975):93-109.

——. "Just Environmental Business." In T. Regan, ed., *Just Business: New Introductory Essays in Business Ethics.* New York: Random House, 1984.

——. "Valuing Wildlands." *Environmental Ethics* 7 (Spring 1985):23-48.

Routley, R. and V. "Against the Inevitability of Human Chauvinism." In K. E. Goodpaster and K. M. Sayre, eds., *Ethics and Problems of the 21st Century.* Notre Dame, Ind.: University of Notre Dame Press, 1979.

Ruse, Michael. *The Philosophy of Biology.* London: J. M. Dent, 1973.

——. *Sociobiology: Sense or Nonsense?* Dordrecht, Holland: D. Reidel, 1979.

Schumacher, E. F. *Small Is Beautiful*, New York: Harper and Row, 1973.

——. *Good Work.* New York: Harper and Row, 1979.

Shepard, Paul, and Daniel McKinley eds. *The Subversive Science: Essays toward an Ecology of Man.* Boston: Houghton Mifflin, 1969.

Shrader-Frechette, K. S., ed., *Environmental Ethics.* Pacific Grove, Calif.: The Boxwood Press, 1981.

Shue, Henry. *Basic Rights: Subsistence, Affluence, and U. S. Foreign Policy.* Princeton, N. J.: Princeton University Press, 1980.

Simmons, John A. "Inalienable Rights and Locke' s Treatises." Philosophy and Public Affairs 12 (Summer 1983):175-204.

Simpson, George Gaylord. *The Meaning of Evolution: A Study of the History of Life and Its Significance for Man.* New Haven, Conn.: Yale University Press, 1949.

Singer, Peter. *Animal Liberation: A New Ethics for Our Treatment of Animals.* New York: The New York Review, 1975.

——. "All Animals Are Equal." In Tom Regan and Peter Singer, eds., *Animal Rights and Human Obligations.* Englewood Cliffs, N. J.,: Prentice-Hall, 1976.

——. "Killing Humans and Killing Animals." Inquiry 22 (Summer 1979): 145-156.

——. "Not for Humans Only: The Place of Nonhumans in Environmental Issues." In K. E. Goodpaster and K. M. Sayre, eds., *Ethics and Problems of the 21st Century.* Notre

Dame, Ind,: University of Notre Dame Press, 1979.

Sprigge, T. L. S. "Metaphysics, Physicalism, and Animal Right." *Inquiry* 22 (Summer 1979): 101-143.

Stone, Christopher. *Should Trees Have Standing? Toward Legal Rights for Natural Objects.* Los Altos, Calif.: William Kaufmann, Inc., Inc., 1974.

Taylor, Paul W. "The Ethics of Respect for Nature." *Environmental Ethics* 3 (Fall 1981): 197-218.

——. "Frankena on Environmental Ethics." *The Monist* 64 (July 1981):313-324.

——. "In Defense of Biocentrism." *Environmental Ethics* 5(Fall 1983):237-243.

——. "Are Humans Superior to Animals and Plants?" *Environmental Ethics* 6 (Summer 1984):149-160.

Tribe, Laurence H., Corinne S. Schelling, and John Voss, eds., *When Valuse Conflict: Essays on Environmental Analysis, Discourse*, and Decision. Cambridge, Mass.: Ballinger Publishing Co., 1976.

VanDe Veer, Donald. "Interspecific Justice." *Inquiry* 22(Summer 1979):55-79.

Vlastos, Gregory. "justice and Equality." In R. B. Brandt, ed. *Social Justice.* Englewood Cliffs, N. J.: Prentice-Hall, 1962.

Von Wright, Georg Henrik. *The Varieties of Goodness.* New York: Humanities Press, 1963.

Wallace, James D. *Virtues and Vices.* Ithaca, N. Y.: Cornell University Press, 1978.

Watson, Richard A. "A Critique of Anti-Anthropocentric Biocentrism." *Environmental Ethics* 5 (Fall 1983):245-256.

Williams, George C. *Adaptation and Natural Selection: A Critique of Some Current Evolutionary Thought.* Princeton, N.J.: Princeton University Press, 1966.

Wilson, Edward O. Sociobiology: *The New Synthesis.* Cambridge, Mass.: Harvard University Press, 1975.

Woodfield, Andrew. *Teleology.* New York: Cambridge University Press, 1976.

Wright, Larry. *Teleological Explanation.* Berkeley and Los Angeles: University of California Press, 1976.

Young, Robert. "Autonomy and the 'Inner Self'." *American Philosophical Quarterly* 17 (january 1980): 35-43.

——. "Autonomy and Socialization." *Mind* 89 (October 1980): 565-576.

Zimmerman, David. "The Froce of Hypothetical Commitment." *Ethics* 93 (April 1983): 467-483.

찾아보기

옮긴이 김영

서울대학교에서 미생물학을 공부했고, 영국 존 이네스 센터와 미국 스크립스 연구소에서 세균의 분화 과정을 탐구했다. 우리말과 글에 점점 더 흥미를 느껴 한국어 강사 양성 과정을 이수하고 베트남 꽝닌성과 한림대 한국어교육센터에서 한국어를 가르쳤다. 《생명이란 무엇인가》《통합 도시》《질병과 죽음에 맞선 50인의 의학 멘토》《정의와 변혁을 꿈꾼 50인의 정치 멘토》 등을 우리말로 옮겼다.

자연에 대한 존중 : 생명 중심주의 환경 윤리론

1판 1쇄 발행 2020년 4월 10일
1판 2쇄 발행 2023년 12월 22일
지은이 폴 W. 테일러
옮긴이 김영
기획 감수 박종무
펴낸이 김현정
펴낸곳 책읽는고양이 / 도서출판리수
등록 제4-389호(2000년 1월 13일)
주소 서울시 성동구 행당로 76 110호
전화 2299-3703
팩스 2282-3152
홈페이지 www.risu.co.kr
이메일 risubook@hanmail.net

ISBN 979-11-86274-56-9 93190
※책값은 뒤표지에 있습니다.
※잘못 제본된 책은 바꾸어 드립니다.